SUPREMO RESGATE

FICHA CATALOGRÁFICA

(Preparada na Editora)

M56s
Meyer, Antonieta Vieira, 1902-1988
Supermo Resgate
Espírito Ignácio.
Araras, SP, IDE, 10ª edição, 2016
320 p.
ISBN 978-85-7341-680-0
1. Romance 2. Brasil Império - Abolição da escravatura
3. Espiritismo. 4. Mediunidade - Psicografia I. Título

CDD - 869.935
- 981.04
- 133.9
-133.91

Índices para catálogo sistemático:
1. Romance: Século 20: Literatura brasileira 869.935
2. Brasil Império - Abolição da escravatura 981.04
3. Espiritismo 133.9
2. Mediunidade: Psicografia: Espiritismo 133.91

SUPREMO RESGATE

ANTONIETA V. MEYER com o espírito **IGNÁCIO**

ide

ISBN 978-85-7341-680-0
10ª edição - fevereiro/2016

Copyright © 1994,
Instituto de Difusão Espírita

Conselho Editorial:
Hércio Marcos Cintra Arantes
Doralice Scanavini Volk
Wilson Frungilo Júnior

Projeto Editorial:
Jairo Lorenzeti

Revisão de texto:
Mariana Frungilo

Diagramação e Capa:
César França de Oliveira

INSTITUTO DE DIFUSÃO ESPÍRITA
Av. Otto Barreto, 1067 - Cx. Postal 110
CEP 13600-970 Araras/SP - Brasil
Fone (19) 3543-2400
CNPJ 44.220.101/0001-43
Inscrição Estadual 182.010.405.118

www.ideeditora.com.br
editorial@ideeditora.com.br

Todos os direitos reservados. Nenhuma parte desta publicação pode ser reproduzida, armazenada ou transmitida, total ou parcialmente, por quaisquer métodos ou processos, sem autorização do detentor do copyright.

SUMÁRIO

SUMÁRIO

I. Uma nobre família do Brasil Império, 9

II. Infância e juventude do futuro Visconde, 53

III - Primeiras sementes da Abolição, 83

IV - Encontro decisivo em Paris, 101

V - Suntuoso casamento e regresso ao Brasil, 129

VI - Paixão e violência, 151

VII - O filho do Visconde, 181

VIII - Sombra obsessora, 207

IX - Pai e filho, 237

X - Confissões, 279

UMA NOBRE FAMÍLIA DO BRASIL IMPÉRIO

I - UMA NOBRE FAMÍLIA DO BRASIL IMPÉRIO

Estamos nas planícies verdejantes e fecundas do vale do Paraíba, onde águas mansas deslizam calmamente, infiltrando-se nas margens, ensopando as terras férteis do Estado de São Paulo, cuja riqueza imensa proporcionou aos seus valentes e destemidos filhos a auréola de valentia que, até hoje, decorridos tantos anos, os fazem dignos da admiração e do respeito de seus irmãos de outras plagas menos favorecidas.

Começo do ano de 1800...

Na aristocrática cidade de X., fazendas cercavam a bela cidade, e descreverei uma delas.

A fazenda ficava distante da cidade alguns quilômetros. Boa e conservada estrada ligava a rica propriedade à cidade próspera e orgulhosa, cujos filhos ostentavam com orgulho os seus brasões e as famílias fidalgas procuravam sempre entrelaçar os seus títulos, ciosas da continuação das nobres estirpes.

Entre os membros das famílias possuidoras desses títulos, era o Conde o mais orgulhoso. Na sua fazenda, recebia visitas importantes e dava magníficas festas.

Era imensa a casa grande da fazenda. Ficava situada no alto e, de muito longe, podia-se avistá-la cercada de esbeltas palmeiras imperiais. Uma alameda larga, feita de pesadas lajes de pedras, onde germinava verde capim, emprestando à mesma um aspecto interessante, ia até longo terraço. A porta principal, feita de pesado jacarandá, com puxador de bronze ostentando delicado trabalho de entalhe feito a canivete, dava para um comprido corredor que finalizava no salão de jantar. Dos lados, duas salas colossais com seis janelas para o terraço; uma das salas era reservada somente para as recepções. Nas janelas, pesadas cortinas de damasco. A mobília de jacarandá, com fino assento de palhinha, constava de um comprido sofá, duas poltronas, doze cadeiras e dois consoles com espelhos dourados tendo, sobre os mesmos, vasos e bibelôs de Sévres.

Nas paredes, retratos de familiares, pintados na Itália, ostentavam orgulhosos as suas condecorações; as damas, com complicados penteados e joias preciosas.

O assoalho era quase que coberto por rico tapete tecido à mão e comprado na Pérsia pelos velhos Condes...

Em um recanto do salão, um piano negro. A Condessa era exímia pianista, mas esse piano era somente aberto nos dias de recepção. Na outra sala, havia outro menos rico no qual a Condessa estudava diariamente.

Além dessas duas salas, o salão de jantar, mobiliado ricamente, tendo sobre os móveis ricas peças de baixela de prata portuguesa, cristais vindos da Boêmia e porcelanas de Limoges, com os brasões feitos a ouro. Era uma riqueza este salão da grande fazenda.

Doze amplos quartos, despensas e cozinhas.

Distante, a imensa senzala, os paióis, os currais, os quartos para os castigos...

Do outro lado, a residência do feitor...

Na frente da casa, além das esguias palmeiras, belo e bem tratado jardim.

A Condessa, que fora educada na Europa e que lá vivera muitos anos, ao retornar à sua pátria, noiva do ilustre Conde, procurou embelezar a rica fazenda nos moldes das aristocráticas vivendas francesas. Chegou mesmo a mandar buscar na França um hábil jardineiro para desenhar o seu jardim, desmanchando o atual, que ela achava horrível na sua simetria simples.

Flores raras e exóticas foram plantadas.

Dois escravos inteligentes receberam lições do renomado artista para que pudessem tratar com todo o cuidado o lindo parque.

Tinha a jovem Condessa verdadeiro culto às flores, e o seu jardim tornou-se famoso.

Logo no começo da estrada, que dava acesso à casa grande, podia-se ver os bem tratados canteiros. Estátuas encomendadas na Itália foram também colocadas artisticamente em diversos pontos desse recanto maravilhoso, e bancos talhados no mais puro mármore foram também espalhados cuidadosamente.

As carruagens vinham pelo caminho de pedra, davam a volta e paravam junto à grande escadaria.

Tinha a fidalga fazendeira diversas carruagens para o seu uso, compradas por preço fabuloso na Europa e transportadas para o Brasil depois de uma série de grandes dificuldades; mas vencera o seu capricho.

***

A Condessa pertencia a uma importante família, mas que, na época de seu casamento, já estava um tanto abalada financeiramente.

Foi uma sorte para a jovem fidalga o encontro com o riquíssimo Conde em uma reunião em Paris.

Rapidamente, estavam noivos.

Francisco Ignácio, assim se chamava o fidalgo brasileiro, enamorou-se loucamente da linda donzela e, depois do pedido, voltaram apressadamente para o Brasil, onde se realizaria o casamento.

Clotilde, a encantadora brasileirinha, estava radiante com a conquista inesperada, pois sabia que ia desfrutar uma posição privilegiada. O seu noivo possuía fabulosa fortuna e podia, portanto, gozar uma vida despreocupada, mesmo morando na fazenda distante, condição essa expressa, quando feito o pedido oficial.

Iriam passar alguns meses na Corte, poderiam viajar pelo estrangeiro, mas a residência seria na fazenda.

Clotilde concordou e Francisco Ignácio cumpriu o que prometera.

Todos os anos, faziam uma temporada na Corte, eram recebidos pelo Imperador, frequentavam os grandes salões e as suntuosas recepções.

Clotilde aproveitava para fazer compras de vestidos e, nessas ocasiões, recebia do esposo presentes, joias que ela adorava.

Fizeram diversas viagens; foram ao Oriente misterioso, percorreram toda a Europa, até a Rússia dos czares, onde puderam assistir a uma grandiosa festa no Palácio Real.

Estiveram na China, Japão, Índia, e na casa grande da fazenda podia-se ver desde os tapetes tecidos à mão até a mais fina porcelana, adquiridos nas suas prolongadas viagens.

**

Demorou Clotilde alguns anos para ter o primeiro filho. Foi justamente quando eles estavam na Corte que ela participou ao marido que ia lhe dar um herdeiro para o seu nome ilustre.

Francisco Ignácio ficou contentíssimo e, depois de levá-la a um abalizado médico, retornou à sua fazenda, pois queria que o filho nascesse no seu Estado.

Ele era um autêntico paulista. Sentia orgulho de ter nascido no próspero Estado dos Bandeirantes e costumava dizer: – Sou paulista por mercê de Deus...

Com que ansiedade esperava a vinda desse filho. Como os dias foram morosos, que impaciência torturante...

Finalmente, chegou o momento esperado.

Clotilde tinha preparado o enxoval do filho com todo esmero; inúmeras mucamas trabalharam, durante meses, na execução das pequeninas camisolas, mantos, toucas, sapatinhos; outras foram designadas para prepararem os lençóis, fronhas e colchas do berço, que já estava no quarto junto ao leito dos seus genitores.

A mobília era um encanto, digna não de um Visconde, mas de um Príncipe Imperial.

Para a fazenda, tinha vindo um grande médico da Corte. Nada faltava. O Conde esperava com ansiedade indescritível a vinda do filho sonhado.

Finalmente, numa radiosa manhã de primavera, a Condessa teve uma linda e robusta menina...

Foi para o casal, no primeiro momento, uma decepção. Esperavam um herdeiro, mas, momentos depois, estavam esquecidos da cruel decepção e, felizes, contemplavam a encantadora criança. Em poucos dias, estava a Condessa completamente restabelecida, porém sem ter ainda saído de seu quarto.

Passava os dias deitada ou sentada junto à janela, contemplando a paisagem maravilhosa que tinha diante dos olhos.

Na frente, os altos morros e os cafezais verdes que se perdiam ao longe, a estrada longa, os carros de bois, os cavaleiros e os negros que iam e vinham na faina cotidiana.

Outras vezes, lia os jornais que chegavam da Corte e da cidade. Com sofreguidão procurava conhecer as novidades recentes, desde os ditames da moda até as crônicas sociais, nas quais encontrava as mais variadas surpresas: noivados inesperados, casamentos realizados, amigos que tinham partido para viagens ao estrangeiro, bailes suntuosos, onde as damas gastavam fortunas com as toaletes.

Lia também a parte literária e ficava empolgada com os arrojos dos nossos estudantes e dos nossos poetas e romancistas.

A Condessa tinha uma magnífica biblioteca e, quando das suas viagens à Corte, trazia para a fazenda os livros mais recentes, não só dos nossos escritores, mas também dos estrangeiros, principalmente franceses, que ela lia com a mesma facilidade dos do nosso idioma.

No período da convalescença, o marido vinha fazer-lhe companhia durante muitas horas; enquanto ela lia, ele aproveitava para ver também como ia a política e quais os assuntos mais focalizados...

Cansados da leitura prolongada, colocavam os jornais sobre a cômoda e iam conversar sobre outros assuntos...

***

A fazenda era imensa e o número de escravos também.

O feitor enérgico trazia aquelas infelizes criaturas debaixo de seu jugo impiedoso; trabalhavam como animais e à menor falta eram castigados com crueldade. Mas, mesmo assim, durante a noite, reuniam-se na senzala escura e cantavam as nostálgicas canções de suas terras distantes e misteriosas.

Nas conversas com a esposa, o Conde contava-lhe como realizara um grande negócio e o lucro fabuloso que tivera, assim como a compra de outros escravos, o casamento de alguns, as denúncias do feitor e castigos determinados.

– Um deles foi do Ignácio, aquele pretinho inteligente, filho do Tomé e da Quitéria. Imagine você que o feitor o encontrou com um livro, lendo debaixo de uma árvore, a enxada ao lado e o molecote refestelado como se fosse filho de um branco.

Mandei aplicar-lhe uma boa surra. Pretendia dar esse pretinho a meu filho para servir-lhe de pajem; iria se acostumando com ele e depois poderia acompanhá-lo constantemente, mas, como foi uma menina, dar-lhe-ei uma escrava.

Clotilde, você já pensou no nome que iremos dar à nossa filhinha? Pensei em muitos e desejo escolher um que seja do seu agrado. Se fosse menino, seria André, mas menina... Vamos lhe dar o nome de Maria Antonieta? É um nome lindo e de uma grande Rainha.

A Condessa concordou com o marido e a menininha fidalga, nascida paulista, recebeu o nome de Maria Antonieta.

***

A menina fidalga foi batizada com grande pompa no velho templo da cidade, e, dias depois, os Condes voltaram para a sua rica propriedade.

A vida na fazenda seguia o rotineiro cotidiano e a menininha foi entregue a uma robusta mucama, preta, sadia, vinda da África e que fora designada exclusivamente para a jovem fidalguinha.

O seu desenvolvimento era impressionante. Muito corada e gordinha, com poucas semanas já fixava o olhar na preta que a amamentava e puxava com os dedinhos a blusa branca da bondosa mucama.

A Condessa interessava-se pela filha, mas pouco trabalho tinha com ela. Voltou a estudar piano durante muitas horas e aos seus passeios a cavalo pela manhã; à tarde, lia em companhia do marido.

O Conde percorria diariamente a vasta propriedade, dando ordens severas ao feitor, observando o trabalho dos escravos ou, então, entabulando negócio com os compradores que vinham procurá-lo.

Saía sempre acompanhado de um escravo que, desde a infância, fora seu pajem; era um preto africano, pai do rapazinho que o feitor encontrara com um livro, debaixo de uma grande árvore, e que por esse motivo fora castigado com rigor.

No dia seguinte, quando o Conde saiu para a fiscalização costumeira, disse ao preto que o seguia:

– Então o seu filho quer aprender a ler?... Desde quando o negrinho teve essa ideia?

– Não sei, meu senhor – respondeu trêmulo o escravo.

– Pois fique sabendo que todas as vezes que encontrar o Ignácio com um livro, mando lhe dar uma surra e, se teimar, vai para o tronco. Reservei esse negrinho para meu filho, mas, como tive uma filha, ele ficará à espera de seu senhor; porém não quero um letrado, está ouvindo, seu patife?

E aplicou uma forte chicotada no pobre escravo. Em seguida, fustigou o cavalo, que disparou a galope pela estrada poeirenta.

***

Quando Maria Antonieta completou um ano, o Conde resolveu fazer uma longa viagem pela Europa. A pequenina ficaria com a avó materna na Corte, a mucama a acompanharia e assim poderiam partir despreocupados.

Resolvidos todos os negócios, dadas as ordens ao feitor, e tendo a Condessa tudo preparado, seguiram então para a Corte, onde tomariam o vapor para a Europa.

A viagem até a Corte era longa e penosa, as estradas ruins e, muitas vezes, teriam de pernoitar no caminho.

Levavam escravos e o Conde viajava na sua própria carruagem.

Para a menininha a viagem era martirizante; chorava constantemente, apesar dos esforços da dedicada mucama, que tentava acalentá-la inutilmente.

A Condessa procurava ler ou então cochilar, mas não conseguia, pois a carruagem a sacudia com força ao rolar por sobre as pedras e os buracos da estrada. Ficava então olhando a paisagem pela janelinha, paisagem de densa vegetação; campos imensos, verdes e fecundos; grandes plantações; rio caudaloso deslizando em curvas ou em retas colossais e árvores floridas enfeitando com o colorido vivo o verde forte dos galhos pendentes.

O Conde, sentado ao lado da esposa, conversava animadamente, procurando desse modo quebrar a monotonia da longa caminhada.

Foi com um suspiro de alívio que chegaram à Corte, depois de mais de um mês de viagem exaustiva.

Recebidos com alegria, trataram de ultimar os preparativos para a outra viagem.

Dias depois, deixaram o Rio, seguindo para Portugal.

Travessia longa e monótona, até que, certa manhã, avistaram ao longe a grande Capital de Portugal.

Dali seguiram para outros países.

Foi quase no término da viagem que a Condessa participou ao marido a vinda do segundo filho.

O Conde, como da primeira vez, ficou imensamente feliz e antevia a realização de seu grande sonho: um filho.

Apressou o regresso à pátria, e, no primeiro navio, tomaram passagem.

Mais de um ano que estavam ausentes, e as saudades da filhinha eram imensas. Como iriam encontrá-la? – era a interrogação constante.

A Condessa passava horas contemplando o mar, que refletia o azul do céu, e, à noite, via entusiasmada as estrelas, focos de luz brilhando no escuro do Infinito...

Que nostalgia... sentia saudades da pátria, quando com o esposo admirava o céu estrelado. Revia a casa grande da fazenda, ouvia os batuques dos negros nas senzalas acompanhando os seus cânticos dolentes. E, no silêncio do oceano, somente quebrado pelo murmúrio das ondas ao encontro do navio, os Condes, ansiosos, esperavam o dia auspicioso da chegada.

Em prolongadas conversas, faziam planos e arquitetavam projetos para a vinda desse filho tão ansiosamente esperado.

Logo que chegassem, seguiriam para a fazenda; ali teria de nascer o futuro Visconde, o herdeiro dos seus brasões.

O Conde esfregava as mãos, satisfeito.

– Precisamos providenciar imediatamente uma boa mucama que possa se dedicar exclusivamente a ele. Para seu pajem, tenho o pretinho Ignácio; é esperto e inteligente e pode servir perfeitamente ao meu filho.

A Condessa, que ouvia o esposo com certo indiferentismo, contemplando ao longe o horizonte, perguntou:

– Qual pretinho, aquele que deseja aprender a ler?

– É esse mesmo, mas tenho certeza de que agora não pensará mais nisso. A surra foi boa. Imagine só, um patife daquele querendo aprender a ler, era só o que faltava.

***

Aproximava-se o fim da viagem e foi com emoção que os Condes avistaram a paisagem exuberante da cidade de S. Sebastião do Rio de Janeiro.

Era uma maravilhosa tarde de verão, o Sol intenso inundava ainda tudo de luz... Uma aragem morna vinha até o navio que, altaneiro, ia chegando.

Os passageiros olhavam empolgados a beleza das montanhas e das praias muito brancas, onde iam morrer as ondas num deslizar manso e suave.

Visto de longe, esse cenário natural, obra caprichosa da Natureza, era impressionante...

O Conde, impecavelmente vestido, conversava com a jovem e elegante esposa:

– Veja, Clotilde, a beleza que temos diante de nossos olhos. Imagine esta cidade, que agora desperta, o que será daqui a um século.

Viajamos tanto, percorremos tantos países, mas não encontramos uma paisagem que se rivalizasse com esta; sinto-me orgulhoso de ser brasileiro.

A Condessa sorriu e disse:

– Orgulho-me de ser brasileira e paulista.

– Naturalmente, querida, tenho pelo meu Estado sincera admiração e agradeço a Deus essa mercê de ter nascido naquele rincão amado, e é por isso que faço questão de que meus filhos sejam paulistas.

O Rio é belo, mas São Paulo, sem possuir essa beleza natural, será no futuro o líder poderoso deste colosso... será rico, forte e poderoso. São Paulo deslumbrará o mundo com a sua pujança.

E o navio ia se aproximando, se aproximando, as embarcações já vinham chegando para receber os passageiros.

A Condessa olhava fixamente para a terra, pois sabia que, ali bem perto, dois bracinhos a esperavam.

Que ansiedade sentia; se pudesse, de um salto transporia a distância que a afastava da filhinha adorada. Saltou ligeira para a embarcação, não sentiu quando a tomaram nos braços e quase correndo encaminhou-se para a carruagem que esperava ao longe.

Nos braços da mucama, estava a sua filhinha; sôfrega, tomou-a e beijou-a demoradamente.

Maria Antonieta estava um encanto, muito corada, tinha os cabelos crespos e os olhos brejeiros. Já falava quase corretamente e ao longe reconheceu a sua mamãe, dando trabalho à bondosa preta para contê-la nos braços. Tinha completado três anos.

Os Condes foram recebidos com grandes demonstrações de carinho, não só pela família da Condessa, como pelo vasto círculo de suas relações.

Foram a diversas recepções, assistiram a um imponente sarau no Paço, fizeram algumas compras e foram ouvir notável médico da Corte.

Depois, então, marcaram o regresso à fazenda.

***

A carruagem já estava preparada, e os escravos que os acompanhariam, prontos para o início da longa viagem de regresso.

Os pais da Condessa ficaram imensamente satisfeitos com a alvissareira notícia da vinda de outro neto, pois, desta vez, esperavam que fosse um menino.

No dia marcado, ao romper da madrugada, os Condes despediram-se de parentes e amigos e iniciaram a volta ao lar, de onde estavam há tanto tempo afastados.

Na carruagem, a velha mucama levava com todo o cuidado a pequenina Maria Antonieta; a Condessa, cansada, recostou a cabeça na fofa almofada e procurou adormecer; o Conde, que também estava exausto, tirou o alto chapéu, afrouxou o duro colarinho e, como a esposa, procurou repousar um pouco. Longos dias teriam de viajar, alguns agradáveis, apesar do Sol intenso, mas tiveram também de enfrentar temporais em plena estrada.

A Condessa, apavorada, procurava abrigo nos braços do esposo enquanto os relâmpagos cruzavam o céu negro e o vento abalava a carruagem, sacudia as árvores, arrancando galhos e espalhando ao léu flores e folhas.

Maria Antonieta gritava alarmada e aconchegava-se nos ombros da preta, que também tremia amedrontada.

Junto à carruagem, os pretos estavam de guarda, assim como não descuidavam da grande bagagem.

Enfrentaram diversos temporais, que causaram à Condessa uma forte depressão nervosa.

O Conde temia pela sua saúde, mas o que fazer? Não podia acelerar a marcha da viagem, pois a estrada estava péssima, devido às grandes chuvas. Tinha trechos que a carruagem só conseguia transpor auxiliada pelos escravos.

Da janelinha, a Condessa via a luta daqueles míseros seres que, como verdadeiros animais, trabalhavam atolados na lama, enquanto que ela, seu esposo e a filha estavam resguardados no interior confortável da carruagem.

Grosso tapete e macio acolchoado os aquecia e, quando a ventania fria começava soprar, a janelinha era fechada, e ela só via passar, levada pela força invisível, as pequeninas folhas arrancadas das árvores.

– Como podem resistir esses infelizes escravos? – e, quando demonstravam vestígios de cansaço, eram castigados pelo feitor atento e cruel.

Mas para que pensar nisso? Eles nasceram para esse fim... nada podem esperar... −e, sem saber como, recordou o pretinho Ignácio, vivo, inteligente, nascido na senzala, mas que ambicionava não uma enxada, como seus pais, mas um livro.

Por que estou pensando em tudo isso? Não devo olhar para esse trabalho dos escravos, pois eles me impressionam. Preciso de repouso e de tranquilidade de espírito; meu filho, em breve, nascerá, para ele preciso de todas as minhas energias e não devo estar pensando em absurdos tolos como este... efeito dessas terríveis tempestades.

Finalmente, chegaram à cidade e de lá seguiram imediatamente para a fazenda.

***

Que alegria quando avistaram ao longe os morros e as imensas plantações... depois, as palmeiras eretas e altaneiras, a estrada bem tratada, o jardim verde e florido sobressaindo as alvíssimas estátuas esculpidas em branco mármore.

Quando a carruagem transpôs a porteira principal, os Condes viram os escravos aglomerados esperando os Senhores.

Desceram da carruagem e, satisfeitos, entraram na casa grande e acolhedora. Quanto tempo estiveram longe do lar e que alegria quando puderam repousar calmamente junto à janela do grande quarto.

Encontraram tudo na mais perfeita ordem.

A Condessa ultimou os preparativos para a chegada do segundo filho, trouxe o enxoval e somente teve o trabalho de guardá-lo nas gavetas da cômoda entre macinhos de raízes cheirosas.

Outra escrava já estava designada para servi-la e, depois, ao pequenino Senhor.

O pretinho Ignácio também esperava com ansiedade a vinda do Visconde, como já o tratava; seria seu pajem, passaria a morar na casa grande, sairia da senzala escura e fria e estava disposto a acompanhar sempre o jovem amo.

O Conde não podia ocultar o nervosismo e foi com grande emoção que esperou, certa noite, a chegada do filho ambicionado.

***

Horas de longa espera e de torturante ansiedade; já começava a despontar o dia, quando ouviu um choro fraco, vindo do quarto da esposa.

O ritmo de seu coração se descontrolou e um suor frio escorreu pelo rosto enérgico.

Esperou mais alguns instantes, até que a porta do quarto se abriu e a mucama apareceu; não vinha alegre e, ao se aproximar do Conde, estava de cabeça baixa; com voz trêmula, disse:

– Meu senhor, pode entrar para ver a sua filhinha.

O Conde teve um estremecimento, e, no seu olhar duro, um lampejo de cólera passou célere...

– Como? – perguntou ele. – Entrar para ver minha filha?

– Sim – respondeu a escrava amedrontada. – Foi outra menina.

Com passos vacilantes, o Conde aproximou-se da janela e ficou contemplando a imensidade das plantações e a riqueza de sua fazenda.

Estava envelhecendo e não tinha um herdeiro.

Duas filhas, as queria muito, mas precisava de um filho, porém compreendia que nada podia fazer, precisava esconder da esposa a dolorosa decepção.

Limpou o rosto e, resoluto, entrou no quarto.

No largo leito, repousava a Condessa com a filhinha ao lado.

Ao ouvir os passos, ela fitou a porta com o olhar espantado, temendo o esposo, pois sabia quanto ele almejava um filho e como devia ter sido cruel essa desilusão; mas, quando o Conde entrou, vinha com um sorriso alegre, que a tranquilizou.

Aproximou-se do leito e ficou olhando para a filhinha encantadora, envolta em lã, depois, sentou-se perto da esposa e, afagando os seus cabelos, disse em tom satisfeito:

– É linda! Vamos dar-lhe o nome de Maria Leopoldina, gosta?

– Muito – respondeu a Condessa.

– Não desanime, vamos esperar pela terceira vez e tenho certeza de que o nosso André virá.

Dias depois, já estava a Condessa restabelecida e via, da janela, a sua filhinha Maria Antonieta correr pelo jardim, seguida da preta dedicada e atenciosa.

Depois, seu marido voltava da inspeção à grande propriedade, e a filhinha, vendo-o ao longe, corria ao seu encontro, chamando-o.

O Conde tomava nos braços a linda criança e com ela subia a escadaria.

A preta vinha atrás, trazendo os brinquedos que ficavam abandonados e atirados junto aos canteiros.

Com a filhinha, vinha ver a esposa e a colocava no seu colo; no bercinho, Maria Leopoldina dormia tranquilamente.

***

Quando terminou o período de repouso, a Condessa retornou à vida normal, voltou a tocar piano, ler e dar passeios a cavalo, sozinha ou em companhia do marido, que tinha prazer em lhe mostrar as novas plantações, ou outros escravos adquiridos recentemente.

Poucas vezes, a Condessa aproximava-se da senzala e do tronco; tinha horror desse lugar e desse instrumento de tortura.

A fazenda era imensa, e o Conde estava sempre comprando mais terras e aumentando as plantações, assim como comprava muitos escravos.

Tinha na Corte uma pessoa de confiança que adquiria, de todos os lotes de pretos que chegavam nos navios negreiros, os melhores e os enviava para o rico fazendeiro.

Sua fortuna era fabulosa.

Com que alegria ele via a esposa chegar, elegantemente vestida, depois de um longo passeio.

Já estava Maria Leopoldina com três meses quando, uma bela manhã, ele viu a Condessa chegar do passeio costumeiro; vinha muito corada e os seus olhos tinham um brilho diferente.

Ela aproximou-se do marido, que estava sentado em um dos bancos do jardim, e, acomodando-se ao seu lado, cochichou no ouvido dele um segredo.

O Conde teve um sobressalto e fitou demoradamente o rosto bonito da esposa, e foi com dificuldade que conseguiu articular as primeiras palavras:

– Clotilde, será possível?

– Sim, é verdade. Espero agora a vinda do nosso filho, e não sairei da fazenda. Sinto-me perfeitamente bem e não tentarei uma viagem nem à cidade.

O Conde ainda estava sob a grande impressão que a revelação da esposa lhe causara.

Outro filho?!

– Talvez outra menina... – já não esperava com o mesmo entusiasmo a vinda desse terceiro filho; estava preparado para outra surpresa...

Adorava as duas filhinhas, que eram dois mimos, mas sentia profundamente não ter um filho para herdar seus brasões.

As filhas naturalmente se casariam, usariam outro nome e o seu desapareceria, pois fora também o único filho homem e as irmãs estavam casadas e ostentavam outros brasões.

Como o Conde sentia ao constatar essa dolorosa verdade; procurava esconder da Condessa essa decepção que tanto o entristecia.

Talvez, agora, viesse o filho tão ardentemente desejado, mas não queria manter muito alta essa doce esperança, para que não sofresse uma dolorosa decepção.

Tudo isso lhe passava pelo cérebro velozmente enquanto a esposa repousava, no seu ombro, a linda cabeça.

Pela terceira vez, iniciaram-se, na casa grande da fazenda, os preparativos necessários para a vinda do outro herdeiro.

Não foram feitos com o mesmo entusiasmo dos primeiros, pois a Condessa também temia a possibilidade de ter outra menina; sabia e compreendia quanto o esposo desejava um filho, e ela também queria, mas e se viesse outra menina? Fechava os olhos, recostava a cabeça no espaldar da cadeira e ficava meditando.

Na senzala, nasciam sempre muitos meninos, e ela, quando sabia, sentia inveja das pretas.

– Por que Deus não me dá esse filho que peço com tanto fervor? Por quê? – meditava.

Ele seria a concretização do seu maior desejo; e com os olhos fechados ficava muito tempo. Quantas vezes o marido, surpreendendo-a nesse estranho torpor, sentava-se ao seu lado e procurava distraí-la, contando fatos ocorridos e novidades chegadas da cidade.

A Condessa ouvia com atenção, mas sem entusiasmo... deixou de tocar piano e não foi mais ficar junto à janela como costumava fazer. Passava o dia deitada ou então sentada perto das escravas que executavam os trabalhos de bordados e rendas para o enxovalzinho.

Dava ordens, fiscalizava e, muitas vezes, trabalhava também em companhia das mucamas prediletas.

Maria Antonieta era inteligentíssima, gostava muito da irmãzinha e, muito curiosa, quis saber para quem eram as roupinhas que estavam fazendo.

A Condessa disfarçou para não responder à indiscreta pergunta de sua filhinha.

***

Pela terceira vez, chegou à rica fazenda o momento de terrível inquietação; o bondoso Doutor veio da cidade e estava ao lado da Condessa.

O Conde, nervoso, esperava no terraço, e voltou-se assustado quando ouviu a mucama lhe chamar. Levantou-se e foi em direção ao quarto da esposa. Atrás, seguia a bondosa preta, mas, antes de abrir a porta, voltou-se e com voz trêmula perguntou:

– Menina?

– Sim – respondeu a escrava.

O Conde apoiou-se na parede fria e tudo escureceu ao seu redor. Depois de passar muitas vezes a mão no rosto úmido de suor, resoluto, empurrou a porta e entrou.

A Condessa estava de olhos fechados, tendo a filhinha ao lado, e não deu a menor demonstração de ter ouvido os passos do marido, quando ele a chamou baixinho:

– Clotilde... Clotilde...

Ela não abriu os olhos, continuou na mesma imobilidade.

O Conde sentou-se ao seu lado e ficou contemplando-a durante muito tempo.

Como estava bonita sua esposa, muito pálida, as sobrancelhas arqueadas e os cílios longos, os cabelos compridos, penteados em duas grossas tranças que caíam sobre os ombros, as mãos de finos dedos repousando sobre o peito.

As janelas fechadas e o quarto somente iluminado por uma pequenina luz de um candeeiro de prata que iluminava, no artístico oratório, a imagem da Virgem...

A recém-nascida, muito vermelhinha, enrolada em lã, deixava escapar, da touca, fios negros de sedosos cabelos. Era mais bonita que as irmãzinhas, e o Conde sentiu profunda ternura por essa filhinha que ele, no primeiro instante, sentira revolta por ter nascido; mas, ao contemplar a esposa, toda a decepção desapareceu; e depois, pousando os olhos na imagem da Virgem, sentiu uma tranquilizadora sensação.

– Por que desejo tanto um filho?... Talvez ele não venha a corresponder aos meus anseios, talvez viesse até macular os meus brasões.

Impossível sondar os desígnios de Deus...

Minhas filhas serão talvez melhores amigas e, mesmo usando outros títulos, poderão manter com dignidade o nome paterno – pensou.

Inesperadamente, a Condessa abriu os olhos e demorou o olhar no rosto do esposo; viu que ele não estava irritado e, então, sorriu com ternura.

– Veja, Francisco Ignácio, outra menina...

– Sim, outra menina, e muito linda.

– Quero dar-lhe o nome de Maria Luíza...

O Conde apertou a mão fidalga da esposa e disse:

– Eu pretendia dar-lhe o nome de Maria Clotilde, mas ela terá o nome que sua mamãe escolheu. Esperarei pela quarta, então ela terá o nome de Maria Clotilde – e com amor depositou, na fronte da esposa, um beijo; em seguida, saiu, deixando a Condessa com a dedicada mucama.

Com surpresa para o Conde, a esposa não se restabeleceu rapidamente como das outras vezes. Foi preciso mandar buscar o médico que, depois de longo exame, não teve dúvidas em constatar que o estado da Condessa não era satisfatório; precisava de prolongado repouso, e não ocultou ao Conde a dolorosa verdade. A Condessa estava seriamente doente do coração e qualquer emoção mais forte poderia ser-lhe fatal...

Para o esposo, que adorava a companheira, essa revelação inesperada deixou-o vencido.

Jamais notara nada de anormal na esposa, ela nunca lhe dissera nada que pudesse revelar essa terrível verdade. As filhinhas, tão pequeninas, necessitavam do cuidado de sua mamãe, e o Conde, só em pensar na possibilidade de perdê-la, sentia verdadeiro pavor.

Mas a Condessa foi aos poucos se refazendo e, dias depois, já podia dar pequenos passeios pelo jardim. Procurou ter uma vida metódica, pois, inteligente, ao ouvir o médico, compreendeu que precisava moldar sua existência por um prisma diferente do que vinha seguindo até então.

Deixou os passeios a cavalo pelas plantações ou pela estrada, que alegravam, mas que também fatigavam-na bastante. Deixou de estudar tantas horas de piano e limitou-se a tocar à noite, após o jantar. Não quis saber de negócios e nunca mais se aproximou da senzala. Tinha as mucamas prediletas, que faziam do seu agrado todo o serviço da casa grande.

Maria Antonieta estava com seis anos, Maria Leopoldina, com três, ambas inteligentes e robustas. Maria Luíza desenvolvia-se rapidamente, assim como se lhe assentavam traços de formosura; tinha o rostinho redondo e lindas covinhas... era o encanto dos Condes, e assim os dias foram passando... os meses... os anos...

***

Dez anos haviam sido decorridos.

Maria Antonieta estava uma encantadora adolescente de dezesseis anos e preparava-se para a primeira viagem à Corte. Muito inteligente e instruída, pois, além de sua progenitora, outra professora viera morar na fazenda com o fim de prepará-la. Com a Condessa, aprendia piano e era uma exímia musicista; além disso, desenhava e pintava e, ainda com sua mãe, aprendera a falar corretamente o francês.

Maria Leopoldina estava com treze anos e, como a irmã, era muito bonita. Estudava com a bondosa professora, que já estava ligada à família por laços de grande afeição.

Mas das três irmãs, Maria Luíza era a mais linda e a mais querida. Para ela convergiam todas as carícias, não só dos pais, que adoravam a caçulinha, como da mestra e das mucamas. De temperamento irrequieto, fugia da vigilância severa das mucamas e ia brincar com as pretinhas. Muitas vezes, foram encontrá-la na senzala, cercada de pequeninas escravas.

Repreendida pelos pais, confessava que adorava as amiguinhas de pele negra. Inútil os conselhos, pois, depois de ouvi-los, declarava com toda franqueza que não desprezaria as bondosas companheirinhas dos seus rápidos folguedos.

O Conde, que adorava a filhinha caçula, fazia-a sentar-se ao seu lado e tentava convencê-la:

– Maria Luíza, você pertence à nobreza, não pode e não deve brincar com escravos.

A pequena ria com desprezo, acentuando as encantadoras covinhas, e não respondia nada, mas, na primeira oportunidade, fugia e corria para a senzala.

Foi castigada certa vez e, revoltada, gritou, deixando os pais perplexos:

– Quando me casar e tiver a minha fazenda, não terei escravos, quero os meus pretos livres... fiquem sabendo... detesto ver um preto apanhar, detesto o feitor e tenho vergonha quando o papai consente que um escravo vá para o tronco! A minha fazenda não terá escravos!...

Como eram diferentes Maria Antonieta e Maria Leopoldina, que nunca quiseram saber das pequeninas escravas e tratavam com altivez até mesmo as humildes mucamas que as criaram. Jamais tiveram uma palavra de agradecimento às obscuras escravas, mas Maria Luíza adorava a preta que a criava, estava sempre ao seu lado ou então no seu colo, e com que alegria ouvia as ingênuas histórias contadas pela velha preta, indo dormir só depois que ela vinha ninar e cantar para ela.

O Conde, conversando com a esposa, comentava o temperamento da filhinha querida:

– Não podemos, Clotilde, modificar a nossa Maria Luíza, mas, com o tempo, tenho certeza, ela compreenderá melhor e, como as irmãs, se afastará dos escravos, verá a distância que a separa desses imundos negros.

Felizmente, é uma menina, imagine se fosse um menino, como poderíamos afastá-lo? Para nós seria um ultraje, um filho nosso com essas tendências, mas, como é uma filha, não precisamos nos preocupar tanto.

***

Foi numa noite muito clara de luar, quando os Condes conversavam no salão e as filhas tocavam piano, que a Condessa propôs ao marido um passeio pelo jardim. Há muito que o Conde notava que a esposa estava diferente e, no seu cérebro, uma dolorosa dúvida o torturava...

Sabia que a esposa sofria de traiçoeira moléstia e que, apesar de todos esses anos decorridos, o perigo não fora afastado. Outros médicos que foram chamados não lhe ocultaram a verdade; mesmo levando uma vida metódica e tendo assistência permanente dos melhores médicos do país, ela corria um risco e o Conde viva em constante sobressalto.

Notando que a esposa ocultava-lhe qualquer coisa, ficou alarmado quando ela, deixando de ouvir as filhas, convidou-o para um passeio no jardim. Era um pretexto para conversarem afastados de todos.

Dando o braço à esposa, saiu vagarosamente do salão; desceram as escadas e foram à procura de um banco.

A noite estava maravilhosamente bela, e a Lua, na plenitude de sua fase... Uma claridade suave cobria os morros, os campos e o jardim. Tudo estava parado, um silêncio profundo invadia a Terra, nem mesmo o som do piano chegava até eles...

Clotilde ficou muito tempo recostada no ombro do marido, contemplando a Lua. Vendo que ela nada dizia, o Conde, afagando as suas mãos de longos dedos, perguntou:

– Mas, querida, qual o segredo que tinha para me revelar?...

A Condessa afastou as mãos do esposo e, demorando o olhar no seu rosto, disse, depois de ligeira hesitação:

– Francisco Ignácio, eu vou ter outro filho!

O Conde sentiu um violento tremor percorrer todo o seu corpo; foi como se uma faísca elétrica o tivesse atingido inesperadamente. Durante alguns instantes, não conseguiu articular uma só palavra.

A Lua fora envolvida por uma espessa nuvem, que apagou a claridade suave que vinha projetando sobre a Terra. Tudo ficou envolto em densa penumbra. O perfume forte das flores e a falta de uma aragem fresca acentuavam ainda mais o mal-estar que a brusca revelação da Condessa causara ao esposo.

Dez anos haviam sido decorridos. A filha mais velha, já uma adolescente, partiria em breve para a Corte e lá, talvez, encontrasse o companheiro esperado. A segunda, prestes a completar quatorze anos, já estava também uma graciosa mocinha; e a caçulinha, muito desenvolvida para os seus onze anos.

O Conde tinha afastado de seus pensamentos a possibilidade de outro filho; e agora, com as filhas crescidas, não queria nem mesmo o filho que tanto desejara anos atrás. Depois, o estado de saúde da esposa fazia-o temer horrorizado diante da surpresa inesperada.

A Condessa não perturbou o silêncio do esposo e, quando a densa nuvem descobriu a Lua, ela pôde ver, estampados no rosto do Conde, os sinais reveladores de grande preocupação. A testa enrugada, o olhar parado e os lábios contraídos.

Esperou resignada até que ele se refizesse do abalo sofrido. Ouviu as risadas das filhas que vieram para o terraço e, ao longe, lá na senzala, começava o batuque dos negros.

O silêncio, que até então envolvia o jardim, foi interrompido pelo canto nostálgico dos escravos, e a Condessa pôde ouvir nitidamente os versos:

Dança nega... dança nega...

Esquece o cativeiro

Esquece o rebenque... não nega

Tua cor aceita o cativeiro.

Pega nega

Dança munganga

Que a vida é boa

Esquece a gamboa.

Dança munganga... dança munganga...

Dança nega... dança nega...

Esquece o rebenque, esquece tua cor...

Que a vida é boa, esquece tua dor...

Dança munganga... dança munganga...

Que a vida é boa

Esquece a gamboa.

E a Condessa ouvia o tambor no batuque, lá na senzala escura, e esperava que seu esposo dissesse-lhe algumas palavras de carinho e conforto, porém o Conde continuava alheio à sua espera. Ele tentava coordenar os pensamentos confusos, e só voltou-se quando viu a esposa se levantar e vagarosamente sair em direção a casa.

Bruscamente a chamou:

– Clotilde!... Clotilde!...

A Condessa não parou e ele teve de segui-la apressado.

No terraço, as filhas conversavam animadamente. A Condessa passou por elas sem dizer uma só palavra e foi direto para o seu quarto, empurrou a porta e, cambaleando, caiu no longo leito.

O Conde a seguira e, ao entrar no quarto, vendo a esposa desfalecida, voltou-se e, junto à porta, aflito, gritou para as filhas:

– Maria Antonieta! Maria Leopoldina!

E depois, ainda mais alto, chamou:

– Josefa!... Josefa!... Josefa!...

A voz forte do Conde fez-se ouvir na grande casa silenciosa.

As filhas correram juntas, a preta também apareceu no longo corredor e, assustadas, entraram no quarto; ao se depararem com a Condessa caída sobre o leito, começaram a chorar desesperadas.

No quarto vizinho, Maria Luíza despertou ao ouvir a voz estridente do pai chamando suas irmãs e a mucama; saltou da cama e, descalça, saiu correndo em direção do dormitório dos pais.

Quando entrou e viu as irmãs chorando ao lado de sua mãe, ainda desacordada, começou a soluçar alto.

A mucama, auxiliada pelo Conde, esfregou os braços e a fronte da Condessa, tentando acordá-la; outra escrava aproximou-se com uma xícara de chá bem quente que foi dado aos poucos à Condessa, que ia abrindo vagarosamente os olhos.

Estava muito pálida e tinha as mãos gélidas.

Com todo o cuidado, as mucamas deitaram-na, retirando os sapatos e o pesado vestido, e desfizeram o complicado penteado.

Durante alguns minutos, ela ainda manteve a mesma imobilidade e não pronunciou uma só sílaba.

Junto ao leito, o Conde, as filhas e as mucamas aflitas a olhavam com insistência.

Só muito tempo depois, foi que ela falou:

– Já estou melhor...

As filhas sentaram-se ao seu lado e Maria Luíza deitou bem junto a ela. O Conde suspirou aliviado quando a viu sorrir para as filhas, deu ordens para as mucamas se retirarem, e, em seguida, fez idêntico pedido às filhas, que, obedientes, saíram, só ficando Maria Luíza, que teimava em não se separar de sua mãe. Foi com imensa dificuldade que uma mucama, chamada novamente, conseguiu levá-la.

Só com a esposa, o Conde, mais calmo, procurou conversar e demonstrar que a notícia não tinha sido para ele decepcionante:

– Sim, Clotilde, estou contente, as nossas filhas estão crescidas e, em breve, ficaremos sozinhos; outra filhinha será para nós um grande consolo... Deixe vir a Maria Clotilde que tanto esperamos – e, curvando-se, beijou o rosto pálido da esposa.

***

Na casa grande da fazenda, foi uma verdadeira surpresa quando a novidade foi conhecida. Maria Antonieta quis desistir da viagem à Corte, em companhia de uma parenta que seguiria dias depois, e só com muita luta que seus pais conseguiram convencê-la de que deveria partir.

A despedida foi triste, e a jovem adolescente ficou, por muito tempo, abraçada à sua mãe no terraço, enquanto o carro se aproximava.

Quando a carruagem partiu, a Condessa ficou olhando a mãozinha fidalga da filha, que lhe acenava da janelinha.

A casa ficou vazia com a saída de Maria Antonieta; em breve, Maria Leopoldina iria também para a cidade, onde, em companhia dos avós maternos, continuaria os seus estudos de piano.

Aproximava-se o fim do ano e a professora iria levar Maria Leopoldina, voltando para ensinar Maria Luíza.

Era visível o abatimento da Condessa. Ela preparava com as mucamas o enxoval desse filho, que já não esperava com tanto entusiasmo.

Josefa, preta moça e forte, fora designada para esse seu filho; e o pretinho Ignácio, já um rapaz de 20 anos, seria mais tarde pajem, caso fosse um menino.

Novas modificações foram feitas na casa, pois o quarto de Maria Luíza teria de ficar para o irmãozinho esperado e ela passaria para o de Maria Leopoldina.

Preparado o quarto e o enxoval, a Condessa esperava tranquilamente o grande momento; não tinha esperanças de ter um filho e chegava mesmo a desejar outra filha, agora que só estava em sua companhia a caçulinha.

O Conde também não se referia a isso; tratava a esposa com todo carinho e afeto, pois o médico que fora chamado não ocultara a sua preocupação. Quando estava sozinho, pensava no instante terrível, e temia pela vida de sua querida companheira.

Foi, pois, amedrontado que viu chegar o momento difícil; com que ansiedade, ouvia os passos das mucamas pelo longo corredor... A casa envolta em silêncio... Estava em pleno verão e o dia tinha sido abrasador.

As janelas estavam abertas e ele podia ver as árvores frondosas paradas, sem que a menor viração sacudisse as suas verdes folhagens.

Era uma noite escura e as estrelas tinham brilho mais cintilante. Cortando a escuridão do grande jardim, pirilampos acendiam e apagavam as suas luzes esverdeadas...

Recostado em uma das janelas, o Conde sentia o coração pulsar desordenado, e forte dor martirizava a sua cabeça cansada. Foi quando, subitamente, ouviu um choro forte de criança... Quase correndo, foi até a porta do quarto, que estava fechada. Ia entrar bruscamente quando ouviu a voz do velho Doutor.

Parou... encostou-se um instante na parede e, depois, voltou para o salão; sentou-se e recostou a cabeça no espaldar da cadeira. Fechou os olhos; enfim tinha nascido a sua filhinha... Respirou aliviado.

Muito tempo ficou sentado e só despertou quando sentiu baterem no seu ombro; abriu apressadamente os olhos e, na sua frente, o velho amigo fitava-o com um sorriso alegre.

– Conde, pode ir ver o seu filho, é um lindo e forte menino.

***

O Conde, ao ouvir o velho Doutor anunciar que podia ir ver o seu filho, ficou paralisado na cadeira, sem poder se levantar nem articular uma só palavra. Sentia uma sensação estranha, misto de alegria e medo.

Já não esperava mais esse filho que tanto desejara há anos. Nas filhas depositava todo o seu afeto e compreendia que elas lhe trouxeram uma imensa felicidade e uma grande tranquilidade.

Gostaria agora que viesse outra menina. Estava começando a envelhecer, e a esposa, embora aparentemente sadia, era portadora de traiçoeira moléstia que vinha minando o seu frágil organismo.

Um filho requeria uma educação mais aprimorada, uma vigilância mais severa, enfim, precisava de maiores cuidados.

Há dezesseis anos, ele estava na pujança da mocidade e na fase máxima das suas ambições, mas agora, no outono da vida, quando esta já lhe fizera sentir profundos espinhos e acerbas desilusões, a vinda do sonhado herdeiro dos seus brasões trazia-lhe imensas responsabilidades.

Sem forças para se erguer da cadeira, o Conde via passar diante de sua mente, como um sonho, todas as etapas que teria de percorrer esse filho, que seria o depositário do passado glorioso de sua família, dos seus brasões e da sua fortuna.

– E se lhe faltasse o arrimo dos pais? O que poderia acontecer ao filho que viera tão tardiamente? Saberia honrar a tradição dos seus antepassados? Saberia administrar a fortuna que herdara? – meditou.

O Conde, que acompanhava o movimento político de sua Pátria, compreendia que ela estava sendo sacudida por violentos embates, e que desses embates poderiam surgir inesperadas surpresas.

Há dias tivera conhecimento de que chegaram, na Corte, novos decretos que determinavam a entrega do governo brasileiro a uma Junta e ordenavam o imediato regresso do Príncipe para a Europa, sob a alegação de que precisava ultimar os seus estudos.

Com que fim exigiam isso do jovem e irrequieto Príncipe?

O Conde, astuto conhecedor dos emaranhados problemas do Brasil, vislumbrava sem dificuldade os dois principais motivos: a permanência do Brasil como Colônia e o afastamento do Príncipe da influência dos políticos e patriotas brasileiros. Isso era, na realidade, o que desejava a Corte Portuguesa.

Tão clara era essa situação, que um grupo ardoroso de vultos proeminentes do Brasil, tendo à frente Joaquim Gonçalves Ledo, José Clemente Pereira e Cônego Januário da Cunha Barbosa, organizaram uma campanha e estavam enviando emissários às Províncias, a fim de obter assinaturas pedindo a permanência do Príncipe no Brasil.

O Conde fora procurado na fazenda por um desses emissários, que viera com o fim de angariar a sua valiosa assinatura, e precisamente nesse dia que nascia seu filho: 9 de janeiro de 1822.

Na Corte, desenrolava-se significante passagem. José Clemente Pereira, à frente de imponente cortejo, dirigiu-se para o Palácio, onde leu para o Príncipe a representação dos brasileiros, pedindo a sua permanência no Brasil.

Foi quando o impetuoso Príncipe proferiu a lendária frase:

"Como é para o bem de todos e felicidade geral da Nação, diga ao povo que fico!"

Exatamente nesse momento, na longínqua província, em uma grande fazenda, nascia o Visconde de X., que seria mais tarde um dos brasileiros mais conhecidos, não só pelo prestígio do nome ilustre, como pela fortuna, mas ainda pela excentricidade de sua discutida personalidade.

Desde o seu nascimento, o Brasil passaria por sucessivas reformas, enfrentaria duros embates, até que uma excelsa mulher tivesse a suprema coragem de trocar o seu trono pela liberdade de milhares de seres humanos, que eram tratados como animais.

Perdendo um Trono, alcançou um "Altar"...

Imóvel continuava o Conde, e o velho Doutor, não querendo perturbá-lo, saiu devagar da grande sala.

Muito tempo ainda ficou o Conde sentado, até que conseguiu reunir as suas forças e se levantou, encaminhando-se vagarosamente para os aposentos de sua esposa.

No longo corredor, ainda parou uns instantes; depois, resoluto, entrou.

O quarto estava envolto em suave penumbra, e, no antigo leito, a Condessa dormia tranquilamente com o filho ao lado.

O Conde aproximou-se cautelosamente e ficou contemplando o filho que tanto desejara, mas, aflito, viu também a palidez que cobria o rosto da esposa e o arfar acelerado do seu coração. As longas tranças negras e sedosas estavam agora mescladas de inúmeros fios prateados e, ao redor dos olhos, as primeiras rugas apareciam. O Conde contemplava com imensa ternura a dedicada companheira; durante tantos anos vividos juntos, sem uma só rusga, naquele momento sentia aumentado o amor que sempre dedicara à esposa.

No aconchego de seu lar, cercado pelas filhas e pela esposa, o orgulhoso fidalgo sentia-se plenamente feliz, pois até a decepção de não ter um filho, aos poucos, foi desaparecendo.

Tinha verdadeiro pavor ao pensar que poderia perder a companheira que adorava e, quando ela lhe participou que ia ter outro filho, essa apreensão avolumou-se no seu cérebro. Foram meses de torturante angústia e agora, satisfeito, viu que tudo tinha se passado normalmente e que a tranquilidade voltaria a reinar no seu lar.

Sentou-se ao lado do leito, acariciando a cabeça da esposa e fitando o filho que dormia envolto em lã.

Depois de muito tempo, a Condessa abriu os olhos e, vendo o esposo ao seu lado, sorriu feliz...

– Francisco Ignácio, veja como é lindo o nosso filho! – e, afastando as cobertas, tomou-o nos braços, beijando-o com infinita ternura.

Em seguida, entregou-o ao esposo que, trêmulo, recebeu-o. O Conde levantou-se e, com o filhinho nos braços fortes, foi até junto ao oratório da Virgem, onde uma lâmpada o alumiava; afastou a lã e pôde ver perfeitamente o rostinho encantador de seu filho. Cabelos e olhos negros, que, mais tarde, seriam de grande força magnética, capaz de dominar não só formosas damas, como impor obediência aos seus subalternos e amigos.

Tão marcante seria sua personalidade que uma vontade sua seria uma ordem, e pretender detê-lo depois seria inútil e perigoso.

Fitando o filho diante do oratório da Virgem, o fidalgo prometeu jamais contrariá-lo, pois ele seria a concretização de todos os seus ideais.

Voltou para junto da esposa e entregou-lhe com cuidado o filho...

– Está contente, Francisco Ignácio? – perguntou a Condessa.

– Sim, já não esperava esta dádiva de Deus.

– Ainda lhe daremos o nome de André?

– Sim, este foi o nome escolhido há muitos anos. Mas como fidalgo que é, quero que tenha outros nomes, e creio que ficará não só bonito, como expressivo, se acrescentarmos os seguintes; André José Jacinto Clemente Francisco Ignácio, Visconde de X.

A Condessa sorriu, vendo como o esposo se transformava ao dizer por extenso o nome do único filho; a voz tinha outro timbre e, no rosto, a transformação foi surpreendente, os olhos brilhavam intensamente.

No velho fidalgo foi despertado aquele orgulho que, na mocidade, fizera-o temido... Precisava dar exemplos ao filho, para que ele fosse compreendendo que era forte, fidalgo, rico, que precisava ostentar com altivez os brasões dos seus antepassados.

Conversava com a esposa quando Maria Luíza entrou para ver o irmãozinho.

O Conde aproveitou para sair, pois precisava escrever às filhas, aos avós, tios e amigos, participando o nascimento do seu filho.

***

Feliz, encaminhou-se para o escritório. Entrou, abriu a janela e ficou contemplando a rica propriedade. Ao longe, os escravos trabalhavam e logo mais ele iria participar o grande acontecimento, dar ordens para que fosse permitido, na senzala, um batuque em homenagem ao futuro Senhor.

Sentia o coração bater fortemente, parecia que todo seu corpo tinha sido atingido por novas energias, sentia-se outro, e, sem poder deter a avalanche dos pensamentos, planos ousados bailavam na sua mente. Tudo teria de ser modificado... Precisava repousar para depois coordenar com mais precisão as diretrizes que deveria traçar.

Sentou-se e ficou olhando para o retrato de seu pai, pintado a óleo na Europa. Que magnífico tipo de fidalgo, que olhar, que austeridade; e as condecorações que ostentava? Ele sempre soubera respeitá-las e seu filho também saberia, talvez até com mais dignidade e realce.

O Brasil precisava de homens fortes, corajosos e capazes de, com bravura, levarem avante a grande tarefa iniciada.

Muito esperavam do jovem e irrequieto Príncipe; só não podiam curvar-se diante da prepotência portuguesa.

Aquele ano de 1822 ficaria gravado na história do Brasil como o mais decisivo da sua emancipação.

O Conde esperava ansiosamente notícias da Corte, pois estava indeciso, temendo a resolução do Príncipe; se não fosse a vinda desse filho, estaria ao lado dos seus companheiros de ideal, batalhando para que sua Pátria tivesse a independência tão ardentemente sonhada.

Bem longe estava o fidalgo de perceber que breve a sua Província seria cenário para o grande acontecimento. Ele próprio seria testemunha do brado veemente que quebraria as algemas que tolhiam a sua Pátria.

Não muito distante da sua cidade natal, uma caravana de ardorosos fidalgos patriotas acompanharia o Príncipe até o planalto de S. Paulo de Piratininga que, nas margens de um manso regato, num ímpeto inesperado, bradaria: – "Independência ou Morte!"

Com que alegria, ele viria saber que o filho nascera precisamente no dia e na hora em que o Príncipe prometera ficar para "bem de todos e felicidade do Brasil".

Para o velho fidalgo, essa coincidência tinha algo de excepcional...

O seu filho nascera sob um signo bastante significativo; quem poderia saber o que lhe estava reservado pelo Destino? E no ardor do imenso afeto paternal, sonhava orgulhoso que talvez esse filho, vindo tardiamente, trazia uma gloriosa missão.

Diante do retrato imponente de seu pai, cujo peito estava coberto de cintilantes condecorações, o Conde fazia essas meditações, analisando também a sua própria vida, dedicada à família e à continuação reta dos princípios herdados de seu austero pai.

Moldado nessas diretrizes, o filho poderia trilhar facilmente o caminho traçado pelos seus antepassados...

Tão engolfado estava nessas divagações que não se apercebeu que Maria Luíza entrara e que viera ficar ao seu lado; só quando ela bateu no seu ombro foi que ele, assustado, abriu os olhos e fitou a caçulinha querida, que tinha agora o seu lugar tomado. Fê-la sentar-se junto a si e carinhosamente perguntou:

– Então, filhinha, está contente com a chegada de seu irmãozinho?

Maria Luíza baixou a cabeça e só passados alguns momentos foi que respondeu laconicamente:

– Sim.

***

Inesperadamente, a mucama bateu na porta e, sem esperar a permissão, entrou bruscamente no escritório chamando aflita pelo Conde, que deu um salto e pôs-se de pé, afastando a filha.

– Sinhô... Sinhô Conde... corra, a Sinhá Condessa..., corra...

O Conde, desvairado, empurrou a mucama e saiu correndo pelo longo corredor. A porta estava entreaberta e ele entrou ofegante.

Ao redor do grande leito, as mucamas abanavam a Condessa, desfalecida, enquanto outra friccionava as suas mãos...

Ao se deparar com a esposa desmaiada, o Conde, trêmulo, aproximou-se, afastando as mucamas, e com voz balbuciante chamou:

– Clotilde!... Clotilde!...

Imóvel, a Condessa não ouviu o chamado do esposo.

Maria Luíza entrou em companhia da escrava Josefa e, chorando copiosamente, também chamou, desesperadamente, pela mãe.

Ao lado, o pequenino André dormia tranquilamente, envolto nas grossas lãs.

O doutor, que ainda se encontrava na fazenda e, no momento, repousava, atendeu ao chamado da escrava e, ligeiro, acompanhou-a até o quarto da Condessa, que ainda não tinha voltado do prolongado desmaio.

Afastou as escravas, mandou abrir as janelas e preparar apressadamente um chá.

Foram momentos de ansiedade que pareceram horas, e já o desespero começava a invadir a todos, quando a enferma abriu os olhos lentamente. O Conde continuava a chamá-la com angustiada voz, e Maria Luíza, aos gritos, foi retirada do quarto por uma das dedicadas mucamas.

O médico, ao lado, de olhar perturbado, estava atento, sem perder um só movimento da Condessa; era perceptível que as suas mãos estavam trêmulas.

O Conde tentava reanimar a esposa, acariciando os seus cabelos, chamando-a constantemente.

Com o barulho, o pequenino acordou e começou a chorar. O médico mandou que uma das escravas o retirasse e fosse niná-lo no aposento vizinho.

Felizmente, a Condessa fitou o esposo e, muito baixinho, chamou-o:

– Francisco Ignácio...

O Conde respondeu com ternura:

– Aqui estou, Clotilde...

O bondoso doutor sorriu satisfeito; o grande perigo tinha passado.

– Agora precisa repousar, Condessa – disse com energia o médico.

– Meu filho, onde está?

– Com a mucama Josefa, pode ficar tranquila. Vamos Conde – e, sem esperar, saiu do quarto acompanhado pelo fidalgo.

Juntos voltaram para o escritório, onde poderiam conversar despreocupados.

Sentados, o doutor confessou ao Conde que o estado da Condessa era gravíssimo, e que outra crise lhe seria fatal, o coração não resistiria.

Cada palavra do médico era como uma profunda punhalada na alma angustiada do Conde. Parecia impossível que agora, quando mais precisava da esposa, é que ela estava condenada a deixá-lo, assim como ao filho recém-nascido. Quem iria cuidar do seu filho, caso viesse perder a esposa?

Mandaria buscar Maria Antonieta, que já estava uma jovem adolescente, inteligente e instruída. Imediatamente, recordou-se da primeira carta que recebera da filha e outra de sua velha sogra, que lhe dava a auspiciosa notícia de que Maria Antonieta, assim que chegara à Corte, despertara a atenção de um nobre fidalgo, pertencente a uma riquíssima família e que, talvez, breve lhe teria de dar o consentimento para essa união. Seria um casamento soberbo, mas, caso isso se concretizasse, a filha não voltaria mais para a fazenda. Ele não tinha o direito de sacrificar a felicidade de sua primogênita.

Maria Leopoldina, com catorze anos, ainda estava com a educação incompleta; e Maria Luíza precisava bastante da orientação da sua mãe.

E André, como poderia criá-lo?... Contava com a professora que morava na fazenda e era dedicada e instruída, mas, mesmo assim, temia diante da catástrofe que lhe advertia o doutor. Estarrecido, não podia afastar da mente essa torturante expectativa.

Não disse mais uma só palavra depois que ouvira a confissão sincera do velho médico; imóvel, os olhos fechados, somente o seu cérebro trabalhava; e os pensamentos desarticulados cruzavam a mente exausta. Tentava encontrar um apoio para a difícil situação, mas debalde... tudo se desfazia diante da realidade esmagadora...

***

A tarde estava se findando, tarde bonita de verão...

A notícia do nascimento do herdeiro já fora anunciada, assim como a permissão para a batucada festiva em sua homenagem... Não devia proibi-la agora que sabia a verdade, não queria que a esposa suspeitasse de nada.

Mais encorajado, pediu ao doutor que ficasse mais uns dias na fazenda, até que sua esposa pudesse sair do quarto e dar o primeiro passeio.

O doutor fitou o Conde com olhar de imensa piedade; sabia que a Condessa jamais sairia dos seus aposentos, mas não teve coragem para revelar, com toda a sinceridade, a extensão da verdade ao amigo. Deixou que ele se iludisse e, quem sabe mesmo, Deus não fizesse um milagre? Há dez anos, ele também pensou que a Condessa estava com os dias contados, mas ela milagrosamente sobreviveu, apesar de seu diagnóstico.

Esperava, portanto, outra surpresa, quem sabe? Prometeu ficar mais um mês na fazenda, gostava daquela vida sossegada, saía pela manhã em companhia do Conde, percorria a grande propriedade, entusiasmado com as plantações e com as abundantes colheitas, ficava, durante muitas horas, observando o trabalho estafante dos escravos e via empolgado os imensos terreiros cobertos pelo manto vermelho dos grãos de café. As tulhas cheias até ao alto de belas espigas de milho, amarelos como partículas de ouro; ou então os flocos alvos do algodão e os campos que se perdiam de vista, verdes, muito verdes, onde milhares de esplêndidos bois pastavam preguiçosamente.

Conversava com o feitor, com os escravos, e ficava brincando, às vezes, com os negrinhos seminus, peraltas, longe de compreenderem o cruel destino. Gostava do campo e, sempre que podia, descansava na casa grande da rica fazenda.

Foi com prazer que, à noite, veio para o terraço em companhia do Conde, para assistir ao batuque dos escravos no pátio.

Sensibilizado, ouvia aquele ritmo nostálgico e aquelas vozes dolentes, cantando indiferentes aos seus sofrimentos. Eram aqueles rápidos momentos, os únicos instantes que desfrutavam de relativa felicidade, e o batuque quebrava a quietude maravilhosa da noite em que homenageavam o futuro proprietário da riquíssima fazenda.

Os dias corriam normalmente, e o estado da Condessa parecia satisfatório, pois, apesar de muito fraca, já conversava animadamente com o esposo e o médico. Porém, uma tarde, estando o Conde a observar, do terraço, o trabalho dos escravos, que recolhiam do terreiro o café que estivera secando ao Sol, ouviu inesperadamente a voz da fiel mucama que, desesperada, gritava no corredor:

– Sinhô Conde!... Sinhô Conde!... A Sinhá está morrendo!...

Ao ouvir a voz angustiada da escrava, o Conde sentiu-se preso, como se nos pés pesadas algemas o impossibilitassem de se mover... Queria falar e não conseguia articular uma só palavra... Tudo escureceu à sua volta... Sentia que o corpo era sacudido por violento tremor...

Com as mãos crispadas, segurava o espaldar de uma cadeira que estava ao seu lado e a voz aflita da mucama ainda se fazia ouvir, chamando-o com insistência.

Só quando surgiu o vulto do velho médico, que vinha ao se encontro, foi que pôde sair da imobilidade que o prendia. O Conde teve certeza de que o amigo vinha lhe dar uma dolorosa notícia...

– Vamos depressa, ela está muito mal.

Amparado pelo amigo, o Conde dirigiu-se ao aposento da esposa. Cambaleando, aproximou-se do leito, quis chamá-la, mas não conseguiu, pois a sua amada companheira tinha deixado de existir.

Foi uma crise rápida. Quando a mucama, que estava ao seu lado, ouviu a Condessa dar um grito de dor, correu imediatamente ao quarto do médico que, apressado, seguiu a escrava; mas, ao se aproximar da enferma, compreendeu que nada mais poderia fazer e, ligeiro, foi ao encontro do Conde; mas, ao chegarem, a Condessa estava morta.

As escravas choravam alto; Maria Luíza, abraçada ao corpo inerte da mãe, soluçava desesperada. No berço ao lado, o pequenino André, que dormia, estava com apenas vinte dias.

Imediatamente, a notícia foi transmitida e um silêncio profundo reinou na rica fazenda.

A professora amiga levou Maria Luíza para o seu quarto, tentando consolá-la.

No oratório, inúmeras velas foram acesas.

A mucama Josefa tomou nos braços o pequenino André e com ele saiu do quarto.

O Conde, parado diante da esposa morta, estava alheio a todo movimento ao seu redor. Como poderia viver sem a companheira amiga de tantos anos? – meditava. Fitando o seu rosto pálido, as tranças caídas sobre o peito e as mãos entrelaçadas, ele a revia em Paris, moça, bela, no apogeu da juventude. Depois, casados, as visitas à Corte... Os passeios pela Europa... O nascimento das três filhinhas, os dias tranquilos vividos... Nessa mesma casa, os passeios matinais, as noites claras de luar, quando ouvia a jovem esposa tocar os estudos e os noturnos de Chopin, as rapsódias de Lizt, as valsas de Strauss...

Como revia, nesse momento doloroso, a esposa esbelta, cintura delgada, elegantemente vestida, ostentando maravilhosas joias, presa aos seus braços, bailando nos salões imperiais. E agora, o que restava de todo esse passado glorioso?... Nada; breve o seu corpo seria depositado no mausoléu da família e ficaria somente a lembrança saudosa desse passado feliz e longínquo.

O bondoso doutor tentou tirá-lo de perto da esposa, mas foi violentamente afastado. O Conde tinha as feições transtornadas e, com os olhos muito abertos, fitava insistentemente a esposa morta.

De repente, ouviu o choro do filho, como se fosse atingido por uma força estranha e forte; saiu quase correndo pelo comprido corredor e, ao se aproximar do quarto, com um violento empurrão, abriu a porta e entrou. Sentada junto à janela, estava a preta Josefa com o pequenino órfão nos braços, tentando fazê-lo calar-se.

O Conde parou e fitou demoradamente a jovem escrava, depois aproximou-se mais e, com voz baixa e trêmula, falou:

– Josefa! – a preta ia se levantar quando o fidalgo a fez sentar-se novamente.

– Josefa, agora terás unicamente o encargo de cuidar de meu filho; quero que dispense a ele todo o carinho. Não o quero ouvir chorar, compreende?

– Sim, sinhô – respondeu timidamente a preta.

– Sei que estás para casar, pois bem, mas ficarás com teu marido residindo aqui, e proíbo terminantemente que te aproximes da senzala imunda, assim como teu marido, e cuidado para que o meu filho não chore.

***

Sepultada solenemente a Condessa, voltou a tranquilidade a reinar na casa grande. Maria Leopoldina, que viera passar uns dias com o pai e os irmãozinhos, voltou para a cidade.

A professora reiniciou as aulas de Maria Luíza.

A escrava Josefa foi instalada em um quarto próximo aos aposentos do Conde, para que melhor ele pudesse vigiá-la.

Entre as escravas, foi escolhida uma que tivesse filho da idade do Visconde para que viesse amamentá-lo, e ele, bonito e forte, ia se desenvolvendo rapidamente.

O Conde passou a ter pelo filho verdadeira idolatria e quase que esqueceu as filhas...

Maria Antonieta contraiu noivado logo depois do falecimento de sua mãe. Consultado o Conde, este deu com satisfação a autorização pedida e, em seguida, enviou para a filha vultosa quantia para os preparativos necessários, mas avisava que não poderia comparecer à cerimônia; era uma viagem longa e ele não podia deixar o pequenino filho entregue, durante muito tempo, exclusivamente às mucamas.

A filha sentiu muito a resolução tomada pelo pai, mas encontrava nos avós maternos verdadeira afeição. Breve estaria casada com um riquíssimo e belo fidalgo. Com seus dezesseis anos, depressa olvidou a decepção, assim como lentamente iam desaparecendo as lembranças e as saudades da longínqua fazenda em que nascera.

Maria Leopoldina, que também desabrochava para a vida, sentia-se feliz em casa de sua tia na cidade alegre e civilizada. Breve também encontraria o eleito que seria, como o de sua irmã, um soberbo fidalgo.

Maria Luíza estudava com a dedicada mestra, mas iria à Corte assistir ao casamento da irmã mais velha e lá ficaria em companhia dos avós. Debalde tentaram os parentes levar o pequenino André; o Conde opôs-se tenazmente:

– Nunca o meu filho sairá de minha companhia, só quando for necessário para a sua educação; mesmo assim em colégio perto, onde eu possa vê-lo frequentemente.

Recusou todos os pedidos.

***

Estava o Visconde com oito meses, quando o Conde teve de deixá-lo sozinho com as dedicadas mucamas para atender a um chamado urgente de amigos residentes na cidade.

Depois da promessa do jovem Príncipe, feita no dia 9 de janeiro de 1822, o País foi tomado de uma verdadeira onda de entusiasmo, e no vulto fulgurante de José Bonifácio de Andrada e Silva convergiam todas as esperanças dos brasileiros.

O insigne santista era uma das personalidades mais destacadas do Brasil; culto, viajado, considerado mesmo um sábio na sua geração.

Estudou em Portugal, na célebre Universidade de Coimbra, onde deixou um rastilho maravilhoso do seu gentil talento. Voltando ao Brasil, dedicou-se exclusivamente ao seu desenvolvimento.

Político inteligente e moderado, tornou-se defensor sincero da Monarquia constitucional. Prudente, combatia todos os movimentos exaltados que pudessem prejudicar o desenrolar dos acontecimentos tão ardentemente esperados. Como Ministro, o grande brasileiro trabalhou com devotamento.

Em todo o território nacional, surgiam desentendimentos, apesar de que um só era o desejo dos brasileiros – a Independência.

Na Província de S. Paulo, mais se avolumavam esses desentendimentos e foi com o intento de restabelecer a ordem e acalmar os mais exaltados que o jovem Príncipe resolveu fazer uma viagem à distante Província.

Para substituí-lo, ficou a Princesa D. Leopoldina, dama excelsa que, até hoje, é respeitada e venerada em todo País.

A viagem do Príncipe foi um continuar de manifestações de alegria e acolhedor entusiasmo.

Em todas as cidades, na sua garbosa caravana, eram incluídos novos membros, ansiosos de compartilharem da companhia do irrequieto Príncipe.

Foi quando o Príncipe chegou à próspera cidade da província de S. Paulo, que o Conde, a convite de velhos amigos, incorporou-se ao séquito Real, visto que algo de extraordinário se realizaria.

Na Corte, a Princesa D. Leopoldina recebera o correio de Portugal e, reunindo os Ministros, resolveram enviar a correspondência ao Príncipe, que se encontrava em S. Paulo.

O Correio partiu com a máxima urgência, e foi numa tarde clara e fresca de um sábado, 7 de setembro de 1822, quando o alegre Príncipe voltava de Santos, ao se aproximar do lugarejo denominado Ipiranga, nas margens de um manso regato, avistou o correio que vinha ao seu encontro.

Surpreso, parou. Recebeu a correspondência e, temendo as notícias, ali mesmo as leu. Em seguida, voltando-se para os membros da sua caravana, que em silêncio se mantinham, exaltado bradou:

– Laços fora, soldados! A Corte Portuguesa quer mesmo escravizar o Brasil, portanto devemos declarar imediatamente a sua independência – e, firmando-se à cela, bradou com energia:

– Independência ou Morte! – e, desde aquele histórico momento, o Brasil tornou-se livre do jugo português.

Teria então de marchar sozinho, de vencer os árduos obstáculos, enfrentar revezes e lutar para poder conservar a liberdade tão sonhada e que tinha custado o sacrifício de muitos de seus filhos.

O entusiasmo foi indescritível na cidade de S. Paulo de Piratininga; o jovem Príncipe foi recebido com verdadeiro delírio.

Festas foram improvisadas, e à noite, no Teatro, um imponente espetáculo foi-lhe ofertado, numa gloriosa homenagem de reconhecimento.

Damas ricamente vestidas, garbosos oficiais e vultos proeminentes estiveram presentes e a festa teve o ponto culminante quando todos cantaram o hino composto pelo próprio Príncipe.

***

Voltando à fazenda depois desses acontecimentos, o Conde estava exausto; a caminhada longa, as preocupações, os dias de festas, as reuniões prolongadas, os debates exaltados, enfim a volta apressada para junto do filho.

No seu íntimo, sentia que aquele filho iria afastá-lo definitivamente do cenário político de sua Pátria.

Nesses dias passados longe dele, não conseguia firmar o pensamento nos problemas que tinha à sua frente para resolver, problemas sérios e difíceis que necessitavam de todas as suas atenções, mas que eram constantemente interrompidas pela lembrança do filho distante.

Como estaria ele? Era a sua preocupação máxima; por que, pois, tentar lutar contra essa idolatria? Primeiro o filho, e foi por esse motivo que, pretextando um negócio urgente, abandonou os velhos amigos e companheiros de ideal.

Venceu o longo trajeto rapidamente; na cidade, parou poucas horas, e depois rumou para a fazenda, ansioso de tomar nos braços o filho adorado.

Quando chegou junto à grande porteira e divisou a casa branca, ao longe, cercada pelas esbeltas palmeiras, o seu coração voltou ao ritmo normal... Parou um pouco; a manhã, muito clara e fresca, e a passarada alegre entoava trinados harmoniosos... Começava a primavera... Os campos viçosos e as flores agrestes desabrochavam, pintando o verde claro; eram como pingos de tinta de várias cores caídas à esmo na vastidão imensa...

Suave perfume impregnava a aragem.

O Conde, passado os primeiros instantes de contemplação, desceu do cavalo, seguindo a pé o pequeno trecho. Perto da alameda, veio ao seu encontro um escravo, a quem ele entregou a montaria.

No terraço, viu a escrava com o pequenino André nos braços. Quase correndo, subiu a alameda de pedras e galgou os degraus da escada, tirou dos braços da bondosa escrava o filho, que, ouvindo a sua voz, sorriu alegre e, com as mãozinhas macias, começou a puxar os seus cabelos grisalhos.

O Conde ria satisfeito e, falando alto, entrou.

Na vasta sala de jantar, ainda ficou muito tempo contemplando o rostinho corado e o olhar brejeiro do Visconde, como ele costumava chamá-lo.

A mucama veio buscá-lo acompanhada de Maria Luíza, que se atirou nos braços do pai.

Conversando com a filha, o Conde demorou alguns instantes, contando-lhe os pormenores das festas e as manifestações de júbilo na cidade de S. Paulo, depois do grito da Independência.

A menina ouvia enlevada o que o Conde lhe contava e, curiosa, crivou-o de inúmeras perguntas: queria saber de tudo, queria saber exatamente onde ficava o Ipiranga, se o córrego era largo, se a água era cristalina...

Só quando a mucama veio avisar que o café estava servido, foi que o Conde conseguiu afastar a filha, mas com a promessa de mais tarde continuar a narrativa de tudo quanto tinha visto na cidade, agora tão célebre; depois de ter prometido, o Conde dirigiu-se aos seus aposentos, voltando em seguida para saborear o delicioso café preparado pelas escravas, sempre atenciosas.

Depois, saiu à procura do feitor. Muitos dias, estivera afastado da fazenda, e, naturalmente, muita coisa teria acontecido.

Vagarosamente desceu a escada e viu que o feitor já vinha ao seu encontro.

Conversando, afastaram-se.

INFÂNCIA E JUVENTUDE DO FUTURO VISCONDE

II - INFÂNCIA E JUVENTUDE DO FUTURO VISCONDE

Foi com imensa alegria que o Conde comemorou o primeiro aniversário do filho, que estava uma forte e linda criança, já começando a dar os primeiros e incertos passinhos, assim como já pronunciava claramente algumas palavras.

Da cidade, vieram alguns parentes, amigos, e Maria Leopoldina.

A casa grande da fazenda viveu, depois de muitos meses de silêncio, horas alegres e festivas.

Maria Leopoldina, bela adolescente, transformou, com a sua exuberante vivacidade, a quietude da formosa fazenda. Logo pela manhã, saía com Maria Luíza e mais duas amigas para um passeio a cavalo pela vasta propriedade. Era um grupo encantador.

Da senzala, as pretinhas, curiosas, espreitavam-nas.

O Conde não permitia que suas filhas conversassem com as escravas que moravam na senzala e chegou mesmo a castigar Maria Luíza, quando esta tentava fugir para brincar com as negrinhas. Agora mocinha, ainda mais temia o pai, mesmo assim, ao passar galopando junto às pequeninas escravas, acenava ligeiramente para elas, com as mãozinhas enluvadas.

De volta do passeio, o descanso no terraço ou, então, debaixo das sombras das velhas palmeiras.

Depois do almoço, reuniam-se todos na imensa sala onde brilhavam os cristais e sobressaía a beleza das baixelas de prata portuguesa. A conversa acalorada, cujo tema ainda era o famoso grito da Independência e os mexericos que envolviam o jovem Príncipe português, agora Imperador, com uma formosa dama paulista.

À tarde, novos passeios; e, depois do jantar, no salão principal, Maria Leopoldina a todos encantava executando ao piano lindas melodias.

Sentado, um pouco afastado, o Conde olhava a filha jovem e bela, depois pousava o olhar no retrato de sua saudosa esposa... Naquele mesmo piano, Clotilde executara aquelas músicas que agora sua filha tocava. Ao lado, um guapo mancebo a fitava insistentemente. Breve também Maria Leopoldina estaria casada. O Conde fora consultado e não pusera nenhum obstáculo a essa união.

Quando seus parentes retornassem à cidade, levariam Maria Luíza; então sim, estaria completamente só com o filho que começava agora a dar os primeiros passos.

Ele somente iria moldar esse pequenino filho, procuraria dar-lhe uma orientação certa, pois compreendia que, para que se tenha uma casa bem construída, tudo dependia da base, do alicerce; se esse não fosse garantido, a casa estaria sempre em perigo.

Assim é a formação moral de uma criança, e o filho teria de continuar o mesmo caminho traçado pelos seus antepassados.

Jamais naquela fazenda se praticou um ato desairoso, o respeito era mantido integralmente e, até nas senzalas, esse princípio era imposto com todo o rigor. Era castigado com severidade todo o escravo que faltasse com o respeito e a orientação dada pelo austero Conde.

Mas ele não julgava que esse filho, vindo tão tardiamente e criado sem os delicados conselhos maternais, teria outra concepção.

Por mais que o Conde desejasse impor a sua vontade ao filho único, este bem pequenino já o enfrentava, fazendo-o desistir dos seus poderes. Acostumado com a obediência respeitosa das filhas, foi para o velho fidalgo um choque inesperado quando o filho, em tenra idade, ao ouvir uma negativa sua, bateu os pezinhos com força e, enérgico, atirou-lhe um brinquedo que tinha nas mãos. Tão surpreendido ficou o Conde com esse gesto de rebeldia, que ficou impossibilitado de castigá-lo como achava que merecia. Foi a sua primeira derrota.

Outras viriam sucessivamente e ele sempre incapaz de corrigi-lo como precisava e como desejava.

Não só ao pai o pequenino André desobedecia. As mucamas, temerosas de que ele chorasse e o Conde as castigasse, faziam-lhe todas as vontades; e quando elas tentavam, mesmo com carícias, não ceder aos seus pequeninos caprichos, ele as batia, puxava os cabelos, mordia...

Aos cinco anos, já era obedecido prontamente.

Inteligentíssimo, forte, corajoso, quando gritava para uma das mucamas, ela corria assustada e, prostrada à sua frente, humildemente dizia:

– Sinhozinho... Sinhozinho...

O Conde admirava a vivacidade do filho e, todos os dias, levava-o a passear com ele e o preto Ignácio, seu pajem.

Orgulhoso, passava pelos negrinhos escravos; muitas vezes largava a mão do Conde e corria até onde estavam os negrinhos reunidos e, brincando e rindo satisfeito, desmanchava os brinquedos, puxava os cabelos dos indefesos escravos, empurrava-os, e estes, diante do menino, corriam amedrontados para as senzalas.

O Conde achava graça e continuava despreocupadamente o passeio.

***

Tinha André completado cinco anos, e, depois da festa íntima que sempre era realizada na fazenda, o Conde teve uma grande surpresa.

Sua filha Maria Luíza, assim como as irmãs, bem jovem tinha despertado profunda admiração na sociedade elegante da cidade onde residia com seus parentes.

Breve, um riquíssimo fidalgo ficou perdido de amores pela formosa adolescente e, aproveitando a oportunidade do aniversário do pequeno André, fez ao Conde o pedido oficial. Nada tendo para se opor, o velho fidalgo deu imediatamente o consentimento.

Casadas as três filhas, como ele sempre desejara, pôde o Conde dedicar-se exclusiva e despreocupadamente ao seu único filho.

Possuindo grande fortuna, passou a viver somente na fazenda, abandonando a política e limitando-se a analisar de longe os acontecimentos que se desenrolavam no País.

E assim o tempo ia passando morosamente; as mucamas, bem orientadas, traziam a casa na mais perfeita ordem; Josefa, que recebera da Condessa as primeiras ordens, estava agora casada e mãe de um filho.

Era a quem estava entregue toda a responsabilidade, desde a administração interna da casa, como também os cuidados com o pequeno André, que lhe fora confiado desde a morte da Condessa.

A bondosa escrava dedicava ao pequenino fidalgo verdadeiro afeto de mãe e, quando teve o primeiro filho, sentiu que a este dedicava o mesmo amor que sentia pelo filho fidalgo.

Conforme determinação do Conde, as mucamas, mesmo depois de casadas, moravam numa dependência junto à casa grande, afastadas da promiscuidade da senzala.

André, que vivia só com o pai e as escravas, ao completar sete anos, desobedecendo as ordens terminantes do Conde, passou a brincar com os filhos das mucamas, trazia-os para a casa da fazenda, e, muitas vezes, o Conde o encontrou em companhia dos pretinhos, brincando no terraço, no salão e até mesmo no quarto dele.

Quando ouviam os passos do Conde, os meninos fugiam espavoridos para os seus alojamentos. Chamado pelo Conde, o pequeno André ouvia com pouco caso a repreensão paterna e, no dia seguinte, voltava a chamar os pretinhos para novas brincadeiras.

Foi em uma tarde, quando o Conde voltava de uma exaustiva caminhada pela fazenda, que, ao subir as escadas do terraço, ouviu o barulho dos meninos no quarto do filho; apressado entrou, levando nas mãos um comprido chicote.

Tão revoltado ficou, que nem mesmo tirou o chapéu e, com os passos pesados, rangendo as botas e batendo as esporas, foi direto para o quarto; a porta estava aberta, e ele viu, horrorizado, o filho em luta com um pretinho, enquanto os outros riam despreocupados.

Junto à porta, uma pretinha assistia à luta e, ao ouvir as frases dos escravos, compreendeu que a briga era motivada por ela.

Cego de raiva, ergueu o chicote e deu uma surra na menina, que tinha presa pelos cabelos; em seguida, fez o mesmo com os meninos, que gritavam desesperados ao sentirem as chicotadas e o sangue escorrer.

De repente, André deu um salto, agarrando o braço vigoroso do Conde, e, sem que ele pudesse se defender, mordeu-lhe, fazendo-o sentir, na sua carne, os seus dentes afiados e fortes. Deixou cair o chicote. Os negrinhos tinham desaparecido.

Ainda no quarto, onde a desordem era completa, o Conde sentou-se em uma cadeira que estava perto da janela. O Sol estava terminando de se ocultar, deixando o céu envolto em um manto de púrpura.

Era a tarde que morria... O Conde sentia profundo abatimento, todas as suas energias desapareceram. Aos seus pés, o chicote... Estava vencido.

Quando conseguiu coordenar os pensamentos, estava sozinho no quarto. A noite vinha chegando e, no céu escuro, já brilhavam algumas estrelas; com o corpo dolorido, levantou-se e tomou a direção dos seus aposentos.

Entrou e, ainda sem forças, caiu no antigo leito.

No oratório, ardia a pequenina lâmpada, que iluminava a imagem da virgem.

O Conde, deitado, pousou o olhar na Santa e, sentindo as lágrimas brotarem nos seus olhos, contrito, pediu amparo, proteção e luz para que pudesse educar, como desejara, esse filho que, tão pequenino, já mostrava o seu caráter rebelde.

Foi, para o infeliz pai, uma noite cheia de angústias e pesadelos. Via o filho forte, administrando a fazenda, implantando o terror, castigando velhos escravos, sacrificando infelizes jovens.

O Conde acordou com o seu próprio gemido, sentindo o corpo dolorido. Com dificuldade, ergueu-se do leito e foi até a janela, abriu-a e ficou contemplando o dia que vinha despontando ao longe, no horizonte claro.

Na fazenda, os escravos estavam também despertando e, da senzala, chegava a algazarra estridente.

No jardim, as flores pendiam das hastes esguias, ainda pesadas pela neblina da noite.

Os pássaros, em voos rápidos, deixavam os ninhos macios e quentes ou os galhos frondosos das velhas árvores, à procura do alimento e no anseio natural da liberdade.

Tudo despertava na sinfonia ritmada de mais um dia.

O fidalgo, debruçado na janela, vendo a beleza impressionante desse glorioso dia, meditava no contraste de si mesmo, triste e desiludido, com o esplendor da natureza.

Quase no fim do outono da vida, começando a sentir os primeiros frios do inverno que se aproximava impiedoso, temia na perspectiva do isolamento que teria de enfrentar completamente só, mergulhado na mais densa ansiedade, sem ter um só apoio, uma só fonte de auxílio.

Jamais procuraria as filhas para confessar os seus temores e o medo que se avolumava na sua mente, diante do futuro que previa para o único filho.

Ainda na janela, alheio ao vai e vem dos escravos, pensava em como poderia, ainda em tempo, tentar corrigir a índole rebelde do filho.

Estava André com mais de sete anos, já sabia ler corretamente e progredia espantosamente, deixando o professor entusiasmado diante da preciosidade invulgar do pequeno aluno.

— Preciso afastar meu filho da fazenda, de perto das mucamas e dos negrinhos vadios das senzalas; aqui, ele é obedecido cegamente, e, se não o afastar logo, mais tarde será inútil.

Precisa ir para outro meio, onde tenha de receber ordens e saber cumpri-las. Ainda está em tempo de corrigir os erros do alicerce que começa a ser aberto, para que depois a casa não venha a sofrer nenhum perigo.

Mandarei meu filho para um colégio distante, sofrerei as agruras de uma atroz saudade, mas terei forças para levar avante a concretização do meu ideal: dar ao meu filho sólida instrução, exemplos sadios, para que possa manter com dignidade o prestígio do seu nome ilustre.

Não quero que nenhuma "sombra" ou mancha possa macular a sua vida, e para que ele alcance esse triunfo, preciso colocá-lo em outro meio, mais austero, afastando-o do círculo estreito desta fazenda.

Sentindo-se mais calmo, depois dessa meditação e dessa irrevogável decisão, o Conde afastou-se das janelas e foi ficar defronte ao oratório; e, pousando o olhar confiado na imagem da Virgem, mais uma vez pediu com fervor a sua augusta ajuda.

Ouviu, na porta, a batida da escrava, que o avisava que estava servido o café.

Momentos depois, o Conde deixava os aposentos, já pronto para a costumeira inspeção às plantações. Levava o mesmo chicote com que castigara a insolência dos pequeninos escravos e, na mão direita, aparecia uma cicatriz profunda e arroxeada causada pela fúria de seu filho.

Enquanto tomava o café servido pela bondosa Josefa, o Conde não deixava de contemplar a mancha que tinha sobre a mão.

Não perguntou pelo pequeno André e, sem dirigir uma só palavra à mucama, apressado deixou o salão em direção ao terraço, onde, junto à escada, o escravo o esperava com o cavalo predileto, ricamente arreado.

Montou e a galope seguiu pela estrada...

***

Sentia no rosto, que ainda lhe ardia, a frescura suave da aragem matinal, e continuava a pensar no projeto arquitetado para afastar, sem revolta, o filho do perigo que previa.

Teria de deixar passar uns dias, até que a cena passada fosse esquecida e, então, com habilidade, procuraria convencer o pequeno fidalgo da necessidade que tinha de aprimorar os seus estudos, dado o seu nome ilustre e a fortuna de que seria herdeiro.

André era orgulhoso e, já com a pouca idade que tinha, compreendia perfeitamente que era fidalgo e rico, e não foi preciso muitos argumentos para que se convencesse que teria de ir para um colégio, na cidade de S. Paulo.

Satisfeito, dias depois, o velho Conde seguia para a Capital, onde iria matricular o filho e procurar alojá-lo convenientemente.

Com o prestígio de seu nome e das altas amizades que desfrutava no círculo político, tudo lhe foi relativamente fácil.

Voltou logo para a fazenda, onde teria de preparar o filho para a viagem e o início da nova fase de sua vida.

Era a primeira etapa que André teria de começar. Quase com indiferentismo, despediu-se das bondosas mucamas, que choravam sentidas, principalmente Josefa, que o criara desde o falecimento da Condessa.

Abraçada ao pequenino fidalgo, a humilde escrava não podia evitar as lágrimas que corriam pelo seu rosto, no qual se viam as primeiras rugas.

Ao redor, os seus três filhos olhavam para o menino com curiosidade, amedrontados de se aproximarem, pois junto estava o Conde, pronto para partir, e, em suas mãos, estava o chicote ameaçador.

A bagagem do pequeno Visconde tinha seguido na frente e, para acompanhá-lo, iria o preto Ignácio, seu pajem, que ficaria na Capital para servi-lo, e outro escravo, que voltaria com o Conde.

Na véspera da partida, enquanto o velho fidalgo saiu com o feitor para determinar as últimas ordens, André aproveitou a oportunidade e, chamando os negrinhos, filhos das mucamas, despediu-se alegremente, enquanto as infelizes crianças tremiam apavoradas; afastada, a mulatinha conservou-se junto à porta e não atendeu o chamado do pequeno; ainda se recordava das chicotadas do Conde e, no seu frágil corpinho, as manchas ainda estavam bem visíveis.

Vendo que a menina não vinha, André aproximou-se e, puxando-a pelos cabelos, arrastou-a até o meio do quarto.

Mais nova que André, fraca e oprimida, a pequena escrava caiu quase desfalecida, e o pequenino fidalgo, olhando-a altivamente, disse:

— Por que não atendeu o meu chamado? Por quê? Responda!

— Porque o senhor Conde proibiu — respondeu timidamente a indefesa criança.

André riu alto.

— Pois fique sabendo que quem manda aqui sou eu e, quando voltar, espero que não tenha esquecido essas minhas palavras; e agora pode sair.

Os meninos saíram correndo pelo longo corredor.

André fechou a porta. Sozinho no quarto, sentou-se na cama e ficou pensativo, estava com mais de oito anos, era inteligentíssimo, até demais para a idade, e isso seria provado durante o período que cursaria o Colégio na Capital paulista.

Mas, a par desse invulgar talento, era também de um temperamento forte, que, com o decorrer dos anos, iria se acentuando gradativamente. Não podia se conformar em ser contrariado nas mínimas vontades e, quando isso acontecia, ficava tomado de tal cólera, que era difícil de ser controlado.

Quando, em tenra idade, as mucamas eram forçadas a não atendê-lo, ele chorava alto, batia os pés e as mãos até perder o fôlego, ficando quase desacordado nos braços das escravas. Por esse motivo, o Conde não tinha coragem de se opor aos seus infantis desejos.

Como André ficou revoltado quando a pequenina escrava não atendeu o seu chamado, continuando parada no mesmo lugar, e, agora sentado no seu leito luxuoso, estava arrependido de não tê-la castigado com mais energia. E, batendo as mãozinhas nervosamente, dizia:

– Você tem sorte, negrinha pretensiosa, porque vou partir amanhã, porque saberia então fazê-la sentir a minha força; mas voltarei muitas vezes, esta fazenda me pertence, preciso estudar, ainda sou muito criança... voltarei... voltarei...

Mais calmo, saiu do quarto e foi para o jardim.

No começo da estrada, avistou o vulto do pai em companhia do feitor e, correndo, foi ao encontro do Conde. Atrás, seguiu o preto Ignácio, que tinha ordens de não deixá-lo sozinho.

Vendo o filho forte, corado e bonito, que ia ao seu encontro, o Conde sorriu satisfeito e feliz, mas imediatamente o seu rosto tomou outra expressão, pois, pelo seu cérebro, passou célere o pensamento que breve estaria ausente esse filho querido.

Como iria viver sozinho, na sombria e silenciosa fazenda? Poderia ir visitar as filhas, e assim o tempo passaria mais depressa... Poderia ir à Capital e lá ficar, não só tratando dos seus negócios, como podendo mesmo voltar a militar no setor político, do qual ainda era sentida a sua ausência, que era uma lacuna difícil de ser preenchida.

André aproximou-se e, pegando a mão do Conde, disse:

– Quero ver o meu cavalo, mande buscar logo, quero dar um passeio de despedida.

Imediatamente, o pajem saiu apressado para buscar o cavalo.

Conversando alegre, fez inúmeras perguntas ao feitor, que ia respondendo com atenção, pois também temia o pequenino fidalgo, que iria, mais tarde, ser o senhor absoluto dessa imensa propriedade.

Quando o pajem se aproximou com o cavalo, o Conde auxiliou o filho a montar e entusiasmado ficou quando o viu sair galopando, seguido pelo fiel escravo.

Era realmente impressionante a energia e a coragem do pequeno fidalgo.

Nada o fazia vacilar, enfrentava, destemido, as aparentes cóleras do pai e sabia impor-se diante do feitor e dos escravos.

O Conde ficou olhando o filho que se distanciava, deixando atrás uma nuvem de poeira vermelha, depois voltou a conversar tranquilamente com o feitor, dando as últimas ordens, pois pretendia se demorar alguns dias na Capital.

***

Finalmente, tudo resolvido, o Conde partiu com o filho e os dois escravos.

Na cidade, demoraram algumas horas visitando parentes e amigos, depois partiram diretamente para a Capital.

A viagem, apesar de longa, foi alegre, e André não demonstrou o menor sinal de cansaço. Conversava com o pai pedindo explicações, não só do que ia encontrando no caminho, como também sobre a cidade, os professores e os parentes. O Conde, pacientemente, ia dando todos os esclarecimentos, satisfazendo todas as suas curiosidades.

Atrás, seguiam silenciosos os dois escravos.

Enfim, depois de vencida a longa jornada, chegaram ao anoitecer e foram diretamente para a residência de uma velha parenta do Conde, que já os esperava.

Logo na manhã seguinte, o velho fidalgo tratou de providenciar tudo para que seu filho iniciasse imediatamente os estudos.

No antigo Colégio, André foi apresentado e a todos impressionou com a vivacidade precoce de seus oito anos.

Os parentes vieram conhecê-lo, assim como os amigos, e todos ficaram encantados com o pequenino fidalgo, e o Conde, sensibilizado, ouvia os elogios dos seus velhos companheiros de infância e adolescência, assim como de políticos eminentes, que viam em André o substituto perfeito do ilustre titular.

Fez o Conde, com André, diversos passeios pela cidade, que, já naquela época, começava a dar longos passos em busca do progresso. Paulistas, orgulhosos dos seus antepassados, viam com entusiasmo a grandeza e o poderio do planalto privilegiado.

O Conde explicava ao filho o esforço e a tenacidade dos primeiros paulistas que desbravaram as florestas, abrindo estradas para que, mais tarde, surgissem cidades. Esforço inaudito, que tiveram de pagar com a própria vida.

Mas as sementes plantadas germinaram e foram cultivadas com suor, dedicação e sacrifício. Frutificaram, pagando assim aos bravos Bandeirantes, as noites de vigília, de fome e de frio; e as terras paulistas estavam sendo povoadas, terras férteis, fecundas, que breve iriam compensar aqueles que confiaram na sua vitalidade.

André ouvia as palavras do Conde e sentia, no pequenino corpo, um estranho estremecimento. Era a sua alma de paulista que já vibrava intensamente. Fez questão de ir ao Ipiranga, onde, oito anos passados, fora proclamada a nossa Independência; e o Conde, que tinha testemunhado o glorioso acontecimento, contava ao filho todos os pormenores.

André ficou parado muito tempo na margem do regato, contemplando a água cristalina como se estivesse vendo a caravana ali parada, atenta, enquanto o Príncipe lia a correspondência enviada da Corte Portuguesa. Depois, a revolta, e inesperadamente o brado que ecoou pela vastidão da planície, sacudindo violentamente aquele punhado de heroicos brasileiros, e entre eles estava o seu pai.

Durante muito tempo, esse episódio esteve latente no espírito do pequeno e a sua curiosidade ainda não estava satisfeita. Quis conhecer a vida desses brasileiros ilustres, mas um deles lhe absorvia o maior interesse: era o santista José Bonifácio de Andrada e Silva, sábio, ilustre político e poeta. Foi sempre para André o exemplo máximo da cultura brasileira e, quando adolescente, estudando na Europa, na mesma Universidade onde José Bonifácio deixou rastilhos de luz e gravou, para a posteridade, o seu nome, o fidalgo brasileiro sentia ainda o mesmo e estranho estremecimento que sentiu quando, com oito anos, ouviu seu pai contar todo o desenrolar da nossa emancipação, que teve como viga mestra, forte e poderosa, esse extraordinário homem.

Tudo resolvido e, tendo André iniciado os estudos, o Conde resolveu voltar para a tranquilidade de sua fazenda. O preto Ignácio ficaria com o garoto, e o Conde fez-lhe várias recomendações, que, tinha certeza, seriam executadas fielmente.

E numa nevoenta manhã, o velho fidalgo, profundamente comovido, despediu-se do filho, que, ao ver o pai afastar-se, com dificuldade conseguiu reter as lágrimas que, indiscretas, brotavam nos seus olhos. Rapidamente entrou, mas o escravo Ignácio ficou parado à porta, até que o vulto do Sinhô desapareceu no fim da rua.

***

Bem diferente foi a volta, pois o Conde fez todo o trajeto calado, enquanto o escravo atrás o seguia pacientemente.

Na cidade, aproveitou a estadia para ir visitar sua filha Maria Luíza que, na ocasião, aí passava uma temporada. Mas nem a companhia dessa filha, que o adorava, foi suficiente para atenuar a imensa saudade que sentia de André...

Recebeu cartas de Maria Antonieta participando-lhe o nascimento da sua primogênita, que recebeu o nome de Clotilde, e convidava-o para ir conhecer a netinha que era um encanto.

Dias depois, chegou outra carta, trazendo também a alvissareira notícia da chegada de um neto que, em sua homenagem, recebeu o nome de Francisco Ignácio. O Conde ficou muito tempo com a carta de Maria Leopoldina nas mãos, que tremiam ligeiramente.

Fechou os olhos e recordou as duas filhas pequeninas, brincando na casa grande da fazenda, enquanto Clotilde, com desvelo, as vigiava. Depois, em companhia das mucamas, correndo ao redor dos canteiros floridos... Anos depois, mocinhas, belas e graciosas, tocando piano e cantando juntas... Mais tarde, encontraram o companheiro desejado e seguiram rumos diferentes, e agora ambas enviam-lhe a participação dos filhinhos que chegaram, completando assim o ciclo das suas ambições.

Teve vontade de conhecer o casalzinho de netos, e, nesse momento, uma profunda saudade o torturava; impossível esquecer esses filhos ausentes.

Breve também Maria Luíza lhe daria outro netinho. Compreendia que, junto da caçulinha, encontraria arrimo, pois era o seu maior anseio ter o pai ao seu lado; não se conformava de vê-lo sozinho na fazenda, distante, principalmente agora que não tinha a companhia de André.

Diversas vezes, tentou arrancar o Conde do isolamento que vivia, mas foram inúteis todos os seus argumentos e de seu esposo, porém agora lutaria com mais intensidade para alcançar o que desejava há tanto tempo. Sem forças para enfrentar a vontade da filha, prometeu vir residir com ela, passando na fazenda somente alguns dias, o suficiente para determinações ao feitor, que lhe era de toda a confiança.

Nas férias de André, viria com ele e a filha para a fazenda. Maria Luíza tinha casa na cidade, para rápidas temporadas, pois residia na fazenda que seu marido possuía, poucas léguas distante da cidade.

Para o Conde isso era consolador, pois, acostumado desde jovem a viver na sua fazenda, não se conformava com a vida asfixiante da cidade. Não negava que gostava do convívio social que encontrava na cidade, mas somente em ligeiras temporadas.

Quando jovem, adorava viajar e, nas muitas viagens que realizou pela Europa e Oriente, demorou pouco em cada país, sempre se recordando da quietude gostosa de sua fazenda perdida no interior da grande província.

E assim, atendendo aos apelos insistentes da filha, concordou em ficar algum tempo em sua companhia, mas, antes disso, precisava ir à fazenda para dar novas ordens e novas orientações ao feitor.

Assim fez. Partiu para a fazenda, prometendo voltar logo para seguir juntamente com a filha e o genro.

Chegando na propriedade, com imensa satisfação constatou que tudo estava na mais perfeita ordem, desde a casa grande até as vastíssimas plantações. Não encontrou motivo para uma só reclamação e pôde constatar que podia se ausentar sem o menor receio.

O feitor velho, conhecedor das terras, inteligente, sabia perfeitamente realizar bons negócios.

Enérgico e severo, impunha rigorosa disciplina aos escravos, que o obedeciam, temerosos dos castigos que lhes eram aplicados, mesmo se tratando de uma falta mínima. Mesmo assim era justo, e ficava triste quando era forçado a castigar um negro vadio e desobediente.

Era casado, tinha duas filhas e um filho com quinze anos, que já começava a ajudá-lo. Sempre mereceu a confiança do Conde, para quem trabalhava há muitos anos.

Na casa grande, as mucamas obedeciam as ordens de Josefa e a disciplina era perfeita.

O Conde ultimou os seus preparativos e deu novas ordens à bondosa escrava, participando que iria passar uns meses com a filha, só voltando com André, que viria passar as férias na fazenda.

***

Tudo resolvido, retornou à cidade em companhia do fiel escravo e, dias depois, seguiu para a fazenda de Maria Luíza, que ficava distante da cidade.

Viagem alegre, pois a filha estava contentíssima com a vinda dele para passar essa temporada em sua companhia.

A fazenda era bem tratada e, logo que se transpunha a divisa, podia-se ver as imensas plantações, as pastagens verdes e os soberbos animais.

Imensamente rico, o jovem marido de Maria Luíza tinha pela sua fazenda grande dedicação, não vacilando em trazer sempre novos escravos que comprava, escolhendo os melhores e não regateando preços. Assim sendo, a propriedade prosperava constantemente, dando lucros fabulosos.

O Conde, velho fazendeiro, ficou empolgado com a fazenda do genro; logo na manhã seguinte, quis sair a cavalo para um prolongado passeio. Maria Luíza protestou, procurando fazer com que ele repousasse um pouco, mas nada conseguiu, pois o Conde, quando veio para tomar o café, já estava preparado para sair.

Imediatamente, seu genro mandou preparar um cavalo, e, momentos depois, galopavam juntos pela estrada larga.

Era uma clara manhã de verão, o Sol brilhava intensamente, inundando tudo de luz; vento agradável sacudia as copas floridas das árvores e os pássaros alegres cantavam na imensidão azul, indo pousar gulosos nos frutos maduros ou nas corolas abertas em busca do alimento precioso. Nos pastos, bois magníficos comiam tranquilamente; de longe se ouvia o rangido estridente dos carros e a voz forte dos carreiros.

O Conde, empolgado, pedia ao genro inúmeras explicações, mostrando com o chicote os morros verdes cobertos por esplêndidos cafezais e vastas planícies verdejantes onde ondulavam esguias hastes de tenros arrozais ou, então, apontava para os canaviais, onde os carros parados esperavam as cargas.

Grupos de escravos, vestidos com alvas camisas de algodão, trabalhavam revolvendo a terra, arrancando raízes, removendo pedras, para que breve estivesse pronta para receber as sementes que iriam germinar, aumentando assim a fartura desse nobre trabalhador e engrandecendo a nova província, que seria mais tarde o orgulho dos brasileiros.

Cultivando as terras férteis, plantando com cuidado, desenvolvendo continuamente a lavoura, breve colheriam os frutos desse trabalho árduo, mas promissor.

Inteligentemente, os paulistas sempre tiveram essa larga visão. Desde as primeiras bandeiras que cruzaram as matas virgens, abrindo caminhos em busca de ouro e pedras preciosas, não esqueceram, entretanto, esses bravos desbravadores, que precisavam também conquistar as terras, plantando, pois essa seria também uma conquista preciosa e, quando o sonho fugaz das pedras desaparecesse, ficaria a realidade exuberante dessa outra riqueza.

Sempre teve o paulista arraigado amor à tradição de sua província e de suas terras. Vinha desde a fundação da cidade, onde o Missionário fincou o marco glorioso, erguendo um templo e criando uma escola. O Templo, para a perpetuação da Fé nos corações, e a Escola, luz para iluminar e guiar os filhos daquele planalto encantador.

Fundada por um humilde servo de Deus, no dia de um glorioso Apóstolo, tinha a cidade um destino privilegiado: ser guia das gerações futuras; e, com o desenrolar contínuo do tempo, essas previsões estavam sendo positivadas, uma após outra, custando sacrifícios e lutas, mas eternizando, para a posteridade, os vultos heroicos desses patriotas paulistas.

Os últimos acontecimentos tinham marcado para sempre, na história, o nome da Província gloriosa e de seus geniais filhos. Naquele pequeno pedaço de terra paulista, onde corre mansamente, até hoje, um regato de águas cristalinas, um grupo de brasileiros deixou gravado, em letras de luz, o valor e a coragem dos filhos dessa terra que começava a surgir e que viria a ser para o futuro o orgulho de todo o Brasil.

O Conde, ao lado do genro, admirando a pujança dessa fazenda, pensava como seria surpreendente o progresso dessas terras, que ele não poderia alcançar, mas o seu filho seria, talvez, um dos fortes baluartes desse progresso que ele previa tão claramente.

Durante algumas horas, percorreram a fazenda, e só para o almoço foi que resolveram voltar.

Quando se aproximavam da casa grande, avistaram de longe o vulto de Maria Luíza que, aflita, os esperava no terraço.

O Conde vinha empolgado com o que vira e, ao encontrar a filha, não pôde ocultar o seu imenso entusiasmo.

Todos os dias, saía para o passeio matinal, só voltando na hora da refeição, e assim os dias iam passando rapidamente.

Apesar do conforto e do afeto que recebia do genro e da filha, não podia afastar a lembrança do filho querido. Saudade dolorida martirizava o seu coração.

Sempre que repousava no terraço e ouvia a algazarra dos pequeninos escravos brincando perto da senzala, o seu pensamento pairava no filho ausente.

Recebia, pontualmente, cartas dos parentes e professores de André, todos entusiasmados com a inteligência do pequeno fidalgo. Quando as recebia, o Conde ficava muito tempo mergulhado em profunda meditação.

André ia completar nove anos e ainda teria muito que estudar. O Conde, apesar de forte e sadio, temia não poder terminar a educação do filho adorado.

Pretendia mandá-lo para a Europa o mais cedo possível e já, ao pensar nessa longa separação, sentia uma angústia indescritível. Na sua idade, uma travessia longa seria uma temeridade, e como iria passar esses anos longe de André?

Poderia ficar, como agora estava, em companhia de Maria Luíza, mas, e a sua fazenda, que era o patrimônio principal de André? Ficaria sempre aos cuidados do feitor? Essa fazenda pertencera ao seu avô, que legara ao filho, pedindo que continuasse a pertencer sempre à família.

Seu pai jamais se afastou daquelas terras; trabalhou tenazmente, procurando não só aumentar as grandes culturas, como os escravos, para poder legar a ele com o mesmo apelo que formulara seu genitor, e ele vinha cumprindo esse dever. Não se afastou da fazenda nem mesmo quando jovem.

Viajava constantemente, mas tendo sempre como residência a casa grande e lendária.

Queria também passar para as mãos de seu único filho essa propriedade, agora de imenso valor, com o mesmo apelo. Procuraria fazer com que André compreendesse esse apelo, que vinha não só dele, mas dos seus antepassados.

***

Estava o Conde, há muitos meses, em companhia de Maria Luíza, e já se aproximava a vinda de André.

Foram todos para a cidade, à espera do pequeno estudante que vinha com o fiel pajem.

Com que ansiedade o esperavam, e foi com muita alegria que divisaram ao longe os dois cavaleiros.

Quando pararam à porta do majestoso sobrado, o Conde e Maria Luíza não puderam ocultar o entusiasmo ao ver saltar do fogoso cavalo, não uma criança, mas um adolescente alto e forte. Parecia impossível que aquele rapazinho fosse um menino que ainda não completara dez anos.

Nessa idade, já André demonstrava o que viria ser, um belo tipo brasileiro que se tornaria famoso, mesmo que não possuísse fortuna e nobreza; bastaria somente a sua beleza física, principalmente a altura e a expressão do seu olhar, que tinha algo de impressionante.

Em companhia da irmã, André passou uns dias, seguindo depois com o Conde e o pajem para a fazenda.

Quando avistou ao longe as esbeltas palmeiras e a casa muito branca, André fustigou violentamente o cavalo e galopou na frente.

Na porteira, um escravo esperava-o para abri-la. Ele passou sem olhar para o preto que, respeitosamente, pediu-lhe a bênção.

No terraço, as mucamas também o estavam esperando. Quando ele saltou do cavalo, sem o auxílio do escravo, e subiu correndo as escadas, viu que ao seu encontro vinha a bondosa Josefa, a escrava que o criara desde a morte da Condessa. Com os braços abertos, recebeu e estreitou junto ao coração o filho adotivo, o seu Sinhozinho adorado; depois, afastou-o um pouco para melhor poder contemplá-lo. Com a mão de dedos calosos, afagou por muito tempo os cabelos negros e despenteados do pequeno que ela criara, dedicando-lhe verdadeiro amor materno.

As outras mucamas chegaram para mais perto, pedindo a bênção com humildade.

No fim do corredor, os pretinhos olhavam o companheiro de brincadeiras que vinha depois de tanto tempo.

Quando o Conde entrou, as escravas, depois da bênção pedida, saíram apressadas para ultimarem a refeição. Só Josefa ficou para acompanhar André ao seu quarto.

Ignácio vinha entrando com as malas e seguiu pelo comprido corredor, deixando-as na porta do quarto.

O Conde também se dirigiu para os seus aposentos; estava exausto da longa caminhada e queria repousar um pouco.

Naquele mesmo dia, André saiu a cavalo para um pequeno passeio; estava saudoso de sua casa e da liberdade que aí desfrutava.

Gostava de estudar, tinha mesmo verdadeiro amor aos estudos, e uma curiosidade rara de se encontrar em uma criança de sua idade. Com o decorrer dos anos, essa curiosidade foi se acentuando e tornando André um homem de imensa cultura. Tudo ele queria saber, sondar os mínimos detalhes, analisar criteriosamente, para, então, poder aceitar categoricamente. Jamais formulou uma opinião sem primeiro ter pensado, estudado com moderação, depois, então, não se afastava da diretriz tomada, e com valentia defendia a sua opinião.

Isso demonstrou desde pequeno, desde o dia em que arrebatou, das mãos fortes do pai, o chicote com que castigava os pretinhos que com ele brincavam no quarto. Desde esse dia, o Conde compreendeu que André já começava a demonstrar o poder de sua marcante personalidade.

Dias de intensa alegria passou na fazenda, saindo com o Conde para a inspeção à lavoura, ouvindo as conversas com o feitor e assistindo seu pai entabular negócios vultosos de compras e vendas.

Foi também à senzala e conversou com os escravos e, nas plantações, parou junto aos pretos, fazendo perguntas que eles respondiam com todo o respeito.

Chamou ao seu quarto os filhos das mucamas que, amedrontados, ficaram parados junto à porta. Foi preciso que ele gritasse e batesse os pés com energia para que eles entrassem; depois, conversou alegremente, contou muita coisa do colégio e da cidade, falou sobre os colegas e as brincadeiras e ensinou aos pretinhos curiosos alguns jogos e brinquedos.

A porta do quarto estava aberta, e, inesperadamente, ouviram passos no corredor; era o Conde que se aproximava. Os meninos espavoridos se levantaram e tentaram sair correndo, mas André, de um salto, prostrou-se na porta impedindo a saída deles e, com voz alta e olhar enérgico, gritou:

— Fiquem!... Fiquem!... Quem manda neste quarto sou eu!... Sou eu!...

O Conde pôde ouvir nitidamente as palavras do filho e sentiu uma revolta imensa, quando, pela segunda vez, viu os negrinhos no quarto de André. Teve ímpetos de entrar e castigá-los severamente, mas, ao olhar para o rosto do filho, recuou assustado e, sem dizer uma só palavra, cabisbaixo afastou-se.

Foi, então, que André saiu da porta e, voltando-se para os infelizes escravos, disse:

— Quero que saibam que sou eu quem manda aqui, quando dou uma ordem é para ser obedecida; agora, vamos continuar a conversar.

O Conde, depois do jantar, costumava ir com o filho para o salão e ali ficava conversando até a hora da ceia.

Muitas vezes, ficou olhando o piano, agora fechado há tanto tempo; recordava quando Clotilde vinha tocar para ele ouvir, depois as filhas e, na sentida recordação, via os dedos longos da esposa percorrerem as teclas de marfim e uma harmoniosa melodia invadir o grande salão.

Na parede, pendia um retrato de Clotilde pintado na Europa, quando da última vez que lá estiveram.

Analisando o retrato e, depois, o filho, que ao seu lado se entretinha com um desenho, ele encontrou acentuados traços da esposa.

Só no olhar é que André diferenciava, pois Clotilde tinha olhar terno e suave, repassado de imensa bondade, e o seu filho tinha olhar arrogante, com lampejos de ironia. Mas continuando a analisar os retratos que ornavam o salão, o Conde encontrou, no olhar de seu pai, o olhar de André, e voltou, então, as páginas do livro do passado e, com temor, recordou muitos episódios.

Seu pai tinha sido um fidalgo de rígida têmpera e, para continuar a seguir a orientação paterna, teve de usar de violência, castigando atrozmente os escravos, punindo com crueldade e implantando assim, na grande fazenda, a fama que desfrutou por longos anos, e que ele, aconselhado por Clotilde, atenuou, fazendo com que desaparecesse de lá essa mácula negra. Mas, quando ele morresse e André se tornasse o dono absoluto, o que poderia acontecer?

Como iria agir o seu filho? Sempre que se fazia essas interrogações, sentia uma angústia estranha magoar o coração. Por quê?...

Devia confiar no filho, menino inteligente e que iria receber sólida instrução. Viveria em um ambiente austero e teria ótimos exemplos.

Eram, pois, infundados os seus temores. Precisava confiar em André, ele seria o seu substituto, e, em suas mãos, a tradicional fazenda progrediria constantemente.

Aproximava-se a volta de André, e os primeiros preparativos já tinham sido iniciados pela bondosa Josefa que, sempre atenta, não deixava de tudo organizar com o máximo cuidado.

Desta vez, o Conde não o acompanhou, pois vinha sentindo-se adoentado há muitos dias, e ele teria de seguir só com o pajem, o preto Ignácio; mas prometera ir passar uma temporada na cidade, em sua companhia.

Finalmente, chegou o dia da partida, e o Conde, depois de se despedir do filho, ficou parado em pé, no alto da escada, vendo os dois cavaleiros que se distanciavam, deixando atrás uma nuvem vermelha de poeira.

Depois, lentamente entrou e foi para o salão, onde costumava conversar, à noite, com o filho.

***

Sentado junto à janela aberta, contemplava o céu muito azul e sem nuvens, e, além, os morros cobertos de verdejantes cafezais, onde já começavam aparecer pequeninas manchas brancas, que era o começo da floração e, em breve, os frutos rubros pesariam nos galhos delgados.

Os escravos trabalhavam de cabeça baixa, sob a vigilância do feitor, bem perto do pátio principal, e o Conde, de onde estava, podia vê-los com nitidez.

A casa grande estava silenciosa, pois as mucamas, depois dos últimos arranjos, dirigiram-se para a cozinha afastada. No silêncio e no vazio do rico salão, só chegava o trinado alegre dos pássaros, cortando o azul do Infinito.

Sobre um dos consoles, estava uma grande jarra cheia de lindas e perfumadas flores colhidas pela mucama Josefa, que continuava o hábito da Condessa, enfeitando diariamente a casa com frescas flores, colhidas no belo jardim.

O Conde, que vivia constantemente engolfado nas reminiscências do passado, não pôde afastar de sua mente, nesse instante em que o filho se ausentava, as pungentes recordações que eram o bálsamo para o seu velho coração.

Sozinho com as mucamas, essas lembranças faziam com que os dias e os meses não se tornassem tão longos e monótonos.

Quando sozinho no salão, esperava pela ceia, e, muitas vezes, foi retirar, do fundo das gavetas, velhas cartas, que relia com emoção, ou então pequenos objetos e algumas joias da Condessa, que separara para a esposa de André. Quantas vezes passou horas seguidas pensando nisso, tendo nas mãos o cofre onde guardava as joias.

O que o destino estaria reservando para o seu único filho? Ah! Se fosse possível ao homem sondar esses mistérios! O Conde curvava a cabeça, quase toda branca, e sorria tristemente, reconhecendo a pequenez do homem diante dos desígnios insondáveis de Deus, e, com as mãos trêmulas, retirava do cofre os fios de pérolas, os braceletes de ouro e brilhantes, os anéis, os brincos, broches e, depois de contemplá-los, recordava o vulto esguio da Condessa, quando pelos seus braços transpunha os grandes salões da Corte, ostentando essas mesmas joias que ele agora tinha nas mãos.

Em um escrínio separado, o Conde guardava a mais preciosa das joias de sua esposa: era um riquíssimo diadema de brilhantes, presente que fizera a Clotilde quando completaram o primeiro ano de casamento. Ao distribuir com as filhas as joias de família, fez questão que esse diadema fizesse parte da coleção reservada para a esposa de André, causando esse gesto grande decepção às três filhas, mas o Conde não cedeu e o diadema ficou como ele desejava, para ser ofertado à sua futura nora no dia de seu enlace.

Muitas vezes, abriu o escrínio de veludo negro e pousou os olhos úmidos de lágrimas na joia magnífica.

Imediatamente, via o imponente Palácio Real, iluminado e florido, e sua jovem esposa, valsando elegantemente, presa pelos braços do Príncipe, ostentando sobre os cabelos o diadema de brilhantes, diadema que também a esposa de André usaria e, como a Condessa, iria deslumbrar as mais formosas Damas da Corte e, nos mesmos salões, dançaria com o Imperador do Brasil.

Nas noites enluaradas, o Conde descia para o jardim e ia se sentar no mesmo banco que costumava conversar com Clotilde, ouvindo as filhas que tocavam e cantavam alegremente.

Foi em uma noite dessas que ela lhe participara a vinda inesperada de mais um filho, e, agora, velho e sozinho, sentindo profundas saudades do filho que partira, esse recanto oculto era um dos seus lugares preferidos, ali ficando até que Josefa descesse para avisar que a ceia estava servida.

Com essa escrava, o Conde conversava com certa familiaridade, pois a ela estava entregue toda a casa.

Enquanto ceava, pedia à Josefa todas as informações, e também transmitia ordens, diariamente.

No seu quarto, os móveis eram os mesmos e conservados também nos mesmos lugares.

No oratório, a Virgem iluminada, espalhando uma suave penumbra.

Todas as noites, antes de deitar, o Conde fazia a sua oração, ajoelhado junto ao oratório, como era habitual desde que se casara.

E assim, seguindo as mesmas tradições, viveu o velho Conde na sua fazenda, enquanto André estudava, e os anos passavam lentamente.

***

Estava André com dezesseis anos quando o Conde resolveu mandá-lo para a Europa, a fim de lá continuar os estudos.

Tinha amigos em Portugal e, depois de prolongadas e difíceis trocas de cartas, conseguiu realizar o que tanto desejava.

Se pudesse, iria acompanhar o filho, mas sentia que não podia enfrentar tão cansativa viagem, entretanto, Ignácio seguiria com ele, e, em Lisboa, velhos e leais amigos o esperariam, conforme pedido do Conde, e o auxiliariam até que ele fosse matriculado na tradicional Universidade de Coimbra.

Inteligente e bem preparado pelos padres do Colégio de S. Paulo, não encontrou André grandes dificuldades. Rapidamente, fez amigos e, com eles, não só iniciou a vida alegre de estudante, como também começou a ser convidado para as seletas reuniões em casas de nobres fidalgos.

Com rapidez ganhou fama, não só pelos seus dotes de invulgar talento, como também pela distinção de seu porte de fidalgo e a sua imensa fortuna.

Passou, então, a viver intensamente, estudava com profundo interesse, pois tinha avidez de alargar os seus conhecimentos e tão intenso era o seu poder de tudo compreender facilmente que deixava os professores impressionados e entusiasmados com o aluno.

Logo nos primeiros dias de aula, os mestres constatavam que havia, no jovem Visconde brasileiro, um raro talento a ser burilado e passaram a tratá-lo com mais interesse.

Foi com espanto que certa manhã, durante uma aula, os alunos viram André levantar-se e, interrompendo o professor, fazer uma pergunta que o velho mestre custou a responder; e quando, depois de prolongado silêncio, conseguiu dar a resposta, ele discordou e passou a discutir acaloradamente com o seu professor. Nem um aluno teve coragem de intervir, e o jovem, exaltado, defendia a sua tese.

Quando cessado o incidente, a calma voltou a reinar no recinto; André, sentado, tinha o rosto banhado de suor e os seus olhos brilhavam com estranho fulgor.

Finda a aula, saiu em companhia de vários colegas, que o censuravam, dizendo que ele iria ter para sempre um inimigo, pois esse professor, um dos mais antigos da Universidade, temido pela severidade com que tratava os alunos, jamais perdoaria a irreverência de um aluno novato que, em plena aula, teve a coragem de o interromper para discordar das suas opiniões.

André ouviu calado a todas as censuras dos amigos, depois bruscamente parou e, com voz ríspida, disse em tom enérgico:

– Discordei e continuarei a discordar sempre que as suas opiniões estiverem contra as minhas; assim fazia no Colégio de S. Paulo e aqui continuarei. Não temo a cólera do meu mestre. Aqui vim para estudar e aprender, mas tenho o direito de exigir que os meus mestres ouçam as minhas opiniões e aceitem-nas ou, então, recusem-nas, explicando por que assim o fazem.

Ele continuou a manter essa atitude sempre que ouvia um professor, durante uma aula, dar uma explicação da qual duvidava ou não alcançava imediatamente. Levantava-se e interrompia, pedindo que repetisse o trecho em dúvida.

Era o único que assim procedia e os colegas viam com espanto que os mestres, em vez de repreendê-lo, pareciam gostar do irrequieto aluno.

Com o decorrer dos meses, passou a desfrutar uma posição de real destaque no meio dos estudantes. Era quase um líder. Todos o ouviam com admiração e respeito.

Era diariamente consultado por colegas que vinham pedir o seu auxílio quando estavam atrapalhados sobre qualquer ponto, e André, com paciência, a todos atendia. Tornou-se o estudante mais discutido da Universidade, sempre impecavelmente vestido, acompanhado do pajem que também se distinguia pelas maneiras respeitosas com que seguia o jovem Visconde.

Acompanhado de amigos e colegas, começou a aceitar convites para as reuniões, onde era recebido com muito prazer, pois já estava bem espalhada a sua fama. Passou a sentir grande alegria de viver; realmente, estava no começo da exuberância de sua mocidade. O mundo abria para ele as portas douradas da ilusão. Tudo quanto almejava tinha imediatamente nas suas mãos de nababo.

Jamais conheceu o amargor de uma derrota e, assim, com sofreguidão, foi sorvendo, sequioso, nas taças transparentes do prazer, o conteúdo saboroso das sucessivas vitórias e, na voragem impiedosa dos anos, André não parou um só momento para meditar, levando de roldão todos os obstáculos que apareciam na estrada larga de sua existência.

Não parava para olhar para trás e ver que deixava, muitas vezes, rastilhos de ódios, lágrimas e infortúnios; mas por que olhar para trás se ele estava satisfeito, feliz?...

Conheceu inúmeras jovens que, logo nos primeiros instantes, ficaram seduzidas pelo fulgor do seu talento e pela arrogância de suas maneiras. Conheceu também damas formosas que disputaram com ardor o seu amor. Provocou escândalos que abalaram a sociedade e que só não tiveram sérias consequências dado o prestígio de seu nome fidalgo.

Engolfado no turbilhão dos prazeres, ele chegou quase esquecer a fazenda distante, onde seu velho pai o esperava ansioso.

Cinco anos foram passados, e André terminou o curso na Universidade, resolvendo, então, voltar à sua pátria.

Estava com vinte e um anos.

Inesperadamente, participou aos amigos a sua volta e, depois de receber grandes homenagens, partiu com seu pajem rumo ao Rio.

Travessia longa e monótona, que André aproveitou para repousar, pois vinha extenuado. Cinco anos que passou estudando tenazmente e, ao mesmo tempo, levando uma vida de boemia tinham lhe minado grandes reservas orgânicas e agora aproveitava a viagem para refazê-las.

Passava os dias deitado ou, então, contemplando o mar, que refletia maravilhosamente o azul límpido do céu... Não queria ler e pouco conversava com os passageiros; queria ficar isolado e, durante esse período de repouso, o seu pensamento volvia para a longínqua fazenda que lhe pertencia.

Como iria encontrar seu pai?

Surpreendeu-se quando se recordou da mucama Josefa, que o criara com tanta dedicação e amor. Em uma das cartas que seu pai lhe escrevera, soube que Josefa tinha uma linda menina, pois, tendo ficado viúva, tornara a se casar, com um escravo ainda moço e forte, que ele adquirira de um amigo por alto preço. Quando recebeu a carta de seu pai, esse detalhe pouco lhe interessou, mas agora, sozinho, fitando o mar, recordou esse pormenor e ficou pensando em Josefa e na filhinha, que ainda não completara dois anos. Tentou recordar o nome da pequenina escrava e, depois de muito esforço, inesperadamente, lembrou-se: Mariana. Mas, passados alguns instantes, essa recordação foi completamente esquecida, para que outras viessem bailar na sua mente.

Tentava afugentar essas lembranças, mas elas continuavam a surgir, umas após outras. Pensou nas irmãs casadas e nos sobrinhos. Pretendia passar uns dias com Maria Antonieta e Maria Leopoldina, antes de seguir para a fazenda.

Como seria agora a Corte Brasileira? Gostaria de assistir algumas recepções, e isso seria fácil dado o grande círculo de amizades de suas irmãs.

Fazia também planos para o futuro, pois não pretendia ficar definitivamente na fazenda. Imensamente rico, queria ainda viajar, pois os cinco anos que passara na Europa foram dedicados quase que só aos estudos e não saíra de Portugal. Passaria uma temporada na fazenda e depois, então, iniciaria as viagens tão sonhadas.

Conversando certo dia com o pajem Ignácio, que arrumava determinados objetos, disse-lhe:

– Finalmente estamos chegando depois de tão longos anos. Descansaremos bastante para que possamos voltar...

O escravo voltou-se assustado e ficou olhando fixamente o jovem que estava deitado, sem coragem para articular uma só palavra.

Vendo a expressão assustada do escravo, André riu alto e perguntou:

– Ignácio, por que me olhas assim?

– Visconde, pensei que agora íamos definitivamente para a fazenda e que, depois, então, meu Sinhozinho iria se casar, e lá ficar tranquilamente.

André, ouvindo as suas palavras, sentou-se e foi ele então que ficou olhando espantado o fiel escravo.

– Como, Ignácio?... Casar-me? Jamais pensei nisso, estou muito moço e quero aproveitar a minha mocidade. Como poderei viver isolado naquela fazenda? Quero viver intensamente, compreende, Ignácio? Compreende?

– Mas, meu Sinhozinho, já passou cinco anos longe e, durante esse tempo, divertiu-se bastante.

– O quê?... Acha que me diverti, estudando dias seguidos, suportando os professores e os colegas? Acha que isso foi vida? Não, Ignácio, voltaremos, e então poderei, despreocupadamente, viver como desejo.

– E o Sinhô Conde, que está velho e sozinho, ambicionando só a sua volta? Não pensou em seu bondoso pai?

– Penso, mas ele vive na fazenda porque gosta e, se renunciou a morar na Corte, com minhas irmãs, foi porque adora viver na sua fazenda, e não é justo que eu sacrifique a minha mocidade simplesmente para satisfazer um capricho tolo de meu pai.

O escravo não disse mais uma só palavra e, respeitosamente, saiu, deixando-o sozinho, fechando devagar a porta.

Pesado silêncio reinava no aposento, e o jovem, sentado no mesmo lugar, ficou muito tempo até que resolveu sair para respirar melhor.

No tombadilho, diversos passageiros contemplavam, ao longe, uma estreita mancha escura, que era sinal de terra. Estava prestes a terminar a longa viagem e era visível o contentamento de todos, depois desses dias tão enfadonhos.

André aproximou-se e ficou também olhando a mancha escura que, aos poucos, ia clareando e tomando forma. Mais algumas horas e poderia se ver o verde das matas e a brancura das praias, para depois se divisar o casario e as velas das embarcações.

Com desembarque penoso e difícil, enfim estava terminada a viagem.

PRIMEIRAS SEMENTES DA ABOLIÇÃO

III - PRIMEIRAS SEMENTES DA ABOLIÇÃO

Foi com intensa alegria que André avistou as duas irmãs, que, apressadas, vinham ao seu encontro e com ternura abraçaram-no. Pôde, então, ver como estavam lindas e elegantes.

Ao longe, duas magníficas carruagens estavam paradas.

André deu ordens ao pajem e, em seguida, de braços com as irmãs e conversando alegremente com os cunhados, foi tomar a carruagem. Era um grupo encantador de fidalgos brasileiros.

Durante o trajeto, inúmeras perguntas foram feitas pelas irmãs, e André, com facilidade, ia dando as explicações pedidas.

Finalmente chegaram.

Primeiro, passaria uns dias com Maria Antonieta e, depois, então, iria para a residência de Maria Leopoldina.

Morava Maria Antonieta em um antigo e austero solar, cercado de majestosas árvores, que davam ao mesmo um aspecto senhorial.

No grande jardim, os sobrinhos, ao lado das mucamas, também estavam esperando com curiosidade o tio desconhecido. Eram cinco encantadoras crianças; principalmente Clotilde, a mais velha, era de uma beleza impressionante.

Foi para André um momento de grande alegria quando viu correr ao seu encontro os cinco sobrinhos. Todos falavam ao mesmo tempo, numa algazarra deliciosa. Cercado pelas crianças, subiu a longa escadaria e, ao entrar no salão principal, deparou-se bem na frente com o retrato de seu pai, ao lado de um belíssimo retrato de sua mãe, que não conhecera.

Ele sentiu grande emoção e procurou uma cadeira para melhor poder olhar aquele quadro, no qual estava com tanta perfeição o rosto formoso de sua mãe. Em seguida, fechou os olhos, pensando naquele doce vulto de mulher que via retratado à sua frente.

Muito tempo ficou prostrado em frente aos dois retratos, até que Maria Antonieta entrou.

Ouvindo os passos da irmã, abriu apressadamente os olhos, estremecendo... Teve a impressão de que estava sonhando, que, à sua frente, tinha a Dama do retrato, tal a semelhança que existia entre Maria Antonieta e sua mãe, só diferenciando no traje e no penteado, pois, por coincidência, até as joias que a irmã usava eram as mesmas do retrato. Comprido e grosso cordão de ouro dava diversas voltas no pescoço e vinha se prender no cinto, deixando aparecer gracioso medalhão.

Maria Antonieta sentou-se ao lado do irmão e com meiguice perguntou:

– Está vendo como nossa mãe era bonita?

André não respondeu, e a irmã continuou, bonita e extremamente bondosa:

– Lembro-me quanto sofria quando sabia que um escravo era castigado, como sentia piedade quando passava perto da senzala. Mais de uma vez, ouvi nossa mãe interceder junto ao nosso pai para que poupasse faltas dos escravos. Foi ela quem fez desaparecer da fazenda muitos castigos, e é ainda, lembrando-me dela, que procuro fazer com que, em nossas fazendas, os escravos sejam tratados com maior brandura.

André ouvia a irmã, sem poder desprender o olhar do retrato. Nunca sentira uma emoção tão forte, e chegou mesmo a não se interessar pelo que contava Maria Antonieta a respeito de seu velho pai.

Passou diversos dias com as irmãs, indo a festas e recepções, entabulando amizades e conhecendo a vida boêmia e intelectual, auscultando opiniões e sondando com astúcia os complexos problemas políticos.

Compreendeu, com rara clarividência, que o País se preparava para iniciar os primeiros passos nos embates que iriam marcar, anos depois, a concretização de um grande feito. Começavam em surdina a murmurar débeis frases que, com o decorrer dos anos, erguer-se-iam em ressonâncias tão agudas, capazes de fazer estremecer a Nação.

Eram pouquíssimas e espessamente veladas essas manifestações, mas já existiam, e ele, inteligentemente, compreendeu-as e ao mesmo tempo as temeu. Conversando com os cunhados, tentou sondá-los e viu claramente que eles também viriam, mais tarde, a se tornar adeptos dessa cruzada redentora.

Recordou as palavras de Maria Antonieta, baseada nos exemplos que tivera: "nas nossas fazendas, os escravos sejam tratados com mais brancura" – disse ela.

André revoltou-se intimamente. Jamais compartilharia com essa ideia, loucura pensar nisso, existem outros problemas mais urgentes e mais necessários à Nação. Isso não passa de um sonho irrealizável, de alguns idealistas fanáticos...

Ele ainda passou mais uns dias na Corte, até que resolveu seguir, pois ainda pretendia visitar Maria Luíza, para depois ir então para a fazenda.

Pesaroso, deixou a Corte em companhia de Ignácio. Nova e difícil viagem, mas que André, bem-disposto, venceu com facilidade.

***

Na cidade, foi recebido pela irmã com o mesmo entusiasmo com que as outras o receberam.

Estranhou a ausência de seu pai, pois julgava que ele viria ao seu encontro, sentindo séria decepção com esse gesto do Conde, mas conseguiu ocultá-la de Maria Luíza, que, delicadamente, desculpava o pai, explicando que ele já estava idoso e adoentado.

André passou dias agradáveis, visitando amigos e participando de reuniões encantadoras. Com surpresa, ouviu também as mesmas frases veladas que, na Corte, tanto o impressionaram; sentiu que a pequenina semente já havia sido lançada ao solo e que, apesar do terreno não estar convenientemente preparado, ela germinaria com o auxílio tenaz de trabalhadores corajosos.

Sentiu funda revolta, pensando na possibilidade de que essa ideia triunfasse. Que seria de sua Pátria, sem o braço do negro escravo? Seria o desmoronar de tantos anos de ingentes esforços... Não podia compreender o Brasil sem escravatura. Desde essa época, foi sentindo ódio e revolta por essa ideia.

Conversou com o cunhado e, como já havia feito na Corte, procurou sondá-lo também; estarrecido, constatou que este aceitaria com mais facilidade a ideia absurda, amparado nas convicções da esposa que adorava. Maria Luíza agia tendo como guia, assim como suas irmãs, o exemplo e os ensinamentos da sua bondosa mãe.

Talvez André, se não a tivesse perdido em tão tenra idade, teria os mesmos princípios e os mesmos sentimentos de suas irmãs, mas, educado somente pelo pai, que se curvava a todos os seus caprichos e que não tinha autoridade para repreendê-lo como merecia e aconselhá-lo como devia, cresceu acostumado a ser cegamente obedecido, e o Conde muito contribuiu para isso, exaltando a sua estirpe nobre e a sua fortuna.

– Os escravos faziam parte do seu valioso patrimônio, como, pois, libertá-los? Depois que os adquirira por preços fabulosos, quem iria se responsabilizar pelos seus prejuízos?

Essa libertação seria a miséria para inúmeros fazendeiros, que honestamente empregaram grandes capitais nessas transações.

Jamais essa ideia seria vitoriosa – tornou André a pensar depois da conversa que tivera com o cunhado.

Tolice de meia dúzia de malucos – meditou com ironia.

Só uma coisa ainda o fazia receoso: é que esses velados murmúrios chegassem aos ouvidos dos escravos, então sim, o perigo seria grande; e, para sufocá-los, só via um jeito: agir com força e, se preciso, com violência, pois só castigo é que poderia atemorizar os negros, caso essas ideias fossem propaladas.

Percorreu toda a fazenda do cunhado e viu, com satisfação, como era bem organizada a grande propriedade, não obstante serem os escravos tratados com brandura, o que deu ensejo para que ele discordasse do cunhado nesse sentido; com muita cautela, tentou explicar que essa brandura e essa liberdade davam ensejo para que os escravos alimentassem a ideia de uma possível libertação, o que seu cunhado respondeu prontamente:

– É justo, André, que esses infelizes almejem a liberdade, são humanos como nós...

– Mas em troca dessa liberdade teremos a nossa ruína, a nossa falência.

– Não – torna a dizer o bondoso fidalgo –, encontraremos meios para resolvermos essa situação, que ainda é quase impossível nos nossos dias, mas que virá fatalmente; e tenho a certeza de que não levará o País à falência; talvez algumas famílias, porém desaparecerá de nossa Pátria essa mancha negra e degradante...

Lamento que, quando isso acontecer, eu já não esteja vivo, mas meus filhos terão essa grandiosa oportunidade e pretendo educá-los, fazendo-os compreender que é justa e sagrada essa aspiração.

Quero educá-los, fazendo-os sentir que os negros são humanos e poderão ser valiosos colaboradores se tratados com respeito e remunerados de acordo com o trabalho produzido.

André ouviu atentamente as palavras do cunhado, idênticas às dos outros, e pensava na possibilidade de seu pai ter as mesmas ideias; estaria, então, afastado de todos, pois jamais concordaria com isso.

Resolveu não tocar mais no delicado assunto e, assim, passou mais uns dias em companhia da irmã, que se esforçava para cercá-lo de todo o conforto e afeto.

Finalmente, resolveu partir, porém, antes, partiu um escravo levando uma carta para o Conde, avisando o dia exato da próxima partida, e assim, numa clara madrugada, André despediu-se, seguindo com Ignácio rumo à fazenda, donde se ausentara há cinco anos.

**

Quase desconhecia a estrada que, em pequeno, percorrera tantas vezes, junto com seu pai.

Nessa época, começava o outono e as árvores, até então verdes e frondosas, começavam a perder as folhas que, aos poucos, iam murchando e eram levadas pelo vento ou, então, jaziam aos pés das árvores, formando uma densa camada.

André se recordou do inverno em Portugal, onde também as árvores ficavam completamente despidas da densa folhagem, com os galhos mirrados à espera paciente da nova floração, e, cavalgando, ia se recordando de todos os trechos percorridos, até que divisou o marco da sua fazenda, e foi com infinita emoção que transpôs a porteira que dava entrada às suas terras.

Aspirou com força o ar puro e, chicoteando o animal, distanciou-se do pajem.

Os morros, as pastagens, os bois, tudo tinha para André uma beleza diferente; quando viu aparecerem as palmeiras eretas e a casa branca onde nascera, André sentiu que o ritmo de seu coração tinha se descontrolado, mas, mesmo assim, continuou a chicotear o cavalo até que transpôs a larga porteira e tomou o caminho de pedras que dividia o jardim, chegando ofegante junto à escada onde o Conde o esperava sozinho.

De um salto, desceu do animal e estreitou nos braços fortes o seu velho pai; depois o afastou um pouco para melhor olhá-lo. Como estava envelhecido e de aspecto cansado o seu querido pai.

André ficou comovido e, num transporte quase infantil, tornou a abraçar o Conde, que tentava reprimir as lágrimas.

Ignácio vinha se aproximando e o Conde esperou ao lado do filho. Inesperadamente, Josefa chegou e não pôde se controlar ao ver o seu filho adotivo que ela, humilde escrava, adorava com o mesmo afeto que dedicava aos seus próprios filhos. Correu para André e o abraçou com ternura.

O jovem fitou demoradamente a escrava que substituiu sua mãe e não pôde sufocar os ímpetos de também apertá-la junto ao seu coração, mas foi passageira essa emoção. Entrou no corredor e deparou-se com uma criancinha que vinha em direção ao terraço e que, ao avistar o Conde, correu para ele com os bracinhos abertos.

O fidalgo a ergueu e, voltando-se para André, disse:

– Meu filho, veja a filhinha de Josefa, como é linda.

André lembrou-se da carta do Conde que lhe participava o segundo casamento da mucama e o nascimento da menina. Aproximou-se e, nos braços de seu pai, a menina sorriu para ele.

Realmente, a pequenina escrava era uma linda menina, mulatinha clara, olhos negros, nariz afilado, cabelos crespos, e, quando sorria, duas graciosas covinhas se formavam, dando ao seu rostinho uma expressão encantadora.

O Conde, tendo ainda nos braços a menina, explicou ao filho:

– Mariana é a alegria desta grande casa; é a minha companheirinha inseparável, sem ela não sei como poderia agora suportar o silêncio e o vazio desta casa. É inteligente, pois, apesar de ainda não ter completado três anos, já demonstra vivacidade rara para a sua idade, aprende tudo com facilidade, e é sagaz observadora...

Assim conversando, o Conde encaminhava-se para o salão de refeição, onde Josefa os esperava para servir uma xícara de café que André pedira logo ao entrar.

Mariana brincava puxando os cabelos grisalhos do Conde, tentando fazer com os dedos alguns cachos.

Sentados, o Conde colocou-a no colo, depois de perguntar se ela queria café, e com a cabeça a pequenina respondeu que sim...

O Conde colocou-a ao seu lado e, derramando, no delicado pires de finíssima porcelana, um pouco de café, com toda a ternura, deu a Mariana, que começou a tomar devagar; quando terminou, ergueu a cabeça, e o Conde riu alegremente, mostrando ao filho o bigodinho de café que dava ao rostinho da pequena uma graça encantadora.

– Veja, André, como é gulosa, adora café, e todas as vezes que venho tomar, tenho esse trabalho; enfim, ela me recompensa, mas agora que você chegou, temos muito que conversar e muito que fazer...

Mariana, ao ouvir o Conde conversar com André, foi para junto dele e ficou olhando-o muito tempo, sem dizer uma só palavra; depois, saiu correndo em direção à cozinha, chamando pela mãe.

– Agora, meu filho, precisa repousar; o seu quarto já está preparado, é o mesmo...

Quando ia se levantar, viu chegar três fortes negros que pediram ao Conde licença para falar com o Visconde.

André fitou-os demoradamente; depois, eles pediram-lhe a bênção e só, então, reconheceu os seus companheiros de infância, os mesmos que trazia para seu quarto e que o Conde, certa vez, castigou severamente.

Depois dessa recordação, veio para perto dos escravos, com eles conversou alguns instantes e perguntou pela menina de quem esquecera o nome. Estava casada e tinha uma filhinha.

Quando os escravos saíram, André foi para os seus aposentos e entrou. A janela estava aberta e ele pôde ver a paisagem bela, formada pelos morros e pelos campos, assim como o imenso jardim, com os seus bancos e as estátuas de mármore ali colocadas por sua mãe e conservadas há muitos anos.

Muito tempo ficou olhando o belíssimo panorama, sentindo que o seu coração batia ainda desordenadamente; precisava repousar. Tirou as botas e o traje empoeirado, atirando-os junto à janela. Em seguida, deitou-se e, com alívio, sentiu a maciez do colchão e o vago perfume impregnado nos alvíssimos lençóis; depois, com olhar curioso, começou a examinar o seu antigo dormitório, que tinha agora outro mobiliário, feito, como todos os demais móveis, de jacarandá.

A sua caminha tinha sido retirada, mas guardada com todo o cuidado, por ordem do Conde, que a reservara para o netinho que esperava com ansiedade.

André, exausto, dormiu calmamente, só acordando quando ouviu o chamado de Josefa, avisando que a refeição estava servida.

***

Ainda bocejando, levantou-se e, depois de ligeira toalete, saiu apressado, indo encontrar o Conde, que tinha Mariana a seu lado.

A comprida mesa, bem ornamentada, sobressaindo os pratos de fina porcelana, gravados a ouro com os brasões da família, e as terrinas e travessas de prata portuguesa; os copos de límpido cristal davam maior realce à mesa, onde somente dois lugares seriam ocupados.

As janelas abertas deixavam passar agradável aragem misturada com o sutil perfume das flores. Os pássaros cantavam alegremente, e o sino repicava chamando os escravos.

O Conde, ao ver o filho chegar, afastou a pequenina escrava e levantou-se para ir ao seu encontro. Conversando, ficaram à espera que Josefa servisse a refeição.

O lugar de André era o mesmo.

O Conde estava ansioso para ouvir o filho; perguntou pelos amigos portugueses, indagou sobre a Universidade, professores, estudos, e André ia respondendo com facilidade, procurando contar tudo que de mais importante se passara nesse período de cinco anos de ausência; descreveu, em seguida, a viagem longa e monótona e, finalmente, a chegada à Corte, onde as irmãs o esperavam.

Descreveu a beleza dos sobrinhos e principalmente de Clotilde; as residências luxuosas, as festas e recepções, e as fazendas ricas dos cunhados, que percorreu minuciosamente...

O almoço foi demorado e, muitas vezes, interrompido; e quando terminou, o Conde propôs ao filho irem tomar o café no terraço, que era mais agradável.

André concordou, e vagarosamente deixaram o salão.

O terraço estava inundado de agradável sombra, projetada das frondosas e seculares árvores.

Ainda conversando, esperavam pelo café, que foi servido por Josefa numa grande bandeja de prata, da qual sobressaía a beleza de um bule artisticamente trabalhado e folheado por dentro a ouro, tendo no meio o heráldico brasão; açucareiro idêntico a uma graciosa concha, no qual se podia ver a perfeição do folheado a ouro; duas xícaras com as respectivas colherinhas, tendo o mesmo trabalho artístico das outras peças.

Servido o café, a mucama retirou-se e a conversa foi reiniciada.

Novas perguntas foram formuladas pelo Conde, e respondidas com precisão e clareza por André.

Inesperadamente, o assunto retornou sobre a Corte e os murmúrios que chegavam indiscretamente até a longínqua fazenda onde o antigo e exaltado político, que fora o Conde, vivia agora afastado.

Sabia de inúmeros fatos e de intrigas contadas pelas filhas e genros em cartas que eles procuravam narrar tudo quanto se passava na Corte, desde o Palácio Imperial até as vendas de escravos, e as negociatas vergonhosas e humilhantes.

Aproveitando esse ensejo, André contou ao Conde o que ouvira confidencialmente em vários círculos sociais e, ansioso, esperava a opinião do pai.

O Conde ficou em silêncio muito tempo, olhando vagamente para a senzala afastada e ouvindo a algazarra dos negrinhos que corriam brincando perto do jardim; ouviu quando Mariana passou junto do terraço conversando com a bondosa Josefa; foi quando se voltou para o filho e lhe disse:

– Não me surpreende isso que me acaba de revelar; se fosse mais moço, seria também colaborador dessa iniciativa.

André estremeceu, mas continuou atento, ouvindo o pai:

– Tenho certeza de que a escravidão será abolida no Brasil; ainda demora, mas os primeiros passos já foram dados e as lutas serão tremendas, os obstáculos difíceis...

– Mas – interrompe André –, essa tentativa de abolição será a nossa ruína, caso venha a triunfar.

– Possivelmente, meu filho, mas será a ruína de um punhado de nababos em troca da liberdade de milhares de seres infelizes, que têm o direito de serem tratados como homens.

– E as nossas plantações? E as nossas colheitas que representam a riqueza do Brasil, como serão feitas, caso venha a se concretizar essa iniciativa?

– Creio que poderá ser feita pelos próprios negros libertos, que terão um salário de acordo com os seus trabalhos.

André compreendeu que seu pai tinha as mesmas ideias de suas irmãs e cunhados e procurou convencê-lo de que estava errado, mas o Conde, enérgico, repelia todos os argumentos do filho, que sentiu imediatamente a nulidade de seus esforços e melhor seria calar para depois, então, voltar a discutir com mais serenidade.

Propôs um pequeno passeio e demonstrou interesse pelo trabalho de alguns escravos que, no momento, limpavam um terreiro próximo.

O Conde concordou e saíram juntos em direção da senzala. Ao lado dos escravos, o velho feitor observava o trabalho com toda a atenção e, ao ver o Conde em companhia de André, foi apressado ao encontro de ambos.

Respeitosamente cumprimentou o Visconde, que foi logo pedindo diversas explicações. Em seguida, foi até a senzala, entrou e teve uma grande surpresa; tudo estava irrepreensivelmente limpo, e as escravas trabalhavam satisfeitas.

Perto, as crianças brincavam despreocupadas e, ao avistarem o Conde junto à porta, correram para lhe pedir a bênção.

Nas demais dependências, não encontrou um só aparelho de tortura, e sim uma grande quantidade de enxadas, facões, arreios e cestos.

A transformação fora completa, apesar de que, na fazenda, jamais existiu castigos violentos, e o tronco raramente fora empregado; mas, agora, estava desaparecido e os escravos gozavam de liberdade.

Nesses cinco anos de isolamento que o Conde vivera imerso na mais completa solidão, teve tempo suficiente para meditar e compreender que nunca é tarde demais para se corrigir um erro, e foi assim que transformou radicalmente a sua fazenda e logo começou a colher os frutos dessa modificação.

Os escravos, que estimavam o Conde, passaram a ter por ele verdadeira afeição; os pequeninos escravos adoravam o velho fidalgo, que vinha sempre ver as suas brincadeiras e ria feliz com os seus negrinhos. Nunca mais usou o chicote e, quando saía a cavalo, levava um pequeno ramo verde, e a fazenda progredia dando lucros fabulosos.

Quando André voltou para junto do Conde, este continuou a explicar ao filho os mínimos detalhes, fazendo sentir a nulidade da violência para com aqueles humildes servidores.

Estavam os dois conversando quando se aproximou um jovem alto e forte, de olhar severo, que cumprimentou o Conde com respeito e, voltando-se para André, fez o mesmo.

– Meu filho, este é o Joaquim, filho do meu feitor, que será mais tarde o seu substituto.

André demorou o olhar no rosto do jovem que tinha à sua frente e, enquanto o Conde e o feitor se afastaram, com amabilidade conversou demoradamente com ele.

Depois desse pequeno passeio, voltaram para casa; o Conde foi para os seus aposentos e seu filho fez o mesmo.

Assim passou o primeiro dia.

Na manhã seguinte, quando André abriu a janela, viu um escravo que chegava trazendo dois cavalos arreados.

Ouviu a voz de seu pai e, logo em seguida, observou-o descendo as escadas, pronto para sair.

Apressado, vestiu-se e foi para o salão onde Josefa o esperava para servi-lo; tomou ligeiro o café e saiu ao encontro do pai, que continuava esperando por ele, em companhia do velho preto.

Iria agora lhe mostrar as grandes plantações e o começo das colheitas, assim como as pastagens magníficas.

O Conde montou auxiliado pelo escravo, que lhe deu o pequenino ramo verde. Para André, fora escolhido um soberbo cavalo ricamente arreado.

Montando com extrema facilidade, recebeu o chicote de cabo de prata que tinha pertencido ao Conde e, fustigando o animal, seguiu na frente, galopando pelo caminho de pedra, até que alcançou a larga estrada, inundada pela luz forte do Sol, deixando para trás o Conde e o feitor. Parou junto à larga porteira à espera dos dois; em seguida, dominando o irrequieto animal, cavalgou ao lado de seu pai e do feitor, que iam mostrando as verdes e exuberantes plantações, entusiasmados e esperançosos das abundantes colheitas que se aproximavam.

André constatou que a sua fazenda podia se rivalizar com as de seus cunhados, que ele achara magníficas. Não pôde ocultar o seu contentamento diante da orientação perfeita que seu pai tinha dado à grande propriedade.

Durante muitas horas, percorreu as plantações sem encontrar um só defeito que pudesse apontar ou discordar.

Esse valioso patrimônio, que iria receber de seu pai, era o suficiente para lhe garantir um padrão de vida folgado e feliz; bastava somente saber conservá-lo, seguindo os mesmos planos e respeitando a orientação justa e criteriosa dada pelo bondoso fidalgo.

Saberia André respeitar o patrimônio que seu pai iria lhe dar? Veremos...

***

Dois anos se passaram, e André continuava na fazenda, sempre acompanhando o Conde, observando as transações, fiscalizando as colheitas e tentando, às vezes, modificar velhos planos traçados, porém encontrava a tenaz oposição do bondoso fidalgo.

O jovem compreendeu que seria inútil travar lutas com o pai e resolveu, então, voltar à Europa, concretizando assim o sonho desejado, iniciando as viagens arquitetadas na adolescência.

Consultou o Conde, que, depois de forte resistência, concordou com a vontade do filho.

Nesse dia em que André pediu permissão para voltar à Europa, o Conde ficou profundamente abalado e, já noite, veio para o terraço e sentado, com a cabeça recostada na parede, pensava no filho que ia deixá-lo pela terceira vez.

Analisou esses dois anos passados e, contristado, viu que o castelo por ele erguido estava prestes a tombar; o alicerce que lhe parecia tão bem preparado mostrava agora imperfeição visível.

Na obra construída, seria impossível corrigir essa imperfeição. O filho adorado, depositário de todas as suas esperanças, em pouco tempo apagara a ilusão que envolvia o Conde. Esperava encontrar nesse filho o continuador de sua obra, procurando elevá-la ou mantê-la no mesmo nível.

Um dos maiores anseios do fidalgo era o tratamento dado aos seus escravos; nesse pormenor, ele era intransigente. O feitor tivera de abolir definitivamente o chicote, e toda a falta dos escravos, só ele poderia punir.

Com profunda tristeza, compreendeu que André discordava da brandura com que tratava os negros; chegaram mesmo a discutir mais de uma vez.

Sozinho no terraço silencioso, via a Lua muito redonda parada no firmamento estrelado, derramando sobre a Terra um manto de luz prateada. O Conde pensava:

– Tantas lutas, tantas renúncias e finalmente amarga decepção. E quando eu morrer, meu filho ocupará o meu posto e fará a reforma desejada... Até onde irá essa reforma?

Na observação constante de dois anos e na análise conscienciosa, pôde tirar as conclusões exatas do que seria a fazenda quando o jovem Visconde passasse a administrá-la.

André desprezava os escravos, achando perigoso o tratamento dado pelo pai; temia perder esses braços fortes que mantinham a sua fortuna.

Dotado de temperamento violento, acostumado, desde tenra idade, a ser obedecido cegamente, ríspido, jamais teve uma palavra carinhosa, nem mesmo para o pai e para a bondosa Josefa que o criara com desvelos de verdadeira mãe. Com o preto Ignácio, pajem dedicado e fiel, tratava-o com indiferentismo, simplesmente lhe dando ordens.

Chegando à fazenda, tratou os escravos com o mesmo pouco caso. Ficou revoltado quando viu seu pai carregar Mariana e dar-lhe, todos os dias, café no pequeno pires de porcelana, gravado a ouro com o brasão da família. Chamou atenção do Conde, mas o fidalgo não temeu o olhar severo do filho nem as palavras grosseiras proferidas irreverentemente, continuando a carregar a linda mulatinha e com ela tomando café...

Outros pormenores receberam também crítica, porém o Conde manteve-se inalterável.

Só altas horas da noite foi que se recolheu aos seus aposentos, depois de muito meditar.

Pela manhã, André o procurou novamente para melhor poder organizar o seu retorno à Europa. Não queria levar o pajem, preferia partir sozinho. Faria uma temporada em Portugal e depois, então, percorreria outros países. Não sabia quando voltaria e, talvez, resolvesse ficar definitivamente lá...

O Conde não disse uma só palavra enquanto o filho expunha os seus planos.

Conversavam no salão principal. Ao lado, o piano negro e, na parede, o retrato de Clotilde.

Recordava os temores que sentiu quando a esposa participou a vinda desse filho, que ele já não desejava; bastavam as filhas adolescentes. Se não tivesse André, a velhice lhe seria suave e a fazenda passaria a pertencer às filhas e, depois, aos netinhos. Os genros tinham a sua mesma ideologia.

De cabeça baixa, ouviu resignadamente o filho falar muito tempo, percorrendo o grande salão e batendo nervosamente as mãos.

Quando ele sentou-se no comprido sofá de jacarandá, o Conde ergueu a cabeça e fitou o filho; queria falar, mas as frases não podiam ser articuladas, e só com muito esforço conseguiu dizer:

– Meu filho, estou de pleno acordo com o plano que traçaste, podes partir quando desejares – e vagarosamente deixou o salão.

No corredor, encontrou Mariana e com ela foi à procura de Josefa. A mucama, vendo o abatimento do Conde, aflita, aproximou-se para saber o que ele estava sentindo, e para a bondosa escrava ele tudo contou.

Enquanto ouvia, as lágrimas corriam pelo seu rosto. O Conde sentou-se e Mariana procurou o colo amigo, e com as mãozinhas macias brincava com os cabelos brancos do bondoso fidalgo.

No salão, André continuava deitado, indiferente ao sofrimento que causara ao pai. Pensava somente na viagem. Estava farto da fazenda e da monotonia desses dois longos anos. Pretendia voltar o mais breve possível, pois teria de passar algum tempo na Corte, à espera de um navio.

Tudo resolvido, André partiu, deixando a fazenda pela madrugada.

Com indiferentismo, despediu-se de Josefa, não olhou para Mariana e o mesmo fez com o feitor. Ignácio o acompanhou até a cidade.

O Conde ficou no terraço até que seu filho desapareceu na curva da estrada. Muito tempo ficou em pé no mesmo lugar. O dia vinha despontando vagarosamente e os escravos seguiam para as plantações em grupos alegres. Viu quando o feitor, em companhia do filho, conversava animadamente; teve vontade de descer um pouco, mas, nesse momento, ouviu Mariana chamá-lo.

Assustado, voltou-se; a pequenina escrava o esperava parada junto à porta do salão. O Conde veio ao seu encontro e, com a menina, entrou no luxuoso salão, que estava completamente escuro; abriu as janelas, claridade intensa e perfumada aragem, vinda das matas, invadiram-no.

O velho fidalgo procurou a cadeira predileta. Sentado, pôs Mariana no colo como costumava fazer, fechou os olhos e, em seguida, sentiu os dedinhos delicados da menina acariciando os seus cabelos.

Doía-lhe o coração, angústia intensa o asfixiava, queria esquecer o filho, mas todo o esforço era inútil. Compreendia que só o tempo poderia fazê-lo, não esquecer, mas se conformar, e foi o que realmente sucedeu.

Os primeiros dias foram horríveis, mas depois, lentamente, recuperou a serenidade e, com o decorrer dos meses e anos, quase esqueceu André.

***

Cercado pela dedicação de Josefa e das mucamas, passou a viver tranquilamente.

O feitor, apesar de velho, ainda administrava com rara tenacidade a grande fazenda.

Teve também a companhia de Ignácio. Todas as noites, ia para o terraço e ficava conversando com o leal escravo, que contava interessantes episódios da vida de André, desde a infância no Colégio em S. Paulo até pormenores observados em Portugal. Dotado de prodigiosa memória, Ignácio nada esquecia: dias, lugares, tudo era lembrado.

O Conde assim conseguiu saber como seu filho tinha vivido durante tão longos anos e chegou, então, a compreender por que André recusara o pajem. Ele era uma testemunha perigosa.

A descrição, com detalhes, dos cinco anos passados em Portugal, deixou o Conde aniquilado. Jamais pensara que o filho pudesse esquecer a sua estirpe nobre, nivelando-se a tão baixas companhias.

Sabia que Ignácio não estava mentindo e essas confissões eram-lhe arrancadas à custa de muita habilidade. Fatos piores, não teve coragem para revelar. O Visconde ficou conhecido nos meios boêmios dos estudantes, conhecido e respeitado.

O Conde, disfarçando indiferentismo, procurou sutilmente ouvir do escravo algo sobre os rumores que André lhe contara ter ouvido na Corte, e Ignácio, depois de uma certa relutância, revelou tudo quanto ouvira e, depois, as conversas que tiveram durante a viagem, e o Conde, estarrecido, constatou a verdade, que debalde tentara não acreditar.

Seu filho jamais seria uma abolicionista e, quando essa bandeira fosse desfraldada em sua Pátria, teria nele uma barreira e um algoz.

Noites terríveis de insônia teve o bondoso fidalgo, lutas tremendas em que ele viu ruir todos os seus sonhos.

Só uma vaga esperança ainda brilhava no escuro de seu ocaso: André poderia casar e, quem sabe, a esposa o levaria para o fim certo.

Recordava-se da sua adolescência, dos seus ideais, assim como de Clotilde, mas passados os primeiros anos, encontrou na companheira uma sábia mestra e conselheira, que o fez reconhecer muitos erros e o afastou de muitas lutas inúteis.

Assim poderia acontecer com seu filho, mas imediatamente surgiam as revelações de Ignácio e as dúvidas voltavam a persegui-lo.

Felizmente, as filhas estavam bem casadas, e a maior preocupação que o martirizava era o futuro dos seus escravos quando André tomasse conta da fazenda.

Josefa, já velha, amiga dedicada e leal, saberia seu filho recompensá-la do trabalho de tantos anos?

E Mariana? Breve seria uma adolescente, e temia diante do futuro dessa pequenina escrava que lhe dedicava tanto afeto. E as outras mucamas, e o preto Ignácio, pajem amigo, companheiro sincero?... Como poderia defender esses velhos servidores?

André já não o temia agora, e, depois que ele desaparecesse, todas as barreiras seriam afastadas...

ENCONTRO DECISIVO EM PARIS

IV - ENCONTRO DECISIVO EM PARIS

Os anos foram passando devagar...

Sete longos anos, e André pouco escrevia.

Depois de percorrer diversos países, resolveu ficar residindo definitivamente em Paris.

Tinha uma pequena, mas luxuosa casa, pouco afastada da cidade, pois, apesar de boêmio, gostava de estudar e preferia reservar, todos os dias, umas horas para, sozinho, em profundo silêncio, ler os seus livros prediletos. Dava ordens severas ao criado, não recebendo ninguém durante o tempo em que ficava fechado no gabinete.

Durante esses sete anos, teve muitas aventuras amorosas, algumas até perigosas, mas que ele conseguia abafar à custa de muito dinheiro.

Aos poucos, foi olvidando a fazenda e desinteressando-se pela sua Pátria, tão empolgado vivia na sociedade alegre e corrompida da capital francesa.

As poucas cartas que escrevia ao Conde eram lacônicas, e as que recebia deixava muitas vezes fechadas, indiferentemente.

Não tivera um só namoro sério e, quando seu pai o aconselhara, em uma carta, que devia pensar em se casar e voltar para o Brasil, deu gostosa gargalhada, e assim ia vivendo despreocupado e feliz.

Convidado, certa vez, para uma recepção em casa de um amigo, nobre francês, André foi, sem poder imaginar que iria encontrar, inesperadamente, a esposa que tanto desejava seu pai.

Elegantemente vestido, tomou a carruagem que o levaria ao imponente castelo onde se realizaria a suntuosa recepção.

Recebido pelo amigo, ele foi apresentado a diversas jovens formosas, nobres e ricas.

Estava conversando animadamente, em um grupo alegre de fidalgos, quando ouviu a voz do amigo, chamando-o alto:

– André, venha! Eu quero apresentar-lhe uma brasileirinha.

André atendeu prontamente o chamado e foi, então, que teve agradável surpresa: ao lado do jovem, estava uma belíssima adolescente que sorria contente. Apresentado à jovem Matilde, filha de um nobre brasileiro, tão impressionado ficou, que não mais se afastou dela; sentados juntos a uma janela, conversaram animadamente, recordando a Pátria distante.

Matilde viajava em companhia dos pais, mas já estava ansiosa para voltar e foi com surpresa que André ouviu-a dizer:

– Gosto do meu Brasil e jamais pensarei em sair de lá; e, se pudesse, realizaria o meu ideal.

André, delicadamente, perguntou:

– Poderei saber qual o seu ideal?

– Sim – respondeu com simplicidade Matilde. – O meu ideal consiste em casar e ir morar em uma fazenda distante. Adoro a tranquilidade dos campos, a vida simples e boa, bem longe de intrigas e falsidades.

Quando estou na fazenda de meus pais, sinto-me perfeitamente feliz. Não gosto de viajar e, se pudesse, estaria afastada daqui.

André ouvia tudo quanto a jovem lhe confessava e, ao mesmo tempo, já a examinava detalhadamente.

Tinha Matilde apenas dezessete anos, alta, esbelta, morena clara, cabelos negros e olhos grandes, sombreados por longos cílios.

Filha única, adorada pelos pais, que não se conformavam com a resolução da filha de morar definitivamente em uma fazenda, pois sonhavam para ela um casamento de realce e, tentando afastar esse louco desejo, é que estavam sempre lhe proporcionando viagens, festas e recepções...

Diversos jovens foram desiludidos, entristecendo os pais de Matilde, que viam, consternados, a firmeza de resolução da filha voluntariosa.

Surpreendidos ficaram quando viram Matilde conversando durante horas com André. Procuraram saber quem era o jovem que tinha despertado tanto interesse à filha e, ao saberem que se tratava do Visconde de X., respiraram aliviados e felizes.

André contou à jovem que estava afastado do Brasil há muitos anos, estudara em Portugal, tinha uma grande fazenda no interior de S. Paulo, seu pai já estava velho e reclamava a sua presença, mas confessou também que não gostava de viver sozinho na fazenda. Contou que ficara órfão com poucos dias e que fora criado por uma escrava; e as três irmãs casadas moravam em fazendas.

Contou da carta do pai, aconselhando-o a se casar, e o temor que o assaltava de não encontrar uma jovem capaz de fazer o sacrifício de ir morar definitivamente em uma fazenda afastada da cidade.

Descreveu para a jovem, que ouvia enlevada, a casa grande, cercada de altas palmeiras, os móveis pesados e antigos de jacarandá, o piano preto, há muitos anos fechado, os retratos pintados a óleo, o jardim com as estátuas e bancos de mármore, encomendados por sua mãe, as vastas plantações, a senzala, os escravos, o feitor e as mucamas.

Tão detalhados foram esses pormenores que Matilde via perfeitamente a fazenda; depois, então, André voltou a descrever a sua família: primeiro, a sua mãe, que só conhecia pelo retrato e pelo que lhe contara Josefa, o Conde e as três irmãs.

Matilde conhecia Maria Leopoldina e o marido, apresentados em uma recepção na Corte.

André ainda descreveu a sua infância passada na fazenda, depois o Colégio em S. Paulo; e, adolescente, a vinda para Portugal, donde só regressou depois de formado.

Voltando ao Brasil, foi direto para a fazenda, lá permanecendo quase três anos. Mas, enervado com a vida monótona que desfrutava em companhia de seu velho pai e das mucamas, resolveu voltar à Europa e aí estava há sete anos.

Debatia constantemente nesse dilema: fixar residência em Paris ou retornar ao Brasil, satisfazendo o desejo do velho pai.

Matilde não interrompeu André; ouvia atentamente a descrição que lhe fazia o fidalgo brasileiro.

As horas passaram rápidas, e foi, para ambos, surpresa inesperada quando viram que a festa estava prestes a terminar.

Só tinham dançado uma vez e, quando foi anunciada a última contradança, André levantou-se e convidou Matilde para dançar. Formavam um lindo par.

Distantes, os pais de Matilde observavam a filha e admirados estavam com a atenção com que ela ouvia, durante tanto tempo, o jovem Visconde.

Terminada a recepção, desceram juntos, e André os acompanhou até a carruagem.

No momento em que se despedia, foi gentilmente convidado a ir a uma reunião que se realizaria dois dias depois na residência de Matilde. Agradeceu o convite e dirigiu-se para a carruagem que o esperava.

***

Vinha despontando preguiçosamente a madrugada.

André recostou-se nas macias almofadas e, pensativo, fechou os olhos; via o vulto esbelto de Matilde, ouvia a sua voz compassada e suave: "adoro a tranquilidade dos campos"; "quando estou na fazenda, sinto-me feliz"; essas palavras da jovem soavam nítidas e constantes nos seus ouvidos, durante todo o trajeto.

Chegando, foi direto para os seus aposentos, mas, mesmo cansado, não conseguiu adormecer; um turbilhão de ideias cruzava a sua mente, até então despreocupada.

Já começava a se enfastiar da vida boêmia que levava, porém sem pensar em casamento.

Muitas vezes teve vontade de voltar ao Brasil e ficar junto de seu pai, para impedi-lo de tomar uma resolução perigosa.

Resolveu ir à reunião em casa de Matilde, e lá, cautelosamente, ouvir seus pais a respeito desses pormenores, pois tinha vagas notícias vindas de suas irmãs e de alguns amigos, mas sabia que a ideia estava latente.

Com impaciência, esperou esses dois dias. Enfim, chegou o momento de conhecer mais intimamente a família da jovem que tanto interesse lhe tinha despertado.

Recebido com amabilidade pelo pai de Matilde, aproveitou o momento em que a jovem iniciava uma contradança para conversar com o fidalgo.

Afastaram-se do salão e foram para um recanto mais silencioso. Sentados, André, pretextando o recebimento de cartas do Brasil, com sutileza tocou no assunto que tanto o preocupava.

O fidalgo, com sinceridade e sem constrangimento, expôs a sua opinião.

– Creio, meu caro Visconde, que será impossível retermos, por muitos anos, essa ideia forjada hoje por meia dúzia de loucos. Sou e serei sempre contra a abolição da escravatura, mas reconheço com clareza que a semente murcha, como diz meu amigo, já foi lançada à terra e fique certo que germinará lentamente; e, depois de germinada e crescida, as suas raízes penetrarão tão profundamente, que será inútil o esforço para tentar arrancá-la.

Ela crescerá vigorosa, forte e bela, impedindo então que mãos profanas a destruam; talvez as suas flores tenham espinhos afiados e os frutos sejam amargos, mas já nasceu, cresceu, produziu, espalhou novas sementes que ficarão para sempre guardadas no âmago misterioso da terra.

– O que devemos fazer? – pergunta muito curioso André.

– Devemos nos prevenir para esse momento terrível, resguardando os nossos patrimônios e encarando com clareza a verdadeira situação.

– Então devíamos organizar outros blocos para combater os idealizadores dessa ideia absurda?

– Não... puro engano... de nada valeriam esses blocos, pelo contrário, eles iriam fomentar e criar novos adeptos. Só nos resta, insisto nisso, tomarmos a iniciativa de traçarmos um plano capaz de assegurar o braço forte do trabalhador para que as nossas fazendas não desapareçam, abandonadas pela falta dos escravos.

– Mas como retê-los, depois de libertos?

– Dando-lhes um salário de acordo com a produção do trabalho executado, e fique certo, meu caro Visconde, que assim será para o futuro não muito distante. Virão as lutas, as polêmicas exaltadas, os debates violentos, mas nada valerá; a escravidão será abolida dentro de meio século, não tenho dúvidas.

André ouvia atentamente as palavras sensatas do fidalgo e sentia profundo abalo ao pensar que os escravos pudessem um dia obter a liberdade, que um negro tivesse o direito de igualar-se a um branco, pudesse estudar e alcançar um pergaminho, e adquirir fortuna, gozando das mesmas regalias sociais; isso o fazia fremir de cólera.

Lutaria com destemor, enfrentaria lutas e seria o último, não a ceder, mas a entregar as armas, porém somente faria isso depois de constatar que nada mais poderia fazer. Porém, enquanto restasse uma pequenina esperança, estaria na arena lutando pela conservação do direito de preservar o patrimônio acumulado durante muitos anos, pelo esforço dos seus antepassados.

Jamais cederia a qualquer imposição e, enquanto fosse senhor de sua fazenda, os escravos teriam de obedecê-lo cegamente e, para isso, não iria usar os mesmos argumentos de seu pai nem seguiria os mesmos exemplos.

Continuava a conversar com o pai de Matilde e, aos poucos, ia sondando cautelosamente as opiniões do velho titular, que possuía diversas fazendas.

Quando perguntou se ele usava castigos para corrigir faltas dos escravos, a resposta foi imediata:

— Somente uso desse meio bárbaro em casos excepcionais, por exemplo, a fuga. Possuo centenas de escravos, e pouquíssimas vezes eles tentaram fugir das minhas fazendas; são obedientes, dóceis e trabalhadores.

— Por que, então, é contra a abolição? — perguntou André, revoltado com o elogio feito pelo fidalgo.

— Sou contra porque acho que ainda é cedo para essa libertação. Precisamos primeiro, antes de qualquer movimento, estudar um plano elaborado com critério, prevendo as possíveis desorganizações trazidas por essa mudança súbita, em que uma raça inculta, quase bárbara, será elevada, sem o preparo preciso, a uma igualdade de condições que ela mesma será impotente para compreender perfeitamente.

Estudado esse primeiro argumento, teríamos de voltar as nossas vistas para os fazendeiros que, na maioria, receberam essas propriedades como herança de seus antepassados e estão, de tal forma, acostumados com o braço trabalhador do cativo e que não encontrariam facilmente outra forma para manterem essas propriedades.

Em seguida, estão o orgulho e o amor próprio ofendidos.

Pouquíssimos são aqueles que se conformam com essa possibilidade, de um negro ter os mesmos direitos de um branco.

Esses três pontos são as bases necessárias de um apurado e demorado estudo; só então é que devíamos pensar na abolição.

O nosso país é uma criança precoce, que dá os primeiros passos e quer logo se desvencilhar do apoio e correr. Se deixarmos, ela forçosamente cairá logo adiante e ficará machucada e poderá mesmo a queda lhe ser fatal.

O que devemos fazer? Vigiá-la para que não caia.

Quando me ausentei de minha Pátria, fui consultado por amigos sobre a revolução parlamentar que estava prestes a ser iniciada e que já foi vitoriosa. A questão da maioridade do Príncipe.

Na Câmara, as sessões eram agitadíssimas e os defensores da maioridade tinham de enfrentar violentos debates, tanto dos opositores como de populares que enchiam as galerias, mas a maioridade do nosso Príncipe foi proclamada.

Depois, veio a Província do Maranhão, revoltada, consequência do movimento revolucionário de 1838. Como sabe, os revoltosos apoderaram-se de Caxias e deram muito trabalho ao Luiz Alves de Lima, que teve de dividir o seu exército para poder combatê-los.

Com a maioridade do Príncipe, agora em julho, foi concedida anistia aos revoltosos, mas creio que ainda serão precisos alguns meses mais para que se possa anunciar a pacificação completa da Província.

Foi justa a recompensa que o Brasil prestou ao grande soldado Alves de Lima, agraciando-o com o título de Barão de Caxias.

Breve, teremos outras revoluções e guerras e, assim, iremos marchando para a abolição que virá, tenho certeza – disse o fidalgo, baixando a cabeça grisalha.

A orquestra tinha terminado de executar uma prolongada valsa, e Matilde, radiante de beleza, encaminhava-se para onde André conversava com seu pai. Tinha o rosto muito corado e abanava-se com um maravilhoso leque de alvas penas.

Ao avistar a jovem, André rapidamente levantou-se. O fidalgo fez o mesmo.

Matilde aproximou-se e, com um delicado sorriso, colocou a pequenina mão enluvada sobre o ombro do pai, e alegre perguntou:

– Mas o que tanto conversavam?... Mesmo dançando, consegui observá-los e vi que o assunto devia ser interessante, porque estavam tão entusiasmados e alheios ao barulho que se fazia ao redor... O que conversaram?

– Minha filha, falávamos a respeito da nossa Pátria, dos complicados problemas políticos e, finalmente, sobre as nossas fazendas.

Nesse instante, a orquestra iniciava outra valsa e o jovem convidou Matilde para dançar; oferecendo-lhe o braço, deixaram o fidalgo e encaminharam-se para o grande salão, onde outros pares rodopiavam, levados pelos acordes suaves da doce melodia.

Matilde, delicada e meiga, sorria para André, que sentia o vago perfume dos seus cabelos negros e sedosos, sentia a maciez da mãozinha enluvada presa à sua, e no compasso ritmado da valsa ia aos poucos apertando aquele frágil corpo junto ao seu coração.

Mesmo dançando, André sentia que, no seu cérebro, muitos pensamentos cruzavam e emaranhavam-se dificilmente... pensava no que conversara momentos antes com o pai de Matilde, recordava o pedido do Conde, até então olvidado, lembrava-se da fazenda longínqua que ele abandonara há tantos anos e sentia profundamente a inutilidade da vida que levara até agora.

Vida vazia e sem ideal, só gastando facilmente a fortuna adquirida pelos seus antepassados depois de ingentes lutas e trabalhos penosos. Ia completar vinte e nove anos...

Tinha razão o velho pai de preocupar-se com o seu futuro; sentia Matilde muito perto dele e, pela primeira vez, auscultou o coração, pois, até então, tinha desprezado o amor... As conquistas fáceis que tivera não lhe deixaram a menor impressão e foram esquecidas com a mesma facilidade com que as conseguira.

A jovem que apertava nos braços tinha sido, até agora, a única que fizera o seu coração pulsar diferente e impedir que dormisse tranquilamente.

Por que, pois, duvidar desse sentimento?

Matilde reunia todos os predicados necessários para que ele a fizesse sua esposa; nobre, bela, rica e bondosa, adorando a quietude dos campos, seria o ideal concretizado.

Durante toda a noite, André esteve ao lado da linda jovem e, ao se despedir, prometeu voltar brevemente.

***

Ao chegar, foi direto aos seus aposentos e, depois de retirar os trajes de cerimônia e despedir o criado, foi para o gabinete.

Abriu as janelas e uma baforada agradável da aragem matinal refrescou a grande sala.

André estava resolvido a pedir Matilde em casamento e quis participar imediatamente a sua resolução ao pai, velho e quase esquecido. Voltaria para o Brasil levando Matilde como esposa.

Escreveu longa e minuciosa carta, descrevendo pormenorizadamente a beleza da jovem, a família nobre a que pertencia e o ideal de residir em uma fazenda.

Pretendia casar-se e voltar o mais breve possível para o Brasil, para a sua fazenda; pedia ao pai que ele aí tudo providenciasse para receber condignamente a sua esposa.

Escreveu também cartas longas para as irmãs, participando a resolução tomada.

Prontas as cartas, foi repousar. Pouco dormiu e, ao se levantar, chamou o criado, entregando as cartas para que fossem enviadas ao Brasil.

Tomada a decisiva resolução, tratou André de ultimar os seus negócios e, depois de mais alguns encontros com Matilde, tendo lhe confessado o seu amor e sendo correspondido, decidiu procurar o pai de sua eleita e pedir oficialmente a jovem em casamento.

Matilde combinou tudo com André e seus pais; dias depois, ele era recebido pelo fidalgo, que não se opôs à realização do enlace, o mais breve possível.

Enquanto a jovem providenciava o enxoval, André tratava de desfazer a residência e adquirir as passagens no primeiro navio que estava prestes a partir.

Participou aos amigos e à sociedade o noivado com a linda patrícia, o casamento que seria realizado breve, assim como a partida deles e dos pais de sua noiva para o Brasil.

Foi, durante muitos dias, o comentário constante, o casamento dos dois nobres brasileiros.

Finalmente, em uma esplêndida tarde, André levou Matilde ao altar para receber a bênção solene.

Foi um casamento suntuoso e, três dias depois, deixaram a Europa, rumo ao Brasil, donde pretendiam seguir imediatamente para a província de S. Paulo.

***

Feito o pedido oficial, André escreveu apressadamente para o seu velho pai, participando o noivado e o casamento que se realizaria breve.

Foi uma carta longa e atenciosa. Descrevia a beleza impressionante de Matilde, a inteligência e a cultura da brasileirinha que tinha prendido com facilidade o seu coração, quase que insensível.

Descreveu, minuciosamente, os pais de sua noiva, a estirpe nobre e a grande fortuna.

Confessou ao velho pai que se enamorou bruscamente de Matilde, certo de que ela iria fazê-lo imensamente feliz.

A jovem adorava a vida tranquila das fazendas e era o seu grande ideal casar-se e ir morar simplesmente em uma propriedade afastada da Corte e das cidades. Conversando casualmente com a linda adolescente, ouvira essa enternecedora revelação. No momento, já estava sentindo-se preso aos seus encantos sedutores e, depois da confissão que lhe fizera a jovem, constatou que o destino caprichoso levara ao seu encontro a esposa ideal.

Pedia ao pai que providenciasse a casa da fazenda para receber a nova dona. Queria que os seus aposentos fossem remodelados, e, pelo mesmo navio que enviava a carta, seguiam também diversos adornos indispensáveis para que a velha casa tivesse outro aspecto.

André de nada se esqueceu. Começou pelo jardim, traçando um plano para remodelação, conservando as estátuas e os bancos; para o grande salão, mandou várias tapeçarias e finos bibelôs.

Indagou e pediu que os pianos fossem examinados, pois sua noiva era exímia pianista. Queria também que o pai escolhesse novas mucamas para o serviço de Matilde, assim como desejava uma carruagem e alguns cavalos reservados especialmente para o serviço e passeio da esposa.

Recomendava a necessidade de novos arreios e de um pajem forte e corajoso para o seu serviço; achava que o escravo Ignácio já estava bastante envelhecido para acompanhá-lo.

Tudo lembrado, André terminou a longa missiva. Decerto que o velho pai ficaria satisfeito com a resolução que tomara.

Para as três irmãs, escreveu também compridas cartas, fazendo idênticos elogios à eleita do seu coração.

Resolvida a correspondência, apressou-se em adquirir o que desejava e pretendia enviar para a fazenda. Convidou Matilde e com ela fez várias compras.

No dia exato, o navio rumou para o Brasil, levando a correspondência e as encomendas do fidalgo paulista, que breve iria iniciar nova e acidentada etapa da sua vida que, até então, tinha sido feliz e despreocupada, sem o menor obstáculo para impedir que tudo quanto desejasse fosse imediatamente adquirido.

Tudo que fizera passara sem deixar vestígios, marcas e sombras. Não sentia a menor saudade ou recordação do passado, esquecera totalmente os episódios, os dramas, as lágrimas que ingênuas jovens ludibriadas derramaram, e que ele achava que, com um pequeno punhado de moedas, estavam recompensadas, e nunca mais as recordava.

Coração insensível, temperamento egoísta, André viveu sempre isolado.

Os jovens das suas relações sociais, ele os considerava meros companheiros para as noitadas alegres e passeios; jamais testemunhou a nenhum uma estima sincera, uma camaradagem amiga, e as poucas vezes que foi procurado por um desses companheiros em posições difíceis ou perigosas, recusou-se friamente ajudá-los, quer financeiramente ou abrindo as portas de sua casa para recebê-los.

**

Estava o Conde, certa manhã, sentado no terraço, conversando com a linda mulatinha, que ao seu lado ouvia atentamente o que lhe contava o fidalgo; em dado momento, riu alto e levantou-se, indo acariciar a cabeça branca do bondoso velho.

Os seus dedinhos longos puxavam os fios alvos, enrolando-os em pequeninos cachinhos.

O Conde fechou os olhos, e estava quase adormecido, embalado pela suave carícia, quando ouviu o barulho dos cavalos que, ofegantes, aproximavam-se.

Apressado, levantou-se e viu os dois escravos descerem; um se encaminhou para o lado da senzala, levando os dois animais, e o outro se encaminhou para o terraço; era a correspondência que trazia da cidade.

O Conde demonstrou grande ansiedade quando reconheceu a letra do filho; pôs de lado as cartas das filhas e, nervoso, abriu a missiva de André.

A mulatinha delicadamente afastou-se, indo sentar-se em uma cadeira defronte; tomou do cesto um pequeno pedaço de fazenda e começou a bordar tranquilamente, sem deixar, entretanto, de observar o Conde; à proporção que ia lendo a longa carta, o seu rosto ia se transformando e, dos seus olhos cansados, indiscretas lágrimas começaram a deslizar.

Aflita, a mulatinha teve ímpetos de interromper aquela leitura que estava tão profundamente magoando o seu querido protetor, mas conseguiu se dominar e, fingindo trabalhar, continuou a analisar o Conde...

Viu quando ele terminou de ler a comprida carta, e, depois de prolongado silêncio, tornou a ler com mais atenção.

A mulatinha compreendeu que a carta era do Visconde; pouco se recordava dele, pois tinha apenas três anos quando André partiu para a Europa.

Oito anos já foram passados e a recordação do jovem Visconde apagara-se de sua mente.

Sabia que estava residindo em Paris e que não pretendia voltar à fazenda; as cartas que enviava ao Conde eram lacônicas e raras; por que então o bondoso fidalgo estava chorando?

Talvez tivesse se enganado, pensando que a carta fosse do Visconde... Talvez notícias desagradáveis das filhas, ou algum negócio fracassado.

Resoluta, colocou o bordado no cesto e foi para junto do Conde, que ainda conservava na mão trêmula o pequeno pedaço de papel... Olhava para a estrada poeirenta, onde se podiam avistar os pesados carros de bois que, lentos, dirigiam-se para a cidade distante levando a preciosa carga.

Podia-se ouvir a voz forte do escravo que fustigava os preguiçosos animais, com as compridas e pontiagudas varas.

Nos terreiros, os escravos espalhavam os montes de café e, da senzala, chegava o vozerio das negras, entregues aos seus trabalhos habituais.

Nas árvores copadas, os pássaros cantavam alegremente, tudo estava mergulhado no ritmo certo e cotidiano...

No interior da casa, as mucamas também estavam ultimando os arranjos preciosos... Josefa ainda era a escrava que administrava tudo.

Aproximando-se do Conde, a mulatinha perguntou tímida:

– Notícias desagradáveis, meu Senhor?

O Conde, ao ouvir a voz suave da menina, teve um sobressalto e, procurando ocultar as lágrimas, respondeu:

– Não, Mariana, não foram notícias desagradáveis, mas foram notícias inesperadas que me deixaram confuso. O Visconde está noivo, e breve se casará, voltando a residir aqui. Pede para que a casa seja remodelada convenientemente, com o fim de receber a sua jovem e bela esposa.

Mariana, atordoada, ouviu a notícia dada pelo Conde.

Com apenas onze anos, a mulatinha era inteligentíssima e viu claramente a metamorfose que iria sofrer a velha e silenciosa casa, até então orientada por sua mãe e pelo bondoso fidalgo.

Como seria a nova Senhora?

E o Visconde? Várias vezes tivera oportunidade de ouvir as mucamas conversando a respeito dele, assim como o preto Ignácio, que contava diversas histórias presenciadas durante anos.

Só Josefa o defendia, porque o criara como se fosse seu verdadeiro filho... E agora ele viria ocupar o lugar do Conde, pensava temerosa a ingênua menina.

Para Josefa, a notícia também fora desconcertante; amava sinceramente André, mas o temia.

***

Depois que o Conde lera a carta para a velha escrava ouvir, ela se afastara sem dizer uma só palavra, dirigiu-se para os aposentos que ocupava junto à casa grande, devagar empurrou a porta e entrou. O quarto estava escuro, Josefa abriu a janela e sentou-se num velho banco, cruzou as mãos sobre o colo e suspirou profundamente.

Josefa baixou a cabeça grisalha e, dos seus olhos cansados, as lágrimas caíam em cima das mãos negras e calosas e, em pensamento, voltou-se para o passado distante. Ergueu a cabeça e fitou a estrada larga; ao longe, a grande porteira... Recordou quando chegou na fazenda, vinda em uma leva de escravos adquirida na Corte pelo pai do atual Conde. Tinha quase a idade de Mariana e viera com os pais.

Na porteira, o feitor fê-los parar para contá-los e examiná-los. Na mesma senzala, ao lado, passara a infância infeliz; depois a morte de sua mãe e, em seguida, do pobre pai, velho cansado e sofredor, pois jamais pudera esquecer a pátria longínqua, a floresta densa e misteriosa, a família, o culto religioso, as cerimônias solenes, os cânticos, o ritual...

Quantas vezes ouvira os pais, sentados à porta da senzala, mãos dadas, cabeças unidas, cantando baixinho, no dialeto da terra querida, trechos dolentes das músicas inesquecíveis.

O seu casamento, na juventude, com um escravo do norte, o nascimento dos primeiros filhos, a morte dos antigos donos da fazenda, o casamento do atual Conde... – foram momentos marcantes, que passaram céleres em sua mente.

Veio-lhe, então, a dolorida saudade da bondosa Condessa, a vinda das três fidalguinhas e, anos depois, a inesperada notícia de outro filho.

Recordava perfeitamente o dia em que André nascera, 9 de janeiro de 1822, quantos anos... Em seguida, a morte da Condessa; André veio para os seus braços; com que ternura o embalava...

Os anos foram passando lentamente. André crescia forte e robusto, e ela, sempre ao seu lado, tentando substituir a mãe que ele perdera tão cedo.

Quantas lágrimas derramou ao vê-lo partir para o Colégio distante; depois, a ansiedade da espera, os dias morosos e os meses difíceis.

Enfim as primeiras férias, a espera alegre, os preparativos; primeiro, o quarto: com que carinho arrumou a caminha do seu filhinho adorado, o colchão de macias penas, os lençóis alvos e perfumados, lavados por ela no córrego de água pura e enxutos na relva verde e cheirosa... Na cômoda, toda a roupa bem-arrumada, bem passada; no antigo oratório, vasos floridos e os castiçais de prata portuguesa bem polidos e com velas compridas no centro, a pequenina lâmpada de azeite sempre acesa.

Tirou o chicote de cabo de prata, limpou com cuidado e pendurou no mesmo lugar que André deixara. Tudo arrumado, ficou muito tempo no meio do quarto, vendo se nada faltava.

Satisfeita, fechou a janela e a porta e, apressada, saiu pelo longo corredor.

Na cozinha, reuniu as mucamas e combinou o que deviam preparar para a chegada de André, na manhã seguinte.

Passou a noite sem poder dormir e, pela madrugada, levantou-se, foi ao jardim, colheu muitas flores e veio preparar os vasos do salão.

Sobre o piano negro, colocou um vaso e, sobre o console, junto ao retrato da Condessa, pôs outro, no qual sobressaíam palmas verdes, brancos e perfumados jasmins.

Ouviu os passos vagarosos do Conde e, apressada, saiu para preparar--lhe o café. Na comprida mesa, na qual dois lugares estavam preparados, o Conde, em pé, tomou a pequenina xícara que lhe oferecera Josefa.

Depois, examinou o salão e, com mais cuidado, a mesa pronta, esperando o filho que não tardaria. O aparelho de prata brilhava e as xícaras de porcelana foram cuidadosamente colocadas sobre finíssima toalha de puro linho. No centro, um jarro com as mesmas flores que ornamentavam o retrato da Condessa.

O Conde dirigiu-se para o terraço, quando avistou, perto da porteira, dois cavaleiros e, sem poder se conter, gritou:

– Josefa! Josefa!... Venha, André está chegando!

Ainda agora, ao recordar esse dia, sentia que o seu coração batia desordenadamente.

Ao ouvir a voz do Conde, saiu quase correndo e desceu ofegante a escada do terraço.

André aproximava-se, seguido de Ignácio; saltou do cavalo e correu ao encontro do pai, abraçando-o demoradamente; em seguida, voltou-se e, gritando por Josefa, foi ao seu encontro.

A bondosa mucama estreitou-o demoradamente junto ao coração, afagando os seus cabelos empoeirados, depois o afastou um pouco e, sorrindo, fitou o filho querido. Depois, de mãos dadas, conversando animadamente, entraram.

Com que satisfação viu André gulosamente comer o bolo preparado especialmente para ele. Junto à sua cadeira, atenta para servi-lo, ela ficou sem desviar os olhos daquele menino, que era partícula de sua própria vida.

Como riu quando viu André descer, aos saltos, os degraus da escada do terraço, com o chicotinho, espantando as aves no terreiro.

Recordava todas essas banalidades, desde as primeiras férias até a ida de André, já adolescente, para a Europa.

Quantas noites de insônia, quantas lágrimas derramadas, pensando no dia da partida... Enfim, chegou o momento marcado, e seu filho seguiu, deixando-a inconsolável; tentava esquecê-lo ninando os próprios filhos, porém inútil, a saudade martirizava o coração ferido. Só o tempo conseguiu acalmar a grande dor. Quando ouvia o Conde ler uma carta de André, fechava os olhos tentando afugentar a lembrança dolorida.

Inesperadamente, perdeu o velho companheiro. Durante muitos meses, vagou pela casa grande perseguida por dois fantasmas: a lembrança do marido e a saudade do filho distante.

Um ano depois, aconselhada pelo Conde, casou-se pela segunda vez.

Quando nasceu a filhinha, recebeu-a quase sem entusiasmo. Era linda a menininha; o nome de Mariana foi escolhido pelo Conde, que passou a dedicar imenso afeto à pequenina escrava.

Quando recebeu a notícia que André, tendo terminado os estudos, voltaria definitivamente para a fazenda, Josefa sentiu novo alento.

– E André, como estaria? – pensava a boa escrava.

Com o mesmo amor e ternura, preparou a casa para receber o filho adotivo.

O quarto, o vaso com jasmins, o chicote de cabo de prata, os bolos, os doces, a mesma noite de vigília e, pela madrugada, já estava acordada, dando ordens e arrumando a mesa para o café.

Olhava atenta para a estrada como nos anos passados, pensando ver o menino que galopava alegre, seguido do preto Ignácio...

Ria da sua tolice; André estava um jovem, mas, para ela, era o seu menino.

Pensava que ele ainda, ao avistá-la, correria para os seus braços... e... André chegou forte e bonito, mas não correu para ela... simplesmente retribuiu o abraço e disse-lhe algumas palavras delicadas... comeu pouco e não elogiou o bolo que tanto gostava na infância... não se interessou por Mariana e os outros seus irmãos foram recebidos friamente.

Josefa muito sofreu. Os dois anos que André passou na fazenda foram suficientes para que ela compreendesse que o menino, que criara com tanto amor, era um egoísta, frio e calculista.

– E agora que voltava casado? – pensava a velha preta, sentada junto à janela.

Teria de receber ordens da jovem Viscondessa, ela que, há tantos anos, administrava sozinha a casa grande.

Seus filhos crescidos moravam na senzala ao lado, um já estava casado; tinha uma netinha.

O Conde, muito velho e doente, compreendia que o fim estava próximo. Ficou tão alegre com a carta do filho que, ao terminar a leitura para Josefa, saiu apressado à procura do feitor para iniciar, o mais breve possível, a reforma pedida por André.

E ela, trêmula de emoção e medo, foi para o seu quarto e aí ficou muito tempo entregue aos pensamentos desordenados que bailavam na mente confusa. Um pensamento mais forte a fazia estremecer horrorizada: se o Conde morrer e ela também, como ficaria Mariana?

Os irmãos, criados quase que afastados dela, não a estimavam muito e chegavam mesmo a dizer que ela não era irmã, porque filha do segundo casamento e criada na casa grande, cercada do carinho e afeto do Conde, era para eles uma estranha. O marido, logo depois do nascimento de Mariana, adoecera repentinamente e tornara-se quase um inválido; não trabalhava mais no campo e vivia sempre no quarto, fazendo pequeninos serviços.

Josefa sempre pensara na possibilidade da volta de André, e agora, que ela se concretizava, estava atordoada.

Nada podia fazer, tinha que se curvar diante do destino, diante da realidade terrível.

Ergueu os olhos para o céu e, juntando as mãos, rezou baixinho, não ouvindo os passos de Mariana... Quando terminou a prece, sentiu a mão macia da filha sobre os seus olhos. Assustada, olhou para a menina, que a examinava atentamente. Foi inútil ela tentar sorrir para ocultar; Mariana compreendeu que ela estava chorando e que o motivo era a volta do Visconde.

Sentou-se ao lado de Josefa e muito tempo ficou em silêncio. Ela também estava com medo; não se recordava de André, mas ouvira muitas histórias contadas a seu respeito, não só por Ignácio, como por outros escravos da fazenda.

Temia pelos velhos pais e por ela mesma. Desde a hora que o Conde participara-lhe a vinda do filho, ela sentiu um tremor estranho percorrer o seu frágil corpo. Resolveu então procurar a mãe e, nos braços amigos, procurar guarida; mas como foi encontrá-la? Sentindo o mesmo medo e ali estavam as duas unidas e sem forças para confessarem o temor que as assaltava.

Ainda não tinham pronunciado uma só palavra quando ouviram a voz do Conde as chamando:

– Josefa! Mariana!...

Depressa, levantaram-se e saíram quase correndo. Josefa tentava afastar os vestígios das lágrimas.

***

O Conde pediu um café, e Mariana, abrindo o armário, tirou uma bandeja de prata, colocou a pequenina xícara de porcelana e foi buscar o café pedido.

Josefa, parada junto ao Conde, esperava a ordem, notando que ele estava satisfeito.

Esfregando as mãos alegremente, disse:

– Josefa, precisamos tratar logo de examinar tudo para receber o meu filho e minha nora. Já mandei o Ignácio à cidade e o feitor virá em breve para que possamos iniciar a reforma necessária.

Com a carta de André, tudo será mais fácil. Talvez o Ignácio consiga trazer as encomendas chegadas da Europa. Quero que veja as roupas e que, juntamente com Mariana e outras mucamas, retire as baixelas e os aparelhos de porcelana para uma limpeza geral.

Josefa ouvia atenta.

Mariana chegou com o café, o Conde tomou devagar, repôs a xícara na bandeja e retirou-se para o escritório.

Ambas ouviram quando ele fechou a porta. Estranharam, pois não era hábito assim fazer, mas nada disseram.

Mariana voltou para a cozinha levando a bandeja; Josefa foi apanhar as chaves em uma gaveta e, devagar, dirigiu-se para o quarto onde, em grandes canastras, estavam guardadas as roupas de puro linho, reservadas para o casamento do Visconde.

Retirou toalhas, lençóis, fronhas e colchas e colocou-os de um lado; abriu outra velha mala e, com todo o cuidado, foi tirando antigas peças que pertenceram à Condessa e foram guardadas para a jovem esposa de André.

Josefa vinha sempre abrir essas malas, mas não com a emoção de agora.

Cuidadosamente, levou-as para um quarto e colocou-as sobre uma velha cama. Da janela aberta, penetrava a luz forte e cheia do Sol. Mariana chegou, trazendo outras peças, que também depositou sobre a cama para que recebessem o calor do Sol.

Josefa puxou um pequeno banco e sentou-se para poder melhor examinar as roupas; desdobrou os largos lençóis, as fronhas ornamentadas de bonitos babados e as colchas. Depois de tudo meticulosamente examinado, separou as que precisavam ser lavadas com mais urgência; em um cesto, depositou-as, em seguida voltou-se para as roupas que pertenceram à Condessa.

As mãos tremiam quando começou a desdobrar as longas camisolas, as anáguas pesadas de rendas, bordados e fitas, algumas levemente manchadas de um tom amarelado, causado pelos anos que estiveram guardadas na canastra; um sutil perfume as impregnava, perfume de raízes cheirosas que Josefa mantinha constantemente. Eram pequeninos amarrados, envoltos em transparentes pedaços de fazenda.

Bem no fundo da canastra, Josefa guardava, com todo o zelo, as primeiras pecinhas usadas por André. Com os olhos nublados de lágrimas, esteve com a camisinha, a touca e a manta de flanela, apertando-as nos dedos que tremiam.

Recordava-se da manhã fria em que ele nascera... ela mesma o vestira... Ele chorava forte; pronto, ficou uma lindeza e ela o embalou cantarolando baixinho... Aos poucos, os olhinhos foram se fechando e ele adormeceu tranquilamente, sentindo o calor dos seus seios maternais. Colocou-o na caminha macia, cobriu-o com todo o cuidado e saiu para chamar o Conde.

Dolorosas reminiscências que ela tentava afugentar. Bruscamente atirou as peças para o cesto, mas, ao se voltar, viu a longa camisola com que André fora batizado.

As lembranças avolumavam-se na mente cansada... Como a casa grande estava bonita, e com que alegria ela, as mucamas e os escravos esperavam que os Condes dessem as ordens para o início da festa que se realizaria intimamente na fazenda.

Parecia que ouvia ainda os acordes da suave música executada ao piano por Maria Antonieta e Maria Leopoldina. Junto à janela, a Condessa elegantemente vestida, tendo no colo o pequenino filho; muito pálida, de olhos sombreados por longos cílios, demonstrando profundo abatimento, acariciava com os dedos compridos, dos quais sobressaíam magníficos anéis, a cabecinha de André, que começava a dormir.

O Conde ao lado, satisfeito, percorria o salão florido sem poder imaginar que breve a fatalidade iria atingi-lo brutalmente.

Morta a Condessa, Josefa passou a administrar, quase que sozinha, a velha casa; guardou as baixelas ricas, os aparelhos caros de finíssima porcelana e essas roupas que agora ela estava examinando.

Quando as guardou, alimentava a esperança de que André compreendesse o amor e o carinho com que ela guardara tão preciosas recordações; mas o tempo, impiedoso, aos poucos, foi apagando suas ilusórias esperanças e a realidade dolorosa estava bem nítida à sua frente.

Jamais André compreenderia a dedicação e o afeto que ela, humilde escrava, dedicava-lhe desde o instante em que ficara órfão. Para o jovem fidalgo, nada ela fizera digno de recompensa; era escrava e tinha o dever de trabalhar e zelar pela conservação de tudo quanto estava ao seu encargo; não merecia, pois, nenhum elogio, nenhuma recompensa.

Vendo que Josefa estava demorando muito, Mariana resolveu chamá-la. Empurrou a porta e, surpreendida, encontrou sua mãe chorando com a rica camisola com que André fora batizado, aberta junto ao seu coração.

Penalizada, Mariana aproximou-se e retirou a camisola, jogando-a sobre as outras peças, no cesto que estava perto; abraçou com ternura a velha mãe e carinhosamente disse:

– Não chore, minha mãe, ele não merece as suas lágrimas, não merece...

Josefa, assustada, afastou um pouco a filha e admirada ficou com o olhar brilhante de cólera com que Mariana fitava o monte de roupas que estava sobre a cama.

Delicadamente puxou a filha para mais perto dela, afastou-se um pouco e fê-la sentar no mesmo banco; recostou a cabeça encanecida no ombro da jovem, quis falar, mas os soluços lhe impediam.

Mariana afagava as mãos calosas da velha mãe, olhava pela janela o céu muito azul e os montes iluminados pela luz brilhante do Sol.

Tudo estava parado, nenhuma aragem sequer sacudia as árvores frondosas, os pássaros estavam emudecidos. Só os soluços de Josefa chegavam aos seus ouvidos e sentiu quando uma lágrima caiu sobre sua mão... Olhou para a pequenina gota brilhante e meditou:

– Quantas já foram derramadas, quantas? Mas, para o fidalgo, mesmo que as visse, nada significaria... Lágrimas de escrava... Lágrimas de negra...

Com profunda revolta, tentou recordar algo sobre André, mas era tão criança quando ele deixou a fazenda... Sentia ciúmes quando ouvia Josefa falar sobre esse filho que adorava.

Com o decorrer dos anos, foi compreendendo quanto ele era ingrato, mas respeitava o sentimento de sua mãe. Estava amedrontada, porém procurava dissimular, obedecendo todas as ordens do Conde.

Continuavam as duas sentadas silenciosamente, quando uma das mucamas veio chamar Josefa.

Ela levantou-se apressada e, enxugando as lágrimas, saiu.

Mariana continuou no mesmo lugar, olhando as roupas espalhadas sobre a cama. Tinha o corpo cansado e a cabeça dolorida; passou diversas vezes a mão sobre a testa, como que tentando afastar os lúgubres pensamentos que a torturavam.

Precisava reagir... Bruscamente, levantou-se e, pegando o pesado cesto, saiu para ir se encontrar com Josefa.

***

Dias após dias, na casa grande, reinou imensa balbúrdia.

As encomendas enviadas da Europa, por André, tinham chegado, assim como inúmeros presentes das irmãs que residiam na Corte e outros mandados pela família da noiva.

O Conde tudo fiscalizava, desde o jardim, que estava sendo replantado, até a estrada que vinha dar na casa.

Os escravos trabalhavam fiscalizados pelo velho feitor e o filho que o ajudava.

À noite, o Conde passeava satisfeito, vendo que tudo estava sendo feito de acordo com o pedido do filho; tinha sempre a carta de André no bolso e, qualquer dúvida, consultava-a imediatamente.

Dois grandes aposentos foram preparados para os noivos, assim como os quartos que pertenceram às filhas, pois recebera carta da Corte, enviada pelos genros, avisando que eles pretendiam acompanhar André até a fazenda.

O Conde ficou satisfeitíssimo, pois, há muitos anos, que não via as duas filhas e desconhecia os netinhos. Maria Luíza prometera vir também. Seria uma grande reunião e aproveitou o ensejo para convidar alguns velhos amigos.

Levantava-se muito cedo, tomava apressado o café e saía para fiscalizar os trabalhos. O mesmo fazia Josefa, que não parava um só instante.

Tão empolgado estava com os preparativos, que o fidalgo chegou a esquecer Mariana. Pouco conversava com ela e, à noite, sentado no terraço, exausto do trabalho que tivera durante o dia, dormia tranquilamente, enquanto a menina, sentada ao seu lado, esperava por uma palavra carinhosa.

Finalmente chegou o dia do casamento de André, que se realizaria em Paris, mas, na fazenda distante, todos, em pensamento, acompanharam o grande acontecimento.

O Conde, emocionado, passou toda a manhã sentado no salão, olhando para o retrato da esposa amada, que estava ornamentado de maravilhosas flores colhidas cuidadosamente por Josefa.

À noite, os escravos comemoraram a data festiva com um alegre batuque. Do terraço, o Conde acompanhava a festa, feliz, pensando no filho agora casado.

Teria ainda de esperar muitos dias até que pudesse abraçá-lo. Tinha curiosidade infantil ao pensar na nora desconhecida: devia ser bela, pois André sempre teve apurado gosto.

Queria ele mesmo entregar à jovem Viscondessa as joias guardadas para ela. O diadema ficaria lindo sobre sua cabecinha graciosa, e o grande brilhante, assim como o bracelete que tinha sido usado pela Condessa no dia do casamento, ficará, de certo, lindíssimo na mão fidalga da nora... Assim pensando, o Conde adormeceu profundamente.

No terreiro, o batuque continuava animado e a noite estava deslumbrantemente bela; noite clara de intenso luar. Muito ao longe podia-se ouvir o cântico nostálgico dos escravos e o rufar ritmado dos tambores.

Todos se divertiam, entregando-se completamente à orgia quase bárbara das danças aprendidas na pátria distante e misteriosa que jamais poderiam rever...

Na casa grande, ainda iluminada, duas indiferentes mulheres estavam alheias à festa que se prolongava alegremente. Josefa e Mariana não tomaram parte nos festejos, sentiam intenso sobressalto e, numa clara intuição, percebiam que algo de terrível as esperava...

Josefa, velha e cansada, compreendia que muito teria de lutar, e Mariana sentia que o seu coração pulsava desordenadamente e um vago tremor sacudia constantemente o seu corpo frágil... Tinha medo desde que chegara a carta participando o casamento de André; uma barreira se antepôs entre ela e o Conde. Desapareceu aquela cordialidade que os unia; entregue aos apressados preparativos, o fidalgo afastou-se da escrava que sempre tivera ao seu lado.

Desde que Mariana nascera, o Conde pensara em libertá-la do cativeiro, mas essa promessa fora sempre ficando para depois e, agora, em vez da liberdade prometida, ele a designara para servir de mucama à nora.

Mariana temia André, pois sentia, mesmo sem conhecê-lo, profunda antipatia, que mais se acentuara depois que vira sua mãe chorar e sofrer... Recusou todos os chamados para que fosse compartilhar das festas no terreiro; ficou ao lado de Josefa, enquanto ela chorava silenciosamente. Muito tarde da noite, foram dormir, mas o batuque continuou até o amanhecer.

Logo cedo, Josefa já estava acordada, entregue ao trabalho costumeiro.

Mariana, triste e abatida, auxiliava a mãe.

O Conde levantou-se muito tarde e as mucamas ficaram admiradas, pois era seu costume muito cedo estar acordado.

Quando veio tomar café, Josefa notou-o profundamente abatido; apesar disso, não se preocupou muito, pois era natural que ele estivesse exausto; o trabalho fora intenso e cansativo e ainda precisava dar os últimos retoques, que era a parte mais difícil. Contava com a colaboração preciosa de Josefa e Mariana, mas sempre sob a sua vigilância.

Terminando de tomar o café, saiu sem dizer uma só palavra a Mariana que, como sempre, ficara ao seu lado.

Com o olhar triste, ela o acompanhou; viu quando desceu a escadaria do terraço e foi ao encontro do feitor e de seu filho.

Enxugando uma lágrima indiscreta, tomou a bandeja e foi levá-la à cozinha, e não demorou, ouviu a voz do Conde chamando apressado Josefa, enquanto outros escravos tratavam de executar uma das ordens dadas.

SUNTUOSO CASAMENTO E REGRESSO AO BRASIL

V - SUNTUOSO CASAMENTO E REGRESSO AO BRASIL

O casamento do Visconde fora suntuoso, quase toda nobreza estava presente.

Depois da grande recepção oferecida, na qual os convidados puderam observar perfeitamente o riquíssimo traje da noiva e as joias preciosas que ela trazia com apurada elegância, André estava satisfeito e Matilde também não podia ocultar a intensa alegria que inundava o seu ingênuo coração.

Sentia-se imensamente feliz ao pensar que breve poderia estar novamente em sua pátria, junto de André, na fazenda distante que tanto sonhara. Pensava no sogro e em como ele iria recebê-la; pensava na casa grande que André descrevera diversas vezes; tinha vontade de conhecer a velha escrava que o criara com tanto amor e dedicação.

Nessa fazenda, pensava viver toda sua vida, tranquila e feliz ao lado daquele que escolhera para companheiro... Pensava que nada podia turvar essa felicidade; ela era imensamente rica e André também, ambos moços, fortes, ligados por um grande e sincero amor; nada, pois, para perturbar a sua existência.

Naturalmente, teriam filhos, e André seria um esposo dedicado e sincero... Tudo isso pensava a feliz noiva, enquanto recebia os cumprimentos dos convidados.

Dois dias depois do casamento, eles embarcaram para o Brasil. Os pais de Matilde voltaram também.

Foi uma viagem alegre, apesar de longa e cansativa. André, delicado e atencioso, passava as horas ao lado da esposa, conversando alegremente.

Matilde, sempre curiosa, crivava-o de perguntas, que ele prazerosamente respondia.

Então, quando se referia à fazenda, ele aproveitava para expor os planos que, há muito, vinha arquitetando. Pretendia, logo após sua chegada, imprimir nova orientação na grande propriedade.

Primeiro, substituir o velho e cansado feitor; segundo, tratar com mais austeridade os escravos para que eles produzissem mais; terceiro, tentar outras culturas.

Compreendia que teria de enfrentar algumas lutas com o pai, que era arraigado conservador; mas tinha também certeza de que ele seria o vencedor.

Matilde ouvia o esposo com toda a atenção; enquanto ele, exaltado, expunha os seus projetos, ela, atemorizada, observava o rosto e o olhar penetrante e frio de André.

Sentia medo de pensar como ele se transformaria em momentos de cólera ou quando fosse contrariada uma ordem sua. Teve vontade de interrogá-lo, mas, ao deparar-se com aqueles olhos brilhantes, fixos aos seus, curvou a cabeça e nada disse, porém, no recôndito de sua alma, uma vaga inquietação surgia e, aos poucos, iria se avolumando.

Quando a viagem terminou, Matilde sentiu grande alívio; desejava seguir logo para a fazenda e lá, então, repousar tranquilamente.

**

Na Corte, teve grande repercussão o seu casamento e, quando chegou, foi recebida festivamente, não só por sua família, como também pelas irmãs, cunhados e sobrinhos de André.

O jovem casal foi homenageado, com muitas festas e requintadas recepções. A beleza e a elegância de Matilde causaram profunda admiração e foi, durante muitos dias, motivo para comentários na sociedade, curiosa de conhecer os pormenores do fidalgo enlace.

As senhoras discutiam os trajes e as joias da jovem Viscondessa e os senhores rodeavam André, ansiosos para ouvirem as suas opiniões, seus planos e, principalmente, as suas tendências políticas, pois o país vinha sendo constantemente invadido por uma onda de boatos tendenciosos, nos quais se cruzavam os mais absurdos comentários.

Mesmo os mais arraigados antiabolicionistas compreendiam que a ideia germinada florescia rapidamente e que, em breve, estenderia os seus galhos verdes e fortes, abrangendo a vastidão imensa do Brasil, sacudindo vigorosamente os adormecidos, para o arranco final que limparia a nódoa escura que cobria o nosso solo.

Ainda eram poucos os abolicionistas, mas, observando cuidadosamente, podia-se constatar que as adesões eram diárias e surpreendentes.

André, ouvido por inúmeros fidalgos, expôs sem rodeios a sua opinião franca e contrária à ideia que ele julgava errada e perniciosa.

Discutindo, exaltava-se, e dizia sem titubear:

– Jamais compartilharei desse golpe que será a ruína total do nosso país. Precisamos nos unir para, coesos, enfrentarmos esses loucos que erradamente prejudicam o progresso da nossa pátria.

Matilde, quando ouvia André expondo as suas ideias, ficava apavorada, pois, aos poucos, vinha se apercebendo que seu marido era realmente dotado de forte temperamento, difícil de ser controlado.

Temia ao pensar nas inovações que ele iria implantar na fazenda distante e desconhecida.

Como receberia o velho Conde os planos de André? Aceitá-los-ia com satisfação?

Matilde tinha quase certeza de que ele os combateria... E André? Curvar-se-ia diante da imposição paternal?

Ela também tinha certeza de que seu marido não recuaria, nem mesmo diante da oposição do Conde. E o que resultaria desse choque? Era isso que ela pensava, sempre que ouvia André discutindo.

Desde o seu noivado, que vinha se mantendo calada diante do esposo, quando se referiam a esses boatos; seu pai contara-lhe minuciosamente a conversa que tivera com André.

Matilde estava ansiosa para deixar a Corte, queria seguir o mais depressa possível para a fazenda e reiniciar a sua vida tranquilamente. Sonhava com a fazenda e com o sogro.

Com imensa alegria, viu partir o grupo de escravos que levavam a sua grande bagagem e quase não acreditou quando André, inesperadamente, participou-lhe o dia da partida.

Com sofreguidão preparou as suas malas e começou a fazer as despedidas em companhia de duas cunhadas, que iriam com ela visitar o velho pai. Fez mais algumas compras e, os últimos dias, foi passar com os pais, que seguiriam também para a fazenda, que de há muito estavam ausentes.

Finalmente, chegou o dia tão esperado.

Foi grande a confusão, pois tanto Maria Antonieta como Maria Leopoldina levavam todos os filhos e diversas mucamas.

Ao despertar de um agradável dia, a grande caravana deixou a Corte, rumo à província de São Paulo.

André cavalgava elegantemente vestido em companhia dos cunhados, ao lado das carruagens.

Dias longos e cansativos, paradas demoradas para o repouso das crianças, que, aos poucos, iam perdendo a vivacidade, vencidas pela fadiga.

As estradas mal conservadas e, em determinados trechos, quase intransponíveis, sendo necessário que os escravos empurrassem as carruagens ou, então, abrissem novas picadas, para facilitar o trajeto.

Dias claros de Sol, manhãs frescas, que as três damas aproveitavam para andar pequenas distâncias, admirando a paisagem exuberante e verde.

Muitas vezes passaram diante de majestosas serras ou longas planícies.

Quando transpuseram os limites que marcavam o início da Província querida, sentiram imensa satisfação. Matilde, principalmente, não podia ocultar a grande alegria que invadia a sua alma de verdadeira paulista.

Afastada, há muito tempo, da pátria querida, sentia profunda nostalgia, que nem mesmo os atrativos sedutores dos refinados centros europeus conseguiam dissipar e, agora, feliz, revia emocionada sua Província e, em breve, estaria instalada no seu lar acolhedor.

Maria Antonieta e Maria Leopoldina também estavam imensamente contentes, pois, há muitos anos, afastadas da cidade que nasceram, ansiavam pelo momento de poderem rever, não só o velho pai, a irmã, assim como a fazenda onde passaram a infância e a adolescência.

Ambas procuravam descrever para a cunhada a beleza da propriedade dos seus antepassados. A imensa casa construída solidamente bem no alto, podendo ser vista ao longe, cercada pelas seculares palmeiras imperiais. Ao se aproximar, deparava-se com a larga alameda de pesadíssimas lajes, trabalho de antigos escravos.

Matilde ouvia atenta a descrição minuciosa. Queria saber como era mobiliado o velho solar, e Maria Antonieta, entusiasmada, contava tudo, desde a bonita entrada, cuja porta principal era feita de jacarandá com puxador de bronze.

Matilde ouvia atenta, sempre curiosa por conhecer novos detalhes. Perguntou também algo sobre Josefa e Mariana, e Maria Antonieta contou-lhe tudo, desde a morte de sua mãe, dias depois do nascimento de André, e a dedicação sublime da humilde escrava. Mariana, elas quase não conheciam, pois já estavam casadas e morando na Corte quando ela nasceu; mas, por cartas de seu velho pai, sabiam que ele dedicava à mulatinha imenso afeto e que ela era para ele muito dedicada, estando sempre ao seu lado.

– Tenho certeza, Mariana será uma esplêndida mucama – e assim, conversando, os dias iam passando, e a viagem, prestes a terminar.

Finalmente, chegaram à cidade, onde Maria Luíza, o marido e os filhos esperavam-nos para, todos juntos, seguirem para a fazenda.

***

Quando avistaram a porteira ao longe, André chicoteou o cavalo e seguiu na frente das carruagens.

Os escravos esperavam os novos Senhores e, ao avistarem o Visconde, irromperam em vivas e agitaram os chapéus novos, de palha, saudando o sinhozinho que, há muito, estava afastado...

André passou pelos escravos sorrindo e agradecendo a acolhida festiva.

Quando se aproximou da alameda, viu, no terraço, o velho Conde, tendo ao lado Josefa e Mariana; com ímpeto forte, freou o fogoso animal, saltando ligeiro e entregando as rédeas ao escravo que correu para recebê-lo.

Correndo, galgou os degraus da longa escada e caiu nos braços do Conde que, emocionado, não podia conter as lágrimas.

Passados os primeiros instantes, André afastou o pai e, então, vendo Josefa ao lado, soluçando baixinho, tomou-a também nos braços.

Mariana conservava-se calada e um pouco afastada.

Quando André voltou-se para ela, a jovem escrava estremeceu e, assustada, tentou afastar-se, mas o velho Conde a chamou, enérgico:

– Mariana, então não vem cumprimentar o seu Sinhozinho?

André também notou o gesto da escrava e, em tom irônico, perguntou:

– Quem é essa escrava, meu pai?

– Mariana é filha de Josefa. Não se recorda dela?

André ia responder, mas as carruagens aproximavam-se e ele desceu em companhia do pai para receber a esposa e as irmãs.

Foi uma cena emocionante o encontro do Conde com as filhas e os netos.

Matilde esperou ao lado da carruagem, até que André veio buscá-la para apresentá-la ao Conde. Desde esse momento, profunda e sincera amizade os uniu.

Dando o braço à jovem Viscondessa, o fidalgo subiu as escadarias.

No grande salão, Matilde sentou-se junto à janela, olhando a paisagem encantadora que se descortinava à sua frente.

Tão entretida estava que não observou que, ao seu lado, uma velha escrava a olhava com ternura. Matilde, ao se voltar, deparando-se com a boníssima Josefa, delicadamente perguntou:

– Você é a Josefa?

– Sim – respondeu a escrava.

Matilde ergueu-se e abraçou comovida a escrava, dizendo:

– André sempre falou comigo a seu respeito, sei tudo quanto você fez por ele e todo o afeto que lhe dedica.

Falando, passava a mão, de dedos longos, sobre a branca cabeça de Josefa.

Mariana entrou com a bandeja de café, serviu o Conde, André, os cunhados, e depois foi oferecer a Matilde, que ainda abraçava Josefa.

– Minha filha – disse a escrava, apresentando Mariana, que, atenciosamente, curvou-se.

Matilde fitou demoradamente a jovem escrava e, entusiasmada com a sua beleza simples, murmurou quase que instintivamente:

– Como é linda esta escrava – e ia dizer-lhe, quando André chegou, convidando-a para conhecer a casa e os seus aposentos.

Matilde aceitou o café que Mariana lhe ofereceu, deu em seguida o braço ao esposo, saindo do salão, onde o Conde ficou conversando animadamente com as filhas, genros e netos.

***

Foram dias de intenso movimento na velha fazenda, até então silenciosa...

Passeios logo ao romper da madrugada. O Conde, do terraço, via partir a caravana alegre e, ansioso, esperava pelo retorno; ouvia a algazarra dos netos brincando debaixo das árvores frondosas ou correndo por canteiros floridos e, outras vezes, descendo a longa alameda em busca do pasto muito verde, onde pacatos bois pastavam tranquilos.

Que graça achava quando via as netas trepadas na porteira distante e teve que ceder, a pedido dos netos, para que uns negrinhos viessem tomar parte nos folguedos.

Mãos dadas, as crianças juntas brincavam alegremente com os pequeninos escravos, sem notarem as diferenças de suas epidermes... As mãozinhas muito brancas dos seus netos apertavam as mãos negras dos escravos, mãos que breve estariam pegando pesadas enxadas, removendo a terra fértil para depositar a semente que seria a fonte de riqueza de onde eles tirariam o bastante para manter a existência faustosa e feliz na Corte distante.

O Conde olhava com infinita ternura as crianças brincando e pensamentos confusos perpassavam pelo seu cérebro cansado.

Desde a chegada do filho querido, vinha analisando-o meticulosamente e, somente para si mesmo, constatava que André não seria o seu continuador.

Via entristecido o desmoronar das suas ilusões; tanto esperava daquele filho... Tanto... Queria vê-lo cercado pelos escravos, estimado, querido, como fora seu avô e ele... Queria ver a fazenda progredir, tendo à frente o filho... Quantas vezes, nesse mesmo terraço, embalara esses sonhos, e, se alguns anos mais tarde, a escravidão fosse banida, desejava que seus escravos aí continuassem. Mas, em poucos dias, compreendeu que sonhara o impossível.

André já mantinha uma atitude que bem o definia. Nem mesmo com Josefa, ele portou-se como devia; mantinha a velha escrava afastada e as poucas vezes que a ela se dirigiu era em tom ríspido, sem um só vislumbre de afeto e carinho.

Com Mariana, nem sequer falou. Limitava-se a olhá-la demoradamente, enquanto servia as refeições ou vinha trazer o café no salão.

Certa noite, quando as filhas tocavam piano e cantavam despreocupadas em companhia da cunhada, Mariana entrou, trazendo a bandeja para servir o café. Junto à janela, conversava o Conde com o filho e os genros. Ela aproximou-se, oferecendo primeiro ao Conde, depois, aos outros, o café quente e saboroso; nesse momento, o velho fidalgo observou o olhar frio, mas sensual, de seu filho, pousado na bela mulatinha.

Um forte estremecimento percorreu seu corpo e, sem saber por que, temeu pela sorte daquela infeliz criança, que carregara nos seus braços e que tinha sido sua alegria e encanto nesses anos de ausência do filho.

Recordou-se de que Mariana era escrava. Disfarçando, procurou observar com mais atenção e não teve dúvidas de que o filho, mesmo dissimulando, olhava Mariana com interesse, fixando demoradamente o olhar na silhueta esbelta da formosa adolescente.

No seu cérebro confuso, as ideias surgiram rapidamente, e o bondoso Conde reviu muitas cenas banais, mas que, agora, via por um prisma muito diferente.

Bastou observar com mais atenção a atitude dissimulada de André, para ter a certeza cabal que não estava equivocado. Aos goles, lentamente tomava o café, sendo o último a depositar, na bandeja de prata, a pequenina xícara de fina porcelana... Mariana, respeitosa, esperava imóvel; depois, apressada, deixou o salão fartamente iluminado, onde terna música era executada por Matilde.

Ao ver Mariana sair, o Conde voltou o olhar para a nora que, elegantemente trajada, tocava, tendo, ao seu lado, as suas cunhadas que cantarolavam baixinho. Muito tempo ficou examinando o vulto esguio de Matilde, admirou o contorno perfeito do rosto, o brilho intenso dos olhos, o ondulado dos cabelos, as mãos muito brancas de dedos longos, nos quais brilhavam magníficos anéis...

O que o destino estava reservando para aquela formosa jovem, que deixara, confiante, o carinho dos pais, o lar rico, onde era soberana absoluta, para acompanhar André e vir fixar residência na fazenda distante, silenciosa e vazia?

Viera amparada somente na confiança que depositara naquele homem quase desconhecido e aí, ao seu lado, esperava ser feliz. Esperava alicerçar com bases sólidas o futuro lar... Esperava ter brevemente, apertado nos seus braços, um filho, que seria a concretização do seu sonho de moça ingênua e sonhadora.

Confiava em André, estavam ainda nos primeiros meses de casados, e ela, embalada nas quimeras idealizadas, pura e sem a menor malícia, pensava que, naquela fazenda, nada poderia existir que pudesse nublar a sua vida pacata e confortável.

O velho Conde baixou a cabeça encanecida e, com as mãos trêmulas, comprimia o coração, que pulsava desordenadamente. E a si mesmo fazia a pergunta que, no momento, martirizava-o:

– Por que, santo Deus, estou com essas preocupações? Por um simples olhar que, talvez, nada significasse?

Talvez um engano lamentável de sua parte.

Enquanto ele vivesse, tudo faria para preservar a felicidade daquela jovem que era agora partícula de sua família; nada permitiria que pudesse magoá-la ou ofendê-la, defendê-la-ia como se fosse uma de suas próprias filhas...

Mas o bondoso Conde não podia adivinhar que os seus dias estavam contados e que Matilde perderia, então, o único apoio que lhe poderia amparar. Ficaria sozinha ao lado do esposo e teria de palmilhar longa caminhada, muito áspera e muito difícil.

Mas ninguém foge ao seu destino, ele nos vem traçado lá do Alto, moldado por nós mesmos, no transcurso de várias existências. Pouco proveito nos seria dado se pudéssemos aqui compreendê-lo com justeza...

André e os cunhados notaram o silêncio do Conde e, julgando que fosse cansaço, levantaram-se, propondo que se fizesse silêncio, pois já era bem tarde e deviam repousar para o passeio do dia seguinte, que seria o último, pois breve partiriam novamente para a Corte.

As senhoras aproximaram-se do Conde, pedindo a bênção, beijando-o com carinho e respeito; o mesmo fez Matilde.

Todos saíram, e Josefa entrou para apagar as velas dos candelabros e fechar as janelas. Surpreendida ficou quando encontrou o Conde junto ao retrato da esposa, em pé, olhando-a com os olhos cheios de lágrimas, que deslizavam pelo rosto sulcado de rugas e perdiam-se infiltradas pelas barbas muito brancas.

A bondosa escrava aproximou-se muito de mansinho e, erguendo um pouco o castiçal que trazia nas mãos, perguntou:

— Perdão, meu senhor, mas permita-me perguntar o que está sentindo e por que chora?

O Conde ergueu a cabeça e pousou o olhar no rosto tranquilo da velha escrava e, quase num soluço, disse:

— Josefa, temo pelo futuro de Mariana... temo... — e, trôpego, saiu do salão, deixando sozinha a escrava, que nada pôde compreender.

***

Dias depois, as filhas do Conde partiram acompanhadas dos maridos e filhos, e a fazenda retornou ao ritmo habitual.

A grande casa ficou vazia e silenciosa.

Matilde, sozinha, procurava preencher as longas horas, lendo, bordando ou tocando piano no vasto salão, por cujas janelas abertas entrava o aroma suave das flores agrestes.

No terraço, o velho fidalgo ouvia a nora cantando baixinho e colocando, junto ao retrato da Condessa, flores colhidas por ela mesma.

Sentia que o coração cansado pulsava com dificuldade e dor aguda o surpreendia constantemente. Nada disse ao filho. Procurava dissimular, fingindo, muitas vezes, que tinha necessidade de estar sozinho para melhor organizar papéis importantes ou pôr a sua correspondência em ordem.

André, empolgado na nova posição de fazendeiro, quase não observava o pai; saía muito cedo para dar ordens ao feitor e ao filho deste, agora seu auxiliar, e, em seguida, acompanhado do preto Ignácio, ia percorrer as imensas plantações, ordenar novos plantios e providenciar as colheitas que se aproximavam. Fiscalizava os trabalhos dos escravos, enérgico e autoritário.

O velho Ignácio, ao seu lado, não perdia um só instante de observar o jovem Visconde, que iniciava nova etapa na fazenda, até então dirigida pelo Conde e o antigo feitor.

Logo nos primeiros dias, notou que André simpatizava com o filho do antigo servidor, moço rude e temido.

Quando André voltava cansado depois das longas caminhadas, poucas palavras tinha para o pai, assim como para a esposa, que o esperava ansiosa. Ia para o quarto e só saía quando chamado para as refeições; nem mesmo à noite dedicava-se aos dois entes que tanto o queriam. Protestava urgência de falar com o feitor e saía imediatamente.

Matilde ficava com o Conde e, para distraí-lo, conversava alegremente, recordando viagens, relembrando fatos, festas, passeios...

Foi numa noite muito quente, sentados no terraço, esperando Mariana servir o café pedido, que, inesperadamente, falando sobre os boatos espalhados, referentes ao movimento que vinha lentamente firmando-se e adquirindo fervorosos adeptos, a abolição da escravatura no Brasil, e Matilde, silenciosa, ouvia emocionada o Conde externar as suas ideias em prol daqueles míseros escravos, tão humanos como qualquer branco, tendo somente para diferenciá-los a cor preta de suas epidermes – olhara fixamente o fidalgo e constatara que ele estava seriamente enfermo.

Os cabelos muito brancos, assim como a barba, pálido, abatido, mãos trêmulas, só o olhar é que continuava com o mesmo brilho e, no momento que conversava com Matilde, à proporção que descrevia o movimento iniciado, seus olhos ficavam maiores e o brilho era mais intenso.

Tinha amigos envolvidos nesse movimento e, para eles, hipotecara sua solidariedade, compreendia que estava enfermo e que não poderia tomar parte ativa nessa cruzada redentora, mas seu filho o substituiria dignamente. Tinha confiança em André, dizia ele com convicção para a nora sentada ao seu lado...

Matilde desviou o olhar, viu o marido conversando com o filho do feitor e sentiu profunda piedade pelo velho Conde, que tanto confiava no filho único e querido.

Em poucos meses, Matilde, inteligente e observadora, compreendera que tudo quanto sonhara ao se casar com André fora simples ilusão e nada mais.

A realidade era bem clara, e ela aceitava resignadamente; não deixava transparecer a decepção sofrida.

Agora, ainda tinha a companhia e o carinho do velho Conde, mas, quando ele desaparecesse, o que seria dela, sozinha naquela fazenda distante? Lembrou-se de Josefa e Mariana, e sentiu que só poderia encontrar apoio naquelas duas humildes escravas. Matilde pensava, enquanto o Conde falava entusiasmado, explicando os boatos espalhados e as notícias vindas da Corte pelas cartas das filhas.

Mariana entrou com a bandeja para servir o café, e o Conde, erguendo-se, chamou o filho que, despedindo o auxiliar do feitor, ligeiro subiu a escadaria do terraço e sentou-se ao lado do pai.

Mariana entregou-lhe a xícara de café, e André, tomando-a, começou a beber em goles demorados, enquanto olhava disfarçadamente para a escrava que, postada à sua frente, esperava para receber a xícara.

O Conde, também dissimuladamente, não perdia a oportunidade de vigiá-lo e, como das inúmeras vezes, estava convicto de que as suspeitas não eram infundadas. Mariana despertava em André, sem que ela mesma se apercebesse, um sentimento forte que seria difícil de ser dominado, principalmente para um homem do temperamento de André, o jovem Visconde.

Agora, ele podia disfarçar essa atração, mas, com o decorrer do tempo, isso seria difícil, tinha certeza o Conde... E se Matilde também notasse? – pensava ele, atemorizado.

Em todas as oportunidades que tinha, vigiava o filho, quer durante as refeições ou à noite, quando Mariana servia o café. E, assim, nessa inquietante suspeita, os dias iam passando e a moléstia impiedosa minando aquele corpo até então robusto.

***

Certo dia, o Conde não se levantou como habitualmente fazia.

Matilde, sobressaltada, chamou Josefa e mandou saber o que ele sentia.

A escrava, apressada, dirigiu-se para os aposentos do fidalgo e, batendo de leve na porta, esperou até que ouviu a ordem de poder entrar; devagar entrou no quarto envolto em penumbra, abriu a janela e olhou para o largo leito, onde o Conde estava recostado.

Estremeceu ao notar a palidez que cobria o rosto bondoso do velho senhor, teve certeza de que ele não se levantaria mais e que breve deixaria para sempre a fazenda que tanto amava.

Josefa chegou para mais perto e, solícita, perguntou:

– Deseja alguma coisa, meu Senhor, quer que lhe sirva agora o café?

– Sim – respondeu o Conde. - Mas nada de alarme, estou bem, só um pouco cansado.

Josefa sacudiu a cabeça e, vagarosamente, saiu.

Na sala, Matilde sozinha tomava café, pois André tinha saído para dar ordens, como era seu costume. Mariana servia com atenção, e, quando Josefa chegou e contou o estado do Conde, Matilde afastou a xícara, entornando o café sobre a branca toalha de linho e, quase correndo, saiu pelo longo corredor que ia dar nos aposentos do Conde.

Mariana, imóvel, ficou no mesmo lugar, enquanto, dos seus olhos grandes, expressivas e grossas lágrimas brotaram.

Instantes depois, Matilde, aflita, chamou outra vez Josefa e deu ordens para que fosse chamar André. Precisava vir um médico...

Só muito tempo depois foi que André chegou e, logo no terraço, encontrou a esposa que, ainda aflita, andava de um lado para outro.

Ao avistar o marido, desceu quase correndo a escadaria e foi ao seu encontro. Ele não se alterou ao ouvir o que contava Matilde e, depois, juntos, foram ver o Conde, encontrando-o de olhos fechados e fisionomia tranquila.

André compreendeu que a esposa não se enganara e, imediatamente, mandou buscar o médico e avisou Maria Luíza, assim como tratou logo de escrever às irmãs que residiam na Corte.

Vindo o médico, este quase nada pôde fazer; chamando André, expôs-lhe toda a verdade: poucos dias de vida teria o Conde.

Matilde estava desolada. Josefa chorava baixinho.

O Conde, chamando o filho, com ele conversou confidencialmente, e jamais ninguém soube o que se passou entre os dois. Mas André, ao sair do quarto, mandou Josefa trazer Mariana para ficar ao lado do pai, que agonizava.

Correndo, Josefa foi à procura da filha, indo encontrá-la sentada junto à janela, olhando a vastidão do pasto que tinha à frente, olhos muito abertos, porém sem lágrimas.

Levantou-se ao ver Josefa entrar e, ao ouvir a ordem, saiu devagar e foi para os aposentos do Conde. Entrou e ficou junto à porta, até que ouviu chamá-la.

– Venha, minha filha – pediu o fidalgo.

Mariana aproximou-se; Matilde, sentada ao lado do leito, chorava baixinho...

– Sente-se aqui.

Mariana obedeceu.

Nunca mais, desde que André chegara com a esposa, o Conde tinha pedido a Mariana para sentar-se ao seu lado, e a pobre escrava guardava, no âmago de seu coração, dolorida revolta.

Adorava o velho Conde, pois, desde pequenina, sempre estivera ao seu lado. Quando foi afastada, sentiu intensamente, mas sem uma só palavra de mágoa; agora, tinha sido novamente chamada, mas seria somente para testemunhar a partida daquele que fora seu maior amigo e seu grande amor...

Para Mariana, o Conde representava pai extremoso, e ali estava para dar-lhe o último testemunho de afeto e o último adeus...

O Conde morreu pela madrugada, rodeado por Matilde, o filho, Josefa e Mariana.

***

Mariana estava com quinze anos quando o Conde morreu.

Era uma linda mestiça; alta, esguia, cintura fina, busto perfeito, pés pequenos, tinha uma cabeleira negra ligeiramente ondulada e longa.

Olhos negros, sombreados por longos cílios que faziam o olhar triste, muito triste.

A pele macia, de tom moreno, os lábios rubros e carnudos, dentes alvíssimos e, para dar ainda maior realce ao rosto, duas provocantes covinhas, que, quando ela sorria, deixavam-na encantadora; aliado a todos esses encantos, era Mariana muito delicada, carinhosa, falava baixo e sua voz era muito suave.

O Conde, quando o filho estava ausente, mandava Mariana cantar e ficava recostado à cadeira, olhos fechados, ouvindo a linda mulatinha que tanto estimava. Muitas vezes, ela vinha para junto da cadeira e, cantando baixinho, afagava a cabeça alva de seu bondoso protetor. Os dedos muito longos revolviam os cabelos brancos, puxando-os levemente.

Outras vezes, sentava-se num degrau da escada do terraço e, olhando fixamente o céu muito azul ou a pastagem verde, cantava alegremente, esquecida da condição de cativa. Quase sempre, quando estava trabalhando, também cantava; parecia um desses passarinhos que, liberto, cruza o firmamento trinando despreocupado, pousando nos galhos ou procurando a companheira para juntos compartilharem do ninho escondido.

Assim era Mariana, ingênua e pura, trabalhando feliz no casarão silencioso da grande e rica fazenda.

Logo pela manhã, quando abria as janelas, ficava debruçada olhando os escravos que seguiam para o campo sob as ordens do velho feitor. Em seguida, descia para o jardim em busca de flores frescas para as jarras.

Ao passar pelo corredor, olhava para o espelho que ficava em frente e analisava a sua própria silhueta. Mariana vestia-se pobremente, vestidos feitos por sua mãe, mas, no seu corpo, ficavam muito bonitos.

Certa vez, o Conde comprou de um mascate, que apareceu inesperadamente na fazenda, um corte de vestido para Mariana e uns metros de fita azul claro. Foi para ela um régio presente; correndo sôfrega, foi mostrar a Josefa, que também ficou entusiasmada.

Dias depois, nos instantes de folga, Josefa fez o vestido: muito simples, blusa justa, saia muito larga e franzida, tendo um babado embaixo. Apertando a cintura, uma faixa da fita azul.

Mariana vestiu-o para ir assistir a uma festa que se realizava na Capelinha distante da fazenda. O Conde dera consentimento e Josefa acompanharia a filha. Sentado, estava no terraço quando as duas escravas aproximaram-se para pedir a bênção e seguir juntamente com outros escravos.

Quando o Conde pousou o olhar no vulto que tinha à sua frente, julgou que estivesse sonhando; passou diversas vezes as mãos sobre os olhos, tentando afastar a visão encantadora...

Mariana riu alto e chamou-o para bem juntinho; não era sonho, e sim a realidade visível...

Muito tempo ficou olhando a jovem doméstica e constatou que Mariana, mesmo sem querer, era provocante. Qualquer homem, escravo ou fidalgo, junto dela ficaria perdidamente enamorado... E sem poder afastar a intuição que súbito lhe viera, recordou o filho que já estava viajando rumo à fazenda e, enquanto Josefa e Mariana se afastavam despreocupadas, sozinho no terraço, lutava para afugentar os pensamentos que o martirizavam, o vulto de Mariana que tinha bem nítido na sua retina: o vestido branco muito franzido, a faixa azul apertando a cintura fina; nos cabelos negros, um laço também azul...

Desde esse instante, temeu pela sorte de Mariana, e logo que André chegou, positivou as suas apreensões... E, agora, com a morte do Conde, Mariana estava diante do perigo, sem ter mais quem a protegesse...

***

André, ao chegar à fazenda, simpatizara com Joaquim, filho mais velho do feitor, e, logo nos primeiros dias, fez dele auxiliar direto do antigo servidor de seu pai.

Esse seu gesto não foi de agrado do Conde, que julgava o jovem não só incompetente, como não lhe agradavam as suas atitudes e o gênio violento. Sabia e teve ocasiões de presenciar e repreender severamente o rapaz diante do que fizera na fazenda e pelas imediações da mesma.

Filho desobediente e malandro, gostava de ficar junto à senzala, espreitando as escravas e tentando-as. Quando não conseguia alcançar os seus intentos, denunciava-as covardemente ao feitor.

Reclamava da falta de castigos corporais, que não existiam na fazenda, diversas vezes discutindo com o pai sobre isso. Achava que os escravos não tinham nenhum direito, para isso eram comprados a bons preços e marcados como animais; mas gostava das pretinhas e não perdia oportunidade de atraí-las e violentá-las. Diversas tinham sido suas vítimas.

Tinha por Mariana ódio tremendo, desde o dia que, encontrando-a sozinha, perto da porteira do pasto, tentou agarrá-la, mas, depois de luta desesperada, ela conseguiu desvencilhar-se dos braços fortes que tentaram subjugá-la e, correndo, desesperada, subiu os degraus da longa escadaria do terraço e foi cair nos braços paternais do Conde.

Em pranto, tudo lhe revelou.

O Conde, revoltado com tanta baixeza, tomou o chicote e, alucinado, foi à procura do feitor que, no momento, também ouvia o filho. Este, quando viu o Conde aproximar-se, tentou fugir, mas rápido o velho fidalgo o deteve e, diante do feitor, aplicou-lhe boas chicotadas e, depois, atirou-o para bem longe.

Ao lado, o feitor tudo presenciou de cabeça baixa, sem um gesto de defesa. Conhecia bem o filho, assim como o seu Senhor, incapaz de tomar uma atitude tão violenta se para isso não tivesse sério e justo motivo.

Passado o momento de revolta, mais calmo, o Conde volta-se e, deparando-se com o feitor postado ao seu lado, humildemente coloca a mão sobre o ombro do seu auxiliar e, ali mesmo, faz-lhe a revelação de tudo quanto lhe contara Mariana, e como esta conseguiu fugir, indo cair nos seus braços.

Veio daí todo o ódio que Joaquim sentia pela bonita escrava e a ele mesmo jurara se vingar dela na primeira oportunidade que tivesse. Mas Mariana raramente saía; ia sempre ao jardim colher flores, mas, quando precisava ir à senzala ou outro lugar distante, Josefa a acompanhava, obedecendo às ordens do Conde. E, assim, o tempo foi passando até que André, casado, voltou à fazenda.

Chegara o momento almejado pelo jovem.

Procurava aproximar-se de André, contava-lhe novidades, descrevia a vida dos escravos e as pequenas faltas por eles cometidas, revelava os namoros das senzalas e, quando um dos negros, cansado, parava um pouco o trabalho ou conversava com um companheiro, logo ao anoitecer André era sabedor.

Ia à cidade somente para ouvir os boatos e transmiti-los ao Visconde. E, assim, rapidamente, tornou-se seu auxiliar de confiança e também auxiliar direto do velho feitor que, cansado e envelhecido, nada protestou.

Joaquim, em poucos dias, passou por surpreendente metamorfose: do jovem vagabundo que perambulava despreocupado durante todo o dia, tornou-se um servidor atento às ordens do Visconde.

Joaquim era alto e robusto; moreno, olhar frio e penetrante, sobrancelhas densas que quase se encontravam e, apesar de jovem, tinha na testa rugas profundas.

Depois que André o tomou para seus serviços, deixou que a barba crescesse e, em pouco tempo, ficou completamente mudado; calçava botas altas e chapéu de longas abas e não deixava de usar um chicote comprido, que fazia estar no cano das botas.

Um dia, para surpresa do feitor, apareceu com um pequeno cão, que explicou seria por ele ensinado e o acompanharia constantemente, prestando-lhe serviços valiosos. O pai nada respondeu e saiu sem olhá-lo.

Joaquim viu quando ele se dirigiu para as senzalas; então, tomou o chicote e, estalando forte, chamou pelo cão que, quase agachado, veio e ficou parado ao seu lado. Esse cão tornou-se muito seu amigo e, durante anos, acompanhou-o, perseguindo escravos fugitivos.

Morto o Conde, e André, senhor absoluto da fazenda, o prestígio de Joaquim também aumentou. O feitor foi completamente afastado do cargo que ocupara por tão longos anos, e o filho, seu substituto, recebia e cumpria fielmente as ordens do novo patrão.

Tinha ideias idênticas às do Visconde quanto ao tratamento dos escravos e era feroz no combate à abolição.

Todos os escravos temiam-no desde o momento que se fizera feitor, com exceção do velho Ignácio, que fora pajem de André e que o acompanhou sempre. Ele não tolerava Joaquim e não gostou de sua nomeação para feitor da fazenda, até então, tranquila e feliz; mas não disse a ele, comentando somente com Josefa e Mariana.

PAIXÃO E VIOLÊNCIA

VI - PAIXÃO E VIOLÊNCIA

Matilde mantinha-se afastada e alheia ao movimento da grande propriedade; entre ela e o marido existia uma barreira que os separava. André pouco conversava com a esposa, engolfado como vivia nos planos para a reforma que idealizara.

Quando conversavam, as ideias chocavam-se bruscamente.

Com o decorrer do tempo, ela renunciara, por completo, a reconquistar o esposo; passava os dias tocando piano, lendo e bordando. Conversava muito com Josefa e Mariana, e só nas duas escravas encontrou amizade sincera e apoio certo.

O velho preto Ignácio também lhe dedicava profunda amizade. Quando via Matilde no jardim ou sentada, muito triste, lendo debaixo da frondosa árvore, recordava a alegre jovem recém-casada. Muitas vezes se aproximou dela nessas ocasiões e conversaram demoradamente. Matilde também devotava ao escravo muita estima.

Ignácio fiscalizava André e não perdia a oportunidade de acompanhá-lo, apesar da idade. Quando via o Visconde conversando com o novo feitor, arranjava um pretexto para aproximar-se, dando motivos para que os dois ficassem irritados e se afastassem imediatamente.

Mais de uma vez, André o repreendeu com severidade, porém debalde; o fiel escravo, atento e desconfiado, continuava vigiando-o.

Dedicava ao Visconde sincera afeição, desde pequenino, quando o carregara nos braços, e depois sempre estivera ao seu lado, expondo a vida para salvá-lo. O Conde lhe confiara o filho desde pequeno e não era, pois, possível abandoná-lo quando via que ele estava à beira de um abismo.

Fora para o bondoso escravo um choque profundo quando, depois de ter visto diversas vezes o olhar malicioso de André pousado em Mariana, ouviu indistintamente o nome da escrava pronunciado em uma das palestras do jovem feitor com o Visconde.

Ambos conversavam baixinho junto à senzala, e o escravo, meio oculto, ainda conseguiu ouvir palavras esparsas e denunciadoras dos intentos miseráveis daqueles dois homens de tão baixo caráter.

O preto Ignácio estava estarrecido, pois ainda julgava que estivesse equivocado, mas agora não; tudo era claro e positivo.

– O que fazer para defender Mariana? Confiar a Josefa o que ouviu? Não... Ela sofreria muito e nada poderia fazer... E se Matilde viesse a saber? – Tudo isso ele pensava, sentado na porta da senzala.

O Visconde devia recordar e respeitar Mariana, pelo amor que Josefa lhe dedicava e pelo muito que seu pai queria a pequena escrava que fora substituta sua junto ao Conde, quando ele vivia sozinho, no casarão vazio. Com sorriso de criança, com afeto e carinho, proporcionou, ao velho fidalgo, horas de intensa felicidade.

Caía lentamente a tarde, e o Sol escondia-se por trás das montanhas, deixando no céu um manto escarlate.

A nostalgia da tarde que morria fazia com que o bondoso preto mais sofresse... Certo estava, teria de muito lutar.

Passou a observar melhor André e fazer guarda mais cuidadosa a Mariana.

Na casa da fazenda, os dias passavam sem alterações, tudo correndo no mesmo ritmo.

Entre André e Matilde nada se alterou, continuavam bons amigos, porém sem aquele elo de amor que devia uni-los mais forte.

Matilde notou que o marido, quando Mariana os servia, olhava a escrava furtivamente, mas era um olhar repassado de curiosidade e malícia; procurou observar em outras ocasiões e não teve dúvidas, a beleza de Mariana despertava-lhe lampejos de forte desejo.

Observou também a escrava, mas esta nada fazia que pudesse demonstrar que compreendia ou aceitava a atitude do Visconde.

Mariana jamais simpatizara com ele e essa antipatia vinha da infância. Foi talvez essa aversão da escrava que fez aumentar a paixão de André.

Quando sentiu que jamais conquistaria Mariana, ficou revoltado e, para se vingar, começou a perseguir os escravos que de nada sabiam. Sobre os miseráveis cativos, deixou cair todo o ódio e o despeito que martirizava a sua vaidade de fidalgo.

Ser desprezado por uma escrava, ele que tivera nos braços as mais belas e sedutoras mulheres... Queria Mariana, e ela teria de pertencer-lhe quando ele desejasse...

Mas os dias foram se passando, e o momento não chegava. Espreitava atento, mas Matilde e Ignácio também o espreitavam. Só Josefa é que ainda não vira.

Mariana tinha medo e evitava ficar só. Matilde dera ordem para que a escrava viesse trabalhar ao seu lado; prendia-a durante o dia, dando-lhe costura ou bordado, e, à noite, ela ficava com Josefa.

André, impaciente, percorria a fazenda estalando o chicote e, gritando, dava ordens. Estava transtornado, tudo lhe irritava e qualquer falta era pretexto à revolta que tinha oculta. Sentia prazer em castigar, e os escravos trabalhavam atentos.

Joaquim era o confidente e tudo fazia para satisfazer o Visconde, mas pouco podia auxiliá-lo, pois a presa desejada estava longe e bem guardada.

Existia um limite que ele não podia transpor; Matilde jamais permitiu que o feitor entrasse na casa da fazenda; ele ia até o terraço, e isso mesmo em raríssimas ocasiões.

André tinha o escritório independente e com entrada pelo terraço; e era nesse local que recebia quem o procurasse para negócios e dava ordens ao feitor. Foi nesse pequeno reduto que ele forjou o plano diabólico que iria escravizá-lo para sempre.

**

Foi, pela manhã de um dia claro de primavera, que Matilde, descendo ao jardim, ouviu gritos de dor vindos da senzala; aflita, quase correndo, para lá se dirigiu, sentindo o coração pulsar descompassado, e, ao aproximar-se da senzala, bruscamente parou horrorizada.

Preso ao tronco, um jovem escravo gemia, enquanto o feitor, indiferente, brandia o chicote.

Ao ver Matilde chegar, ele parou imediatamente e, respeitoso, tirou o chapéu.

Ela queria falar, mas era tão intensa a emoção que sentia que não podia articular uma só palavra. Olhos desmesuradamente abertos, fitava o escravo preso e com o corpo coberto de sangue muito vermelho. Tudo rodava em torno dela, pois jamais presenciara uma cena tão revoltante.

Parado, Joaquim conservava-se com o chapéu na mão.

Depois de um prolongado silêncio, foi que Matilde perguntou:

– Desde quando voltaram, nesta fazenda, estas torturas? Responda!

E o feitor, submisso, disse:

– Há muitos dias que tenho ordens para castigar os escravos faltosos e preguiçosos, e este foi o primeiro que mereceu o castigo. São ordens expressas do Visconde.

Matilde sentiu lágrimas brotarem nos seus olhos e, atemorizada, voltou lentamente para a casa.

No terraço, encontrou Josefa e Mariana que, ouvindo também os gritos, correram e puderam ver tudo quanto estava se passando...

Matilde passou junto delas sem dizer uma só palavra e foi direto para os seus aposentos, fechando a porta. Passou toda a manhã no quarto e só abriu a porta quanto Mariana foi chamá-la para o almoço.

Matilde saiu e foi para o grande salão de refeições.

Mariana recuou quando a viu. Em poucas horas, Matilde envelhecera; tinha os olhos inchados e vermelhos, palidez impressionante, olheiras profundas e arroxeadas.

Cabelos em desalinho, sentou-se no seu lugar e esperou que André entrasse, mas ele não veio, e ela, sozinha, almoçou servida por Mariana.

Tudo envolto em silêncio, e no salão só se ouvia o tique-taque do relógio.

Matilde olhou pela janela a vastidão verde do pasto, depois seu olhar pousou nos móveis ricos, na prataria magnífica... Que valor tinha para ela tanta riqueza, quando se sentia tão infeliz e abandonada?

Pensou em voltar para a casa paterna, mas logo desistiu, sabia que seus pais não concordariam. Estava casada e teria de renunciar para poder viver tranquila.

Protestar junto a André seria inútil; ele jamais recuaria diante de uma ordem dada.

– Que fazer? – pensava ela. Teria de fingir que nada sabia se quisesse ter um pouco de paz.

Recordou-se do Conde, tão bondoso e amigo... – e as cunhadas, delicadas, atenciosas, como também sofrerão quando souberem do rumo que André estava dando à fazenda que fora de seus antepassados, dessa fazenda tão conhecida...

Matilde sabia que suas cunhadas e seus maridos aceitavam a ideia abolicionista e que, talvez, trabalhassem por ela. O Conde também aceitava a ideia e mantinha correspondência com diversos líderes desse grande movimento libertador, que despontava em todos os recantos do Brasil...

Por que só André, seu marido, era contra, por que só ele pensava tão diferente? Por que transformar a fama tão bela que engrandecia a fazenda, fama essa alicerçada pelos seus avós e firmada por seu pai? Por que cobri-la de opróbrio e de maldições?

Matilde ouviu do escravo, quando o chicote do feitor cortava suas carnes, sem que o mísero pudesse fazer um só movimento de defesa, palavras angustiadas saídas de seus lábios ensanguentados, implorando liberdade e pedindo a Deus que olhasse o martírio que sofria e desse ao seu algoz a justa punição...

Matilde cobriu o rosto, ocultando as lágrimas, pois Mariana aproximava-se trazendo o café...

Discreta, ela deixou a bandeja sobre a mesa e retirou-se.

Ouvindo os passos que se distanciavam, Matilde enxugou as lágrimas e lentamente tomou o café.

Ainda ficou muito tempo sentada, entregue aos confusos pensamentos que a torturavam, quando ouviu o latir do cão e as vozes do feitor e de André.

Levantou-se e, chegando à janela, viu os dois subindo a escadaria do terraço, e depois ouviu o barulho da porta que se fechava.

– Que irão tramar eles? – pensava Matilde. Jamais ela saberia...

Quando saía da sala e se dirigia para seus aposentos, viu o preto Ignácio conversando com Josefa e Mariana.

Passou todo o dia sozinha e, à tarde, quando encontrou André, nada lhe perguntou, mas, desde esse dia, foi maior a indiferença que os separou.

Matilde sabia que os castigos agora eram frequentes, e que, pelas redondezas, os comentários eram muitos e a atitude do Visconde severamente criticada.

Nem mesmo com Josefa e Mariana ela conversava a esse respeito, trazendo a jovem escrava sempre ao seu lado, o que aumentava a revolta de André.

Passados alguns meses, inesperadamente, chega à fazenda um portador trazendo uma carta do pai de Matilde, avisando o estado grave de saúde da esposa e pedindo a ida imediata da filha.

André concordou que ela devia seguir imediatamente e a acompanharia. Deu ordens para que tudo fosse preparado e, quando Matilde quis levar Mariana, ele protestou, alegando que Josefa não poderia, sozinha, tomar conta da casa e, assim sendo, Mariana ficaria.

Matilde, desorientada com a notícia inesperada que recebera, não discutiu e, no dia seguinte, partiu em companhia do marido para a longa viagem.

***

Quando Matilde, depois de muitos dias de viagem, chegou, encontrou sua velha mãe quase agonizando.

Foram para ela dias terríveis, noites intermináveis que passava velando com amor e carinho a bondosa mãe até que, finalmente, ela foi considerada fora de perigo, mas a convalescença seria prolongada e a presença da filha, necessária.

André voltou só para a fazenda e, durante a viagem, a imagem de Mariana o torturava impiedosamente. Não podia esquecer a escrava.

Durante todos esses meses, ela era a ideia fixa e, para satisfazer esse louco desejo, não encontraria obstáculos que o impedisse e, agora, a ocasião surgia inesperada.

Afastada Matilde, a barreira que o impossibilitava, o caminho estava aberto e fácil; só Josefa e Ignácio para defender Mariana e, esses dois empecilhos, ele saberia afastar com facilidade.

Cavalgando silencioso, alheio à beleza da paisagem, sem sentir cansaço, via aproximar-se o término da longa viagem.

Visitou apressadamente a irmã e rumou para a fazenda.

Foi com surpresa que Joaquim viu quando ele abria a porteira e, chicoteando o fogoso animal, dirigiu-se para a casa. Apressado, foi ao encontro de André e juntos entraram.

A casa estava silenciosa. Mariana e Josefa trabalhavam tranquilas no quarto, sentadas junto à janela, quando ouviram o latir do cão de Joaquim e não suspeitaram que era André que voltava... Continuaram o trabalho, e sobressaltadas ficaram quando ouviram passos que se aproximavam.

Mariana deixou o bordado e saiu apressada do quarto. Ao transpor a porta, divisou André em trajes de viagem, estremeceu e recuou, mas ouviu a voz autoritária que a chamava e, obediente, foi atender. Todo o seu corpo tremia e, diante dele, mantinha a cabeça curvada.

Josefa também deixou a costura e veio ao encontro da filha. Ao se deparar, no corredor, com André conversando com Mariana, sentiu que algo de terrível estava para acontecer; seu coração de mãe adivinhava o perigo e ela compreendia que seria impotente para afastá-lo.

Mais uns dias se passariam sem alterações. Novos castigos foram aplicados, e André, mais autoritário e cruel.

Uma tarde cinzenta e triste de inverno, com um vento frio e cortante, estava o feitor conversando com o Visconde quando viram Josefa e Ignácio entrarem na senzala. Uma escrava estava doente e tinha se agravado o seu estado; Josefa, bondosa, veio passar um momento ao lado da companheira, chamando Ignácio.

Mariana ficara sozinha, pois as outras escravas trabalhavam na outra ala da fazenda.

André, sem dizer uma só palavra ao feitor, afastou-se ligeiro...

Joaquim sorriu maliciosamente e, despreocupado, chamou o cão, afastando-se.

André entrou... Sabia que Mariana estava sozinha no quarto... Cauteloso, para que seus passos não fossem ouvidos, aproximou-se da porta entreaberta.

Mariana bordava, cantarolando baixinho, sem perceber o perigo que se avizinhava... Quando ouviu fechar a porta, julgando ser Josefa, ergueu a cabeça e, ao se deparar com o Visconde junto à porta fechada, deixou cair o bordado e de um salto correu, tentando sair, mas sentiu que dedos aduncos comprimiam seus braços, machucando-os doloridamente. Tentou gritar pedindo socorro, mas logo, passando o braço em torno do seu pescoço, ele tapou-lhe a boca e, arrastando-a, levou-a para perto da cama, atirando-a brutalmente sobre a mesma.

Em seguida, fechou a janela e o quarto ficou muito escuro; Mariana ainda gritou por Josefa e Ignácio, mas sua voz foi abafada e, quando quis tentar fugir novamente, foi subjugada pela força brutal daquele homem alucinado por uma paixão indomável.

E, naquela tarde cinzenta e fria, enquanto sqprava frio e cortante vento, a indefesa adolescente fora sacrificada naquele mesmo quarto em que nascera, pelo homem que sua mãe ajudara a criar e a quem dedicava verdadeiro amor maternal.

Monstruoso fora esse atentado praticado pelo Visconde, mas não parariam aí os seus crimes, outros viriam, com mais requintes de crueldade.

***

Quando Josefa chegou da senzala, encontrou Mariana deitada, cabelos em desalinho, vestes rasgadas, chorando desesperadamente.

Aterrada, abriu a janela e uma lufada de vento frio inundou o aposento que estava abafado.

Ouvindo os soluços aflitos de Mariana, voltou-se e sentou-se ao seu lado; o coração da infeliz escrava batia com tanta força que ela quase não podia respirar.

Vendo a filha com as vestes rasgadas, dolorosa verdade assaltou sua alma. Com carinho puxou Mariana para junto dela; nada foi preciso perguntar, pois, ao fixar o rosto angustiado da pobre criança, compreendeu tudo...

Bruscamente, afastou a filha e, correndo, saiu pelo longo corredor, indo parar junto à porta do gabinete de André, e, como louca, com ambas as mãos, batia com força.

Ao ouvir as batidas, ele calculou imediatamente que era Josefa... A terrível verdade fora descoberta, precisava agora manter uma atitude violenta para poder afastar aquela que substituíra sua mãe.

Abrindo, resoluto, a porta, Josefa quase veio a cair nos seus braços, que se desviaram... Ela cambaleou, mas conseguiu firmar-se e, fitando-o com olhos desmedidamente abertos, sem uma só lágrima a correr pelo rosto rugoso, perguntou bem junto a ele:

– Que fizeste, miserável, com minha pobre e inofensiva filha?

Aparentando calma, o Visconde deu com os ombros, num gesto de desprezo, e, afastando-se, foi sentar-se junto à janela, olhando o céu.

Josefa foi outra vez para perto dele e formulou a mesma pergunta...

André, calmo, continuava a olhar pela janela e começou assobiar uma alegre melodia.

Josefa, ao ouvir o assobio provocador, recordando a filha inocente que deixara caída, vestes rasgadas e o corpo maculado, como louca precipitou-se sobre ele e, com a mão áspera pelos longos anos de trabalho, deu-lhe uma bofetada no rosto.

André, num salto, tomou-lhe o braço, torcendo-o brutalmente. Josefa gritou de dor, mas André, impiedoso, continuou a sacudi-la brutalmente, até que a atirou num canto, gemendo.

Alucinado, e sem olhá-la, saiu descendo apressado a longa escadaria, voltando instantes depois com o feitor.

Ambos entraram e depararam-se com Josefa caída no mesmo lugar. Passando a mão pelo rosto, ordenou ríspido:

– Leve-a e ponha no tronco, aplicando-lhe depois umas chicotadas! – e saiu do gabinete, dirigindo-se para seus aposentos, enquanto o feitor, quase arrastando Josefa, levou-a para cumprir a ordem recebida.

Desacordada, a infeliz escrava foi colocada no instrumento de tortura. Em seguida, o desalmado feitor aplicou-lhe, no corpo franzino, violentas chicotadas.

O sangue brotou vermelho e tênues gemidos saíram dos lábios da bondosa Josefa, que eram abafados pelo estalar do chicote manejado por aquele homem jovem e forte.

Os raros escravos que presenciaram a terrível cena correram espavoridos diante da brutalidade com que estava sendo martirizada aquela velha escrava leal e dedicada.

Terminado o castigo, o feitor afastou-se, deixando-a ainda presa no tronco, quase morta.

Um pouco afastado, podia-se ver o casarão branco da fazenda, quase oculto pelas seculares árvores. O silêncio continuava a envolvê-lo.

No modesto quarto, alheia ao terrível suplício que fora aplicado à sua infeliz mãe, Mariana continuava caída no leito, sem forças para se erguer, indiferente às horas que passavam. Lentamente sentia aumentar a dor no corpo profanado... Pela primeira vez, esqueceu seus deveres e não notou a ausência de sua mãe.

A noite descera, os escravos cercaram o tronco onde Josefa agonizava, mas não tinham coragem para irem implorar ao Visconde clemência para aquela que estava prestes a partir para sempre.

Inesperadamente, apareceu Ignácio, que voltava da cidade e, ao ver o agrupamento de escravos, compreendeu que algo de extraordinário acontecera.

Quase correndo se aproximou, afastou uns e deparou-se com o quadro estarrecedor. Não queria acreditar no que seus próprios olhos viam; quis falar, mas a voz morria na garganta ressequida... Ouvia distintamente os comentários, mas não podia compreender por que André dera tão bárbara ordem para aquela que o criara com desvelos de verdadeira mãe.

– Por que dera ele essa ordem? – perguntava Ignácio repetidas vezes. – Por que Mariana não estava ao lado da mãe? – Por quê?

Ninguém sabia explicar...

Afinal, Ignácio conseguiu reagir e, trôpego, dirigiu-se para a casa da fazenda, entrou e logo se deparou com uma das escravas que servia juntamente com Mariana e Josefa. Ela tinha visto o agrupamento dos escravos, mas, como não descia quase nunca até as senzalas, ignorava o que sucedera. Notara a falta de Josefa, mas como esta saía sempre para visitar escravas doentes, julgou que ela lá estivesse; quanto a Mariana, também estava surpresa, pois era hora de servir o jantar e ela não tinha vindo; batera no quarto, e, como não obtivesse resposta, foi fazer o trabalho de ambas.

Ignácio estava cada vez mais apavorado, e uma dúvida terrível bailava em seu cérebro confuso.

Antes de ir até o quarto, perguntou à escrava se tinha visto André entrar, e ela contou que vira quando ele subiu a escada do terraço e viera em direção ao corredor, mas estava trabalhando e nada mais vira.

Foi o bastante para o preto velho, resoluto, encaminhar-se para o quarto das escravas; sem bater, empurrou a porta, entrou, e deparou-se com Mariana deitada e com as vestes rasgadas; devagar, aproximou-se e a chamou baixinho...

Ela não respondeu.

Ignácio sentou-se na beira da cama e, passando as mãos pelos cabelos em desalinho da pobre criança, tornou a chamá-la.

Inútil, Mariana não respondia...

Ignácio saiu, foi à cozinha e voltou com uma pequena lamparina.

O quarto ficou iluminado. Tentou despertar novamente Mariana que, só depois de muitos chamados, respondeu. Em seguida, sentou-se e, abraçando Ignácio, começou a chorar desesperadamente.

Interrogada, tudo contou ao bondoso preto velho que, ouvindo a narrativa, estremecia horrorizado.

Mariana perguntou por Josefa, e o escravo, compreendendo que seria inútil ocultar a verdade, contou o que acontecera a ela.

Mariana deu um grito estridente e, empurrando Ignácio, saiu correndo pelo corredor, cabelos soltos, vestes rasgadas, desceu a escadaria e só parou diante do tronco onde agonizava sua mãe.

***

Ignácio, vendo Mariana sair correndo, não tentou impedi-la; devagar ergueu-se e saiu também em direção ao gabinete de André.

Pela primeira vez na vida, empurrou a porta e entrou sem pedir licença.

O gabinete bem iluminado, e o Visconde, comodamente sentado, olhava o teto.

Ignácio ficou parado, não olhando para ele, mas para um retrato do velho Conde, pendurado bem em frente.

Recordou a austera figura do fidalgo, recordou a sua vida cheia de exemplos dignos, recordou como ele administrava aquela lendária fazenda que lhe era um patrimônio sagrado e que desejava passar para o filho, que deveria seguir a mesma rota traçada pelos seus antepassados...

Ignácio sabia que era esse o desejo do Conde; mas o que fazia agora o seu filho?

Tudo olvidara, até chegar ao ponto mais desprezível, profanar aquela casa, que fora de seus avós, que seus pais nela viveram e a dignificaram, e, ainda mais, praticara um crime, violentando uma criança que seu pai criara como filha...

Ignácio fitou o retrato, recordando tudo isso, e André, ao ver o velho escravo, estremeceu, mas continuou sentado, esperando.

Depois de prolongado silêncio, o velho escravo aproximou-se mais dele e, então, perguntou:

– Como fez isso?! Como?! Josefa está agonizando!... Mande retirá-la do tronco imediatamente! Mande co... var... – mas não terminou a frase.

André não protestou...

Ignácio veio para mais perto e, pousando a mão sobre o ombro do Visconde, enérgico, disse-lhe:

– Faça o que estou lhe pedindo, atenda em nome de seu pai, atenda... e que Deus lhe perdoe!

***

Josefa, retirada do tronco, poucas horas viveu e foi sepultada modestamente.

André não tornou a ver a escrava.

Mariana passou muitos dias calada, perambulando pela casa e pela senzala, como sonâmbula... Debalde tentavam consolá-la, só falava com Ignácio e a escrava companheira de trabalho.

Os dias foram se passando, e, cinco meses depois da morte de Josefa, André foi buscar Matilde.

Durante esses meses, o Visconde forçou Mariana, que ainda tentou reagir diversas vezes, mas acabou cedendo, pois compreendera que nada valia lutar com um inimigo tão poderoso.

Foi apavorada que sentiu despertar dentro de si uma vida. Sentia-se imensamente só depois da morte de Josefa, apesar da amizade que lhe dedicava Ignácio e da bondade da escrava que lhe auxiliava em todos os seus deveres, pois quase não podia trabalhar.

André, quando soube da verdade, recuou apavorado.

– E se Matilde suspeitar? – pensava ele durante a viagem.

Teria de afastar da esposa toda a possibilidade de suspeita. Eliminar Mariana sob qualquer pretexto seria arriscar bastante, pois, na fazenda, já se comentava, embora veladamente. Fazê-la casar? Não! Ela não concordaria e poderia mesmo denunciá-lo à Matilde.

Sabia que Ignácio o vigiava constantemente e não tinha coragem de fazer com ele o que fez com Josefa.

O preto velho sabia de muita coisa a seu respeito, era inteligente, sabia ler e escrever. O feitor o advertira que o preto o ameaçara com uma carta denunciadora e sabia que ele era amigo do Cura da cidade.

– Não!... – dizia André, baixinho, chicoteando com força o animal...

Já estava prestes a terminar a viagem quando anoiteceu, e no céu despertava a Lua, inundando toda a estrada de luz clara e suave, que André deixou escapar os lúgubres pensamentos que vinha forjando e muito baixo murmurou:

– Eliminarei esse filho, custe o que custar!...

Mandarei Mariana para a casa de uns escravos velhos, de inteira confiança, e logo que venha ao mundo esse intruso, eu o eliminarei, apagando todo o vestígio que possa denunciar-me. Os escravos estão velhos e o meu chicote os fará mudos.

Ignácio, terei preso na fazenda, ao meu lado, e a escrava, mandarei para uma das minhas sobrinhas que está noiva. Mariana, depois a afastarei definitivamente, obrigando-a a casar-se ou mandando-a para bem longe da fazenda.

O essencial é eliminar a criança.

Assim, com vagar, arquitetou todo o plano sinistro.

Quando se encontrou com Matilde, esta nada suspeitou, só o achou mais abatido, porém ele explicou que vinha trabalhando muito e que a fazenda precisava tomar novos impulsos; contava com o auxílio valioso do feitor, mas era necessária a sua cooperação constante.

Antes de buscar a esposa, ordenou ao feitor que advertisse os escravos sobre os comentários da morte de Josefa, pois, se a esposa viesse a saber, o culpado teria morte idêntica no tronco e debaixo de chicotadas.

O feitor era temido, e os escravos, com pavor, não pronunciavam mais o nome de Josefa... Matilde iria saber que a escrava morrera repentinamente. Mariana e a escrava foram ameaçadas. O preto Ignácio, desafiando outra vez André, disse-lhe enérgico:

– Não precisa ameaçar, nada direi à Senhora! – e, voltando-lhe as costas, saiu do gabinete.

Foi, pois, fácil explicar a Matilde, quando ela perguntou por Josefa, que a escrava falecera bruscamente e que não lhe mandara contar para evitar aborrecê-la.

Matilde sentiu muito a morte da bondosa preta, e quando André lhe disse, logo ao chegar, que precisava mandar Mariana passar uns quatro meses tratando de um casal de escravos, Matilde estranhou, mas André contou-lhe que, se assim agia, era também em benefício da escrava, afastando-a de um pretendente... Estava disposto a afastar as duas escravas bonitas da fazenda e talvez as enviasse para a Corte.

Mandaria primeiro a escrava mais velha e mais prática para a sobrinha, que breve estaria casada; seria presente de ambos.

Matilde ainda tentou convencê-lo de que muito gostava das escravas, mas, diante da teimosia do marido, concordou e resolveu levar uma das escravas que fora de sua falecida mãe.

Não costumava Matilde discutir com o esposo e, quando ele tomava uma resolução, ela concordava mesmo que a desagradasse. Portanto, não seria o afastamento de duas escravas motivo para que ela quebrasse essa norma traçada desde que chegara à fazenda.

André tinha certeza disso e facilmente poria em execução o plano traçado.

De volta, o casal fez uma boa viagem e foi com satisfação que Matilde reviu o casarão branco, quase oculto entre as verdes árvores.

Alegremente, subiu a escadaria do terraço, que estava florido nessa manhã primaveril, inundado pela luz brilhante do Sol.

Ninguém a esperava. Matilde estranhou e, sôfrega, entrou, encontrando tudo na mais perfeita ordem. No corredor, encontrou com duas escravas que vinham ao seu encontro e, ao avistá-las, perguntou logo por Mariana e as escravas disseram que ela estava na cozinha e que viria imediatamente.

Matilde, que dedicava muita estima à jovem escrava, e ainda surpreendida pela sua estranha atitude, que sempre fora atenciosa, meiga, obediente, sentiu que algo se passava com ela; deu ordem para que uma das escravas fosse chamá-la e, sem mais esperar, encaminhou-se para os seus aposentos.

Estava junto à janela, apreciando a paisagem bela do campo, muito verde, que se juntava ao longe com o horizonte azul escuro. Ouvia a voz autoritária de André, dando ordens ao feitor, via o vai e vem dos escravos, e tão absorta estava que não ouviu a porta se abrir.

Assustou-se quando, ao voltar, deparou-se com Mariana perto da porta, imóvel e pálida.

Matilde pousou o olhar na escrava e estremeceu emocionada.

– O que teria acontecido à pobre criança? Como está diferente – pensou.

No rosto bonito e no olhar profundo de Mariana, uma tristeza infinda estava estampada... Tão grande era a mágoa que refletia no olhar da escrava, que, ao fitá-la, Matilde sentiu as lágrimas turvarem os seus olhos...

Recordou-se então que Mariana perdera a mãe e, com ternura, aproximou-se e, pousando as mãos sobre os seus ombros, falou suavemente:

– Mariana, compreendo a sua dor, paciência, filha, não podemos ir contra os desígnios de Deus, que a sua vontade seja sempre feita.

Mariana nada disse, curvou a cabeça e começou a chorar baixinho.

A Viscondessa continuou a conversar com ela, que respondia obedientemente às perguntas feitas.

Quando ouviu passos no corredor, compreendeu que era André que chegara e, quase correndo, saiu do quarto, deixando Matilde aturdida.

***

Conforme dissera André, dias depois enviou a escrava suspeita para a Corte, como presente para a sobrinha que estava prestes a se casar.

Mariana seguiu para a choupana do velho casal escravo que o feitor tinha ido ameaçar e que nada diriam, estando prontos a recebê-la.

O escravo, velho caduco, era quase inofensivo e a escrava, também idosa, amedrontada diante do feitor, repetiu as palavras que a obrigou a dizer devagar e, depois, estalando o chicote, disse-lhe:

– Não esqueça o que repetiu – e saiu acompanhado do cão.

Quando Mariana chegou à choupana, o velho casal recebeu-a sem lhe fazer perguntas.

Na fazenda, tudo corria normalmente; Matilde, conformada com a decisão do esposo, voltou-se para os seus bordados, para o piano, e a vida retomou o mesmo ritmo.

As duas escravas foram sendo esquecidas, só Ignácio é que não se descuidava... Ouviu todas as conversas de André com o feitor e compreendeu o plano diabólico forjado por aqueles dois miseráveis.

Descobriu para onde Mariana fora levada e, para não despertar suspeitas, não foi procurá-la. Precisava estar ao lado de André, seguir seus passos cuidadosamente, pois só assim poderia proteger Mariana.

Passaram-se os dias e, quatro meses depois, estava Ignácio na senzala quando ouviu o latido do cão; espreitou pela brecha da porta e viu quando André aproximou-se.

Os dois homens chegaram para perto da senzala, que, nessa hora, julgaram deserta. Ignácio ouviu tudo, o momento era chegado; ouviu André dar ordens para que lhe preparasse o cavalo predileto e sair em seguida em direção à casa grande; o feitor foi cumprir a determinação recebida.

Ignácio deixou que eles se afastassem para sair da senzala sem ser visto. Tinha que ir em socorro de Mariana; a caminhada era longa, e ele só podia fazê-la a pé.

Não iria pela estrada, mas pelo mato, margeando a mesma; resoluto, tomou a vereda, caminhando apressado.

Tinha percorrido um grande trecho do caminho quando ouviu barulho na estrada; era André que também seguia, cumprindo o plano estabelecido com o feitor. Ignácio viu quando ele passou e desapareceu na curva da estrada.

A noite descera escura, e o céu, quase sem estrelas, denunciava forte temporal.

Tomando um atalho conhecido, o velho escravo enveredou-se, quebrando galhos, indiferente aos empecilhos que o feriam... Precisava chegar antes de André que, caminhando pela estrada, teria um percurso maior a vencer.

Tarde da noite, exausto, Ignácio divisou uma claridade vinda da choupana oculta no mato.

Quase agachado, aproximou-se e, rente a um vão da parede, oculto por um monte de lenha, ficou à espera; André ainda não tinha chegado.

Ouviu vozes, gemidos, e, inesperadamente, o barulho do animal chicoteado.

Antes que ele descesse, um choro forte de criança quebrou o silêncio da noite.

Atento, o preto ouviu que não era uma só criança que chorava. Estarrecido, rente à parede, quase sem respirar, viu quando André prendeu o cavalo e, empurrando a porta, entrou. Ouviu a sua conversa com a velha escrava; ela participou-lhe o nascimento de dois meninos! Ouviu a blasfêmia proferida por ele, os gemidos fortes de Mariana, e ouviu também quando a porta abriu-se e André apareceu trazendo as duas criancinhas, que choravam alto. Viu quando ele tomou a direção do atalho e deixou que se distanciasse um pouco, para não ser surpreendido...

No interior da humilde habitação, a velha escrava tratava Mariana, que deixara de gemer.

Precisava seguir André... Deixou o esconderijo e tomou a mesma direção...

Relâmpagos cruzavam o céu negro... Vento forte sacudia as árvores, vergando-as violentamente.

Pisando folhas secas que estalavam, Ignácio caminhava agora apressado.

Distante alguns metros da choupana, o escravo viu André, que estava parado, tendo uma das crianças presa pelo pescoço, e, no chão, a outra, que chorava desesperadamente.

Afastando os galhos, viu quando o Visconde estrangulou o pequenino ser que era seu próprio filho... O preto sentiu que tudo rodava e foi preciso segurar com força num galho para não cair. E teve que reagir com energia, pois André, atirando a criança morta, abaixou-se para pegar a outra e trucidá-la do mesmo modo.

Foi quando Ignácio, num salto, apareceu à sua frente; André recuou um pouco... Um relâmpago cruzou o céu, iluminando aquele pedaço de mato, cenário lúgubre onde tinha sido praticado hediondo crime.

André, vendo Ignácio com a criança nos braços e com uma faca ameaçadora na mão, tentou ainda se aproximar, mas o estrondo de um trovão repercutiu ameaçador e, quando refeito do susto, ele procurou o preto, este tinha desaparecido com a criança.

Começava a chover e os relâmpagos repetidos ribombavam com fúria, quebrando galhos, espalhando folhas.

André, mesmo assim, cavou um pequeno buraco, atirando o frágil corpinho e cobrindo-o apressadamente; e ainda colocou, sobre o mesmo, um punhado de galhos.

Esfregando as mãos, alisando os cabelos molhados, com a roupa encharcada, saiu em direção à vereda que o levaria à choupana.

A tempestade desabara com incrível violência e, quase correndo, André alcançou a miserável habitação.

Entrou ofegante. Na sala encardida, uma luz fraca, vinda de uma pequena lamparina pendurada na parede; no cômodo contíguo, Mariana, que voltara de prolongada imobilidade, gemia baixinho.

A velha preta, atordoada, não sabia o que fazer... André aproximou-se da porta e viu a infeliz jovem, sua indefesa vítima, gemendo num miserável leito improvisado pela bondosa escrava. Os trapos que lhe agasalhavam o corpo estavam vermelhos de sangue.

O Visconde olhava a jovem, alheio à fúria tremenda do temporal... A velha escrava veio para junto dele e com receio perguntou-lhe:

– Ela não escapará, está agonizando, o que farei depois?

André não respondeu... Encostado à porta ficou; tinha o rosto banhado de frio suor... As mãos tremiam... Os cabelos, ainda molhados, caíam sobre a testa... Nos olhos, estranho fulgor...

Quem o visse nesse instante não reconheceria o orgulhoso Visconde...

Mariana, aos poucos, foi deixando de gemer; e, quando despontava a madrugada e a tempestade passara, deixou de viver...

Ainda não tinha completado dezesseis anos. Lindo botão entreaberto que fora arrancado da haste e despetalado por mãos rudes e impiedosas.

Quando a escrava, chorando, veio avisar que ela morrera, André se afastou e, abrindo a porta, saiu.

Depois da fúria da tempestade, o dia surgia claro e belo; e o Sol já anunciava a sua presença por detrás das altas montanhas.

A terra fresca e úmida, as árvores com os galhos pendidos e quebrados; os pássaros alegres saíam em busca do precioso alimento.

Acre perfume vinha dos campos.

André, alheio à beleza da manhã, não respondeu à bênção pedida pelo velho caduco.

Pensava... Pensava... A escrava veio trazer-lhe uma caneca de café, que ele tomou devagar...

Depois, com o auxílio da velha escrava, sepultou, distante da choupana, em plena mata, o corpo dilacerado da vítima indefesa de seus instintos saciados.

Sepultada Mariana, e mais uma vez ameaçada a escrava, montou e chicoteou o cavalo, desaparecendo rumo à fazenda.

***

André chegou abatido e exausto.

No pátio, entregou o animal ao escravo que veio ao seu encontro e, devagar, começou a subir as escadas.

Ouviu Matilde tocando piano e, pela porta aberta, distinguiu a sua silhueta esguia.

Ao transpor o último degrau, escorregou e, sem apoio, caiu. Com o baque, Matilde, assustada, voltou-se e, ao ver André caído, correu gritando pela escrava.

Amparado pela esposa, ele ergueu-se.

A escrava, ouvindo o grito da Viscondessa, atendeu prontamente, e ambas levaram-no para o quarto.

Ao contemplar o rosto transtornado do marido, ela compreendeu que algo de terrível se passara com ele. Quis interrogá-lo, mas, ao ver o abatimento dele, não teve coragem. Auxiliou-o a tirar as botas sujas de lama e a roupa úmida e com rasgões.

– O que teria acontecido? – pensava ela curiosa. – Perseguição talvez a algum escravo fugitivo, mas por que não foi o feitor? Que mistério lhe estaria ocultando?

A escrava entrou, trazendo o chá, e ele bebeu devagar. Repousou a cabeça no macio travesseiro, fechou os olhos e não respondeu a nada que Matilde lhe perguntara; e ela, vendo que seria inútil insistir, saiu do quarto e foi para o terraço.

Sentada, entregue aos pensamentos confusos que a perturbavam, Matilde recordou diversos episódios passados depois de sua volta à fazenda.

Cinco meses foram passados, e ela analisava agora com mais clareza. Primeiro, o presente da escrava, mucama inteligente, atenciosa, que muito lhe agradava:

– Por que fora justamente essa a escolhida para ser enviada à Corte? E o afastamento brusco de Mariana?... A morte repentina de Josefa... O olhar dos escravos, e Ignácio... o bondoso preto velho não vinha mais à casa grande, por que tudo isso?

E, agora, André, que voltava completamente mudado, parecia mesmo que tinha envelhecido nessas últimas horas... Como poderia saber?

Dolorosa curiosidade que precisava decifrar, e só Ignácio poderia dizer-lhe algo.

Ouviu o latir forte do cão e, erguendo a cabeça, viu o feitor que passava pelo pátio. Resoluta, levantou-se e, chegando junto à escada, chamou-o.

O feitor voltou-se assustado ao ouvir a voz de Matilde, pois ela poucas vezes conversara com ele.

Respeitoso, aproximou-se, e ela disse-lhe:

– Mande Ignácio vir falar comigo imediatamente, preciso dele.

O feitor, com um cumprimento, afastou-se seriamente surpreendido. Tinha visto quando André chegara.

– Por que a Senhora quer falar com Ignácio? – meditou.

Mas foi cumprir a ordem, procurando o preto na modesta casinha que morava. Depois de chamá-lo repetidas vezes, bateu com força na porta e, não sendo atendido, foi à procura dele na senzala, percorrendo-a, e lá também ele não estava.

Gritou para um escravo que passava e ordenou que trouxesse Ignácio; recostou-se junto a uma velha árvore e ficou à espera.

Passados uns momentos, o escravo voltou correndo para avisá-lo que o preto não fora encontrado em nenhum lugar.

O feitor ficou sobressaltado; o escravo era liberto e, talvez, tivesse abandonado a fazenda.

– Mas por que fizera isso? – pensou. Sempre acompanhara o Visconde e, na fazenda, era tratado com respeito.

Precisava comunicar o ocorrido imediatamente e, ligeiro, foi participar a Matilde, que o esperava no terraço. Ao ouvir o que o feitor lhe explicava, teve certeza de que ocorrera algo com André, e Ignácio era sabedor.

Despediu o feitor, dizendo que transmitiria a notícia ao marido; entrou e foi outra vez ao quarto, mas ele continuava na mesma posição. Aproximando-se do leito, chamou-o baixinho e, em seguida, mais alto. André não se mexeu.

Matilde compreendeu que nada conseguiria e precisava ter paciência... Conformada, foi para seus aposentos, recusando o jantar.

Só saiu no dia seguinte, depois de uma noite de insônia.

*****

Quando abriu a janela do quarto, viu André descendo a escada para ir ao encontro do feitor; eles conversaram e, depois, foram juntos em direção da senzala.

Matilde, depois de apressada toalete, saiu também.

André passara a noite sem dormir, todo o corpo estava dolorido e a cabeça pesada. Queria coordenar os seus pensamentos, mas eles bailavam desordenados no cérebro exausto. Quando, pela madrugada, abriu os olhos e fitou as mãos, sentiu horror e reviu o pequenino corpo pendurado que, aos poucos, foi ficando roxo... Ouviu o choro forte da outra criança...

Tapou o rosto amedrontado e, quando retirou a mão de cima dos olhos, notou ao seu lado uma Sombra escura.

Esfregou com força os olhos e, quando os tornou a abrir, viu nitidamente que a Sombra não se afastara... Frio intenso invadiu seu corpo e o suor começou a umedecê-lo.

Com dificuldade, ergueu-se do leito e, tropeçando, foi abrir a janela. Voltou e caiu pesadamente na cadeira que estava junto à cama e, ao seu lado, a Sombra negra, imóvel, aterradora.

André sempre fora corajoso, destemido, mas, nesse momento, faltava--lhe a energia para poder enfrentar o que via nitidamente, sem saber explicar o que era... Mas via... A Sombra não se afastava...

André passou o resto da noite sentado; quando desceu e encontrou-se com o feitor, não notou a beleza do dia que surgia; tudo estava triste ao seu redor... Tudo era silêncio, apesar dos pássaros alegres, que voavam entoando delicados trinados... Não ouvia o barulho dos escravos que partiam em grupos para o trabalho pesado dos campos, não ouvia os escravos que conversavam na senzala, nem o riso despreocupado das crianças que corriam brincando. Estava como que entorpecido, insensível...

O feitor aproximou-se e comunicou-lhe o desaparecimento inexplicável de Ignácio.

André ouviu toda a explicação, porém sabia perfeitamente o motivo do desaparecimento, e pensou:

– Para onde teria ido Ignácio? E a criança, que iria ele fazer? Deveria procurá-lo ou deixar que ele se afastasse definitivamente, e fosse depois esquecido?

Os pensamentos surgiam uns após outros, sem que ele pudesse detê-los...

Estremeceu quando o cão latiu forte ao ver aproximar-se um desconhecido. O feitor com o chicote fê-lo calar-se...

André voltou-se para ver quem chegara e, ao seu lado, imóvel, a Sombra ameaçadora. Sentiu que um frio intenso percorreu seu corpo e com as mãos tentou afugentar a Sombra perseguidora... inútil... inútil... era intangível...

Devagar, afastou-se, como se estivesse ébrio.

O feitor, atônito, não sabia explicar o que estava se passando com o Visconde, em face de tão brusca transformação. – Será que ele está enfermo? – pensou. Mas repentinamente lembrava-se do desaparecimento do velho escravo, a ordem da Viscondessa para procurá-lo com urgência, a saída na antevéspera do Visconde, montado no cavalo predileto e veloz; e Mariana, que fora afastada também e não voltara mais... Porém, o jovem feitor logo desistiu de pensar nesses fatos, nada tinha a ver com a vida do Visconde; era egoísta, ambicioso, e só desejava trabalhar para vencer, para concretizar os planos que vinha elaborando há muito tempo.

Com um gesto de desdém, chamou o cão e foi tratar dos seus deveres. O Visconde que resolvesse os seus negócios; era rico e poderia com facilidade vencer qualquer obstáculo que surgisse à sua frente – concluiu mentalmente.

Como estava enganado o jovem feitor... Nem sempre o dinheiro compra tudo.

A fortuna do Visconde de nada serviria para atenuar as dúvidas que o perseguiam, para suavizar a sua consciência atormentada, para apagar as manchas deixadas, que eram nódoas profundas e negras.

A *Sombra* iria acompanhá-lo até que ele reconhecesse o erro praticado e, humildemente, pedisse perdão.

***

Ignácio aproveitou o estrondo do trovão para se embrenhar no mato, levando o filho de Mariana, que chorava desesperadamente.

A chuva caía torrencialmente e os relâmpagos, cruzando o céu negro, clareavam por ligeiros instantes o matagal espesso onde o bondoso preto caminhava, sem sentir os espinhos que lhe feriam e os galhos secos que rasgavam as suas roupas.

Tinha o rosto e as mãos feridas por tentar resguardar o pequenino e frágil corpo.

Caminhava sem destino, pois era impossível divisar o atalho que o levaria à outra estrada conhecida, mas andava tentando afastar-se da cólera do Visconde e do lúgubre local do hediondo crime...

Estava encharcado e tiritava de frio. Começou a soprar forte vento que o atirava de encontro às árvores e, sem poder defender-se, trôpego, continuava a andar, até que se sentiu preso por um emaranhado de cipós...

A tempestade continuava destruidora, parecia que todos os elementos tinham se revoltado... Os trovões, relâmpagos, o vento, tudo estava contribuindo para marcar aquela noite tétrica... Jamais Ignácio a esqueceria...

Quando se viu preso pelos cipós, compreendeu que precisava parar; seria temeridade tentar desvencilhar-se daqueles obstáculos. Apertou ainda mais a criança junto ao peito, tentando aquecê-la, mas, com suas vestes completamente molhadas, aumentava o frio e a infeliz criancinha, muito fria e pálida, parou de chorar. Ignácio apalpou o seu corpinho gelado e julgou que ela estivesse morta.

Preso nos cipós, ficou esperando que a tempestade passasse. Exausto, ferido, ele sentia que as suas forças estavam diminuindo... e, depois, nada mais viu nem sentiu...

Quando acordou, ainda entorpecido e na mesma posição, o Sol já vinha despontando por trás das altas montanhas... A passarada alegre deixava os ninhos úmidos e cruzavam a amplidão azul... Aragem fresca sacudia as árvores e os arbustos, despojando-os das últimas gotas de chuva... Ligeiros animaizinhos passavam por entre os ramos quebrados em busca de alimento necessário e precioso.

A floresta despertava, enfim, majestosa e bela depois da tormenta que a castigara tão rudemente.

A criancinha continuava calada, mas já aquecida pelos raios de Sol.

Ignácio, com dificuldade, pois só podia utilizar uma das mãos, e assim mesmo bastante ferida, tentava afastar os cipós que prendiam o seu corpo; espinhos agudos de um arbusto dificultavam a saída do perigoso emaranhado, mas o preto bondoso, alheio à dor, destemido, enfrentava o obstáculo...

Demorou muito tempo a luta e ele sentia que estava perdendo as forças e que, talvez, ali sucumbisse junto com a criancinha que tentava salvar.

Num derradeiro esforço, conseguiu afastar os cipós e saiu livre num monte de folhas molhadas e galhos quebrados...

Nesse momento, a criancinha começou a chorar outra vez... Ignácio compreendeu que não poderia parar. Mas para onde ir? – pensava ele. – A quem poderia confiar a infeliz criancinha e o segredo terrível?... Estremecia ao lembrar o instante em que vira, iluminado pelo clarão de um relâmpago, o Visconde estrangulando o próprio filho; revia o corpinho balançando, preso àquelas mãos que deveriam acariciá-lo...

Precisava encontrar um refúgio para a pequenina criança que salvara...

Caminhava agora certo de que encontraria o atalho que o levaria à estrada. Precisava aproveitar aquele momento, pois apenas acabara de amanhecer, ou, do contrário, teria de permanecer oculto no mato, mas a criancinha necessitava de alimento para sobreviver.

No cérebro confuso do preto, as ideias emaranhavam-se num labirinto tremendo... Tentava coordená-las, mas impossível... Exausto e faminto, caminhava... ouvindo o choro fraco da criança e tentando aquecê-la, pois, agora, as roupas, embora rasgadas, estavam enxutas.

Caminhava, até que se viu na estrada que o levaria à cidade. Temeroso de ser visto, ele começou a andar apressado; numa curva do caminho e ao divisar uma encruzilhada, recordou inesperadamente o velho Padre que morava afastado da cidade. Foi como um jato de luz na escuridão, a lembrança inesperada.

Falando sozinho, Ignácio dizia: – Levarei esta criancinha e a confiarei ao bom Padre. Confessarei a ele tudo quanto sei. Ouvi dizer que ele vai se afastar daqui, para bem longe. Melhor, eu desaparecerei também, e esta infeliz criança talvez possa sobreviver...

Caminhava... Recordava a bondosa Josefa e revia a fazenda quando André era ainda pequenino; viu Josefa descer a longa escadaria do terraço, trazendo o pequeno pela mão... Via quando a preta, sentada debaixo da velha árvore, contava histórias ao menino fidalgo que, extasiado, ouvia atento... Tentava afastar essas lembranças, mas inútil, elas surgiam nítidas, expressivas... Via Josefa moça, robusta, amamentando nos seios negros e fartos o menino que não tinha mãe, esse mesmo menino que, anos depois, iria sacrificar sua filha, escrava indefesa.

Não queria recordar mais nada, mais nada... Porém, afastada a recordação de Josefa, revia Mariana pequenina, sempre ao lado do velho Conde, no casarão triste e vazio... Ouvia a voz delicada da criança e o sorriso ingênuo bailando nos seus lábios rubros...

Entre as reminiscências longínquas, uma se fixava mais acentuada... Era ao cair da tarde... Uma tarde distante de outono, tudo era quietude, silêncio, tudo estava parado, desde a senzala até a casa grande, as árvores imponentes mantinham-se imóveis. Ignácio encaminhava-se vagarosamente em direção ao terraço e, inesperadamente, ouviu, quebrando o silêncio, a risada alegre de criança e depois, nitidamente, palavras entrecortadas: – Vamos, cavalinho... vamos, cavalinho... depressa... depressa – e o ruído de pés batendo no assoalho...

Ignácio chegou devagar e espreitou. Viu o Conde sentado, tendo Mariana montada sobre uma das suas pernas, com um galho verde nas gordas mãozinhas, batendo-lhe e dizendo enérgica: – Depressa, vamos, cavalinho... vamos, cavalinho...

Lágrimas brotaram nos olhos de Ignácio e corriam pelo rosto arranhado pelos espinhos...

Em seguida, ouvia os gemidos de Mariana, na noite anterior, enquanto a tempestade desabava... Via Josefa morta, com o corpo cortado pelo chicote do feitor...

Tinha andado muito, quando divisou, quase oculta pelo arvoredo, a casinha do sítio, onde encontraria o Padre a quem pretendia confiar o filho de Mariana. Resoluto, esquecendo o cansaço, a dor das feridas e a fome que o martirizava, Ignácio aproximou-se da modesta casinha, que ainda conservava as janelas fechadas.

Bateu com força. Não demorou muito, a porta abriu-se e apareceu o Padre, que recuou horrorizado ao se deparar com o escravo esfarrapado e ensanguentado, trazendo nos braços um recém-nascido que chorava baixinho...

Ignácio entrou, colocando, nos braços do Padre, a criança, e caiu sobre um banco, quase morto.

O FILHO DO VISCONDE

VII - O FILHO DO VISCONDE

O Padre havia recuado horrorizado, mas, ao sentir, nos seus braços, o frágil corpinho, uma forte emoção invadiu o seu boníssimo coração. Fechou a porta cautelosamente e, depois, dirigiu-se para seus aposentos; deitou na cama, ainda quente, a criancinha e, em seguida, foi abrir a janela.

O Sol rubro já se encontrava alto por detrás dos montes, cobrindo o céu de um suave tom avermelhado.

O Padre ficou parado junto à janela, admirando o espetáculo maravilhoso que se descortinava diante de seus olhos, depois começou a rezar uma prece em louvor ao Supremo Arquiteto, força portentosa, misteriosa, insondável...

Tinha o bom Padre dúvidas atrozes e, nos seus meticulosos momentos de meditação, mais se acentuavam essas dúvidas que ele, cumpridor de seus deveres sacerdotais, procurava dominar, ocultando-as bem no recôndito de sua alma, temeroso de estar praticando uma falta imperdoável.

Inúteis as meditações, as preces, os recalques, a análise cuidadosa, os confrontos, os estudos, nada podia explicar ao Padre, cabalmente, as dúvidas que o torturavam... Mas quais seriam essas dúvidas, tão profundas, que faziam o austero Ministro de Deus ficar tão perturbado?

Quantas vezes, sentado diante dessa mesma janela, altas horas da noite, depois de profundas preces, o bom Padre, tendo nas mãos o velho livro de orações, fitava a vastidão misteriosa do infinito, tentando compreender e sentir a grandiosidade de Deus, a quem adorava e procurava servir com ardente fé, mas surgia depois a mesma interrogação:

– Por que, ó Deus, fizeste sofrer a criança inocente? Por que não é equitativa a tua divisão? Deste muito para uns e tão pouco para outros, por quê?

Apavorado, abria o livro e começava a rezar outra vez, com mais fervor...

Nessa clara manhã, quando recebeu, das mãos feridas do preto, a criancinha faminta, um rastilho de reprovação brotou no seu coração boníssimo; qual seria a história desse pequenino inocente?

Precisava saber de tudo.

A criancinha chorava fracamente, tinha de providenciar um alimento com urgência; apressado, saiu do quarto para ir acordar a velha preta que o servia.

Ao atravessar a sala, viu que Ignácio continuava sentado no banco, de olhos fechados; passou devagar e foi acordar a criada.

Momentos depois, a velha servidora tinha, nos braços, a criancinha, já bem agasalhada e tomando a primeira refeição.

Enquanto isso, o Padre foi despertar Ignácio; deu-lhe uma roupa, e, em seguida, ambos foram tomar o café preparado pela criada que, como o Padre, era dotada de um coração sensível e bom.

Refeito das emoções e do cansaço, Ignácio pediu ao Padre para ouvi-lo em confissão.

Num recanto da modesta casinha, ele confessou ao Padre o tremendo drama do qual fora testemunha. Pediu para batizar o pequenino e escrever uma carta, que deveria servir de documento para, mais tarde, identificar o filho de Mariana.

O Padre concordou e, juntamente com Ignácio, redigiu o precioso documento.

O dia, a hora que recebeu a criança, o nome dos pais, o local do nascimento, enfim, tudo quanto foi necessário, nada foi esquecido.

Em seguida, o Padre o batizou, servindo de padrinhos o preto e a criada...

Ignácio pediu que lhe desse o nome de Francisco Ignácio, nome de seu avô...

Assinada e datada a carta, o Padre a entregou a Ignácio, que ficaria sendo o depositário da mesma.

Semanas depois, os três partiram levando a criancinha e o segredo que só seria revelado anos depois.

Foram residir num lugarejo perto da Corte, muito afastado da fazenda, e aí viveram tranquilos e felizes, dedicados ao pequenino, que era o enlevo de todos.

Na fazenda, depois de inúteis tentativas para encontrar Ignácio, que era liberto, aos poucos, o velho preto foi esquecido, assim como Mariana que, participada sua morte, foi também com o tempo olvidada.

***

Francisco Ignácio crescia robusto e forte, era uma criança encantadora.

Quando completou um ano, deu os primeiros passinhos incertos e pronunciou as primeiras sílabas.

Foi um contentamento; o Padre, a criada e o preto o adoravam; e como era bonito! À proporção que crescia, as suas feições iam acentuando-se e a semelhança com Mariana era notável.

O mesmo tom de pele, o negro dos cabelos, os olhos grandes e expressivos, o contorno da boca, o sorriso, obediente, meigo, carinhoso, não dava trabalho.

Brincava horas seguidas ao lado do Padre, enquanto este fazia as orações ou estudava; outras vezes, acompanhava Ignácio, que trabalhava perto da casa, cultivando, num pequeno trecho, o necessário para a alimentação de todos.

Corria alegre, brincando durante todo o dia e, à noite, reunidos na modesta sala, o Padre começava a lhe ensinar as primeiras preces, notando que o menino possuía invulgar talento.

Viviam felizes naquele afastado lugarejo, despreocupados, tendo somente um ideal: educar Francisco Ignácio.

Os anos iam passando-se lentamente e o menino crescendo. Corria alegre pela estrada, ajudava Ignácio, acompanhava o Padre e já demonstrava curiosidade pelos livros e impressionante senso de observação, raro para sua pouca idade.

Estava sempre fazendo perguntas ao Padre, que as respondia procurando simplificá-las para que ele pudesse compreendê-las.

Quando saía para passear pelos campos e pela estrada estreita, mãos dadas com o Padre, crivava-o com as mais absurdas interrogações:

— Como foi feita a terra? — abaixava-se e, com um punhado de terra vermelha nas mãozinhas, ficava na frente do Padre à espera da explicação.

Outras vezes, arrancava uma plantinha, sentava debaixo de uma árvore e começava a dizer:

— Como nasce esta planta? Como pode viver? Por que as folhas são verdes? Por que ela morre? Como morrem os animais?

O Padre coçava a cabeça grisalha diante do pequeno, que teimava para que ele lhe explicasse esses mistérios.

Nas noites claras de luar, sentados no terreiro, conversavam, admirando a beleza da noite, enquanto Francisco Ignácio brincava com seu cãozinho amigo, mas, de repente, ele deixava o seu companheiro de folguedos e, apressado, vinha para o lado do Padre e, fitando a Lua muito redonda e o céu pontilhado de milhares de estrelas, perguntava:

– O que é o céu? Pode-se viver lá como se vive aqui?

Por que ele se transforma? Agora está bonito, calmo, claro, com essa Lua grande e muito estrelado; e outras vezes está escuro, feio, cortado de relâmpagos e trovões ameaçadores.

Todos se entreolhavam diante das perguntas do menino, que firme se mantinha, à espera que o Padre pudesse tirá-lo da dúvida e da incerteza.

– Quero saber por que nascemos e morremos, quero saber...

Foi numa dessas noites de conversa no terreiro, que Francisco Ignácio, repentinamente, perguntou:

– Quem é meu pai? Onde mora e por que me abandonou? Sei que não sou filho de Ignácio nem de Maria, porque eles são pretos e eu sou branco. O senhor é Padre e os Padres não são casados, e eu tenho que ter pai e mãe...

Foi um momento difícil para os três, mas, felizmente, o Padre conseguiu dar uma explicação dúbia, que não satisfez o pequenino curioso. Estava Francisco Ignácio com seis anos quando fez essa pergunta.

O Padre compreendeu que precisava traçar um plano para iniciar os primeiros estudos do menino. Combinou detalhadamente com Ignácio, e, então, resolveram que Francisco Ignácio começaria a estudar com eles, e depois, então, o Padre procuraria, com velhos amigos da Corte, conseguir um colégio onde ele pudesse terminar os estudos.

Foi para o menino grande alegria quando o bondoso Padre o chamou para a primeira lição; deixou os brinquedos, chamou o cãozinho para o seu lado, sentou-se à velha mesa e, atento, ficou à espera do mestre.

Ignácio também encostou a enxada num canto e veio assistir a aula.

O garoto não perdia uma só palavra e foi com dedos trêmulos que tentou escrever as primeiras letras e números.

Desde esse dia, afastou-se quase que completamente dos brinquedos; era preciso que o Padre ou Ignácio viessem tomar-lhe os livros e exigir que ele saísse para brincar.

Obediente, fechava cuidadosamente os livros e os guardava na gaveta do velho móvel; em seguida, chamava o cãozinho e saía correndo pelo terreiro.

Da porta, o velho Padre ficava olhando o pupilo inteligente e querido; e na sua mente já se formavam os planos para a concretização do que vinha arquitetando para aquela criança que recebera no seu modesto lar.

Conhecedor da história da pequenina vítima, o sacerdote sentia por ele arraigado amor, e tudo faria para torná-lo um homem digno e culto.

***

Estava Francisco Ignácio com sete anos quando começou realmente a estudar. Em poucos meses, já sabia ler e escrever; bastava uma só explicação para que ele compreendesse com rapidez o que lhe ensinava o sábio professor.

Sempre observador e arguto, ao aprender a ler trazia o Padre constantemente atrapalhado com perguntas difíceis e profundas.

Quem passasse ao longe pela estrada estreita e divisasse, quase oculta pela vegetação, aquela casinha modesta, não poderia adivinhar que ali viviam um culto sacerdote, um preto liberto que conhecia a Província, a Corte e a Europa, sabendo ler e escrever, e um menino de sete anos apenas, arrancado das mãos criminosas de seu próprio pai e que tinha, circulando nas suas veias, sangue fidalgo de autênticos nobres paulistas, misturado com sangue forte dos africanos.

Estudando com ardor, o garoto ia aprendendo com facilidade tudo quanto lhe ensinava o paciente mestre e o tempo foi correndo rapidamente, muito rapidamente.

Compreendia o Padre que já se aproximava o momento de providenciar um colégio para o seu aluno. Precisava que Francisco Ignácio tivesse nova orientação que ele, sozinho e afastado naquele lugarejo inóspito, não poderia oferecer.

Por mais que tentasse, era quase impossível continuar com o menino naquele recanto oculto; seria imperdoável sua falta se deixasse que uma criança, predestinada como aquela, ali ficasse.

Ele tinha nascido para galgar elevadas posições, jamais brincou com uma enxada, jamais quis brincar com terra, sempre pendeu para os estudos e foi, numa noite, quando reunidos conversavam os quatro, que Francisco Ignácio, com sisudez, disse:

– Quero e preciso estudar muito, já tracei meus planos e a minha resolução está tomada e firme.

Ignácio e o Padre olharam-se admirados e, quase ao mesmo tempo, perguntaram:

– Quais são os seus planos, meu filho?

Ele pôs-se de pé e, muito sério, respondeu:

– Pretendo estudar Medicina e, para isso, lutarei com destemor...

Surpresa de todos, pois, até então, ele jamais deixara transparecer os seus ideais...

Estava com dez anos.

O Padre e Ignácio ficaram calados, de cabeças baixas e pensativos.

O jovenzinho não os interrompeu e, devagar, saiu da sala, dirigindo-se para o terreiro banhado pela luz prateada da Lua...

Silenciosos permaneceram até que o Padre, erguendo a cabeça, falou pausadamente:

– Preciso ir à Corte providenciar um colégio para Francisco Ignácio; ele não pode permanecer mais neste lugarejo. Vai custar-nos muito a separação, porém é necessária. Acima do nosso afeto, está a felicidade dessa criança...

– Mas como poderemos mantê-lo num colégio? – perguntou Ignácio, temeroso. – Nada possuímos e, para que ele consiga o que almeja, é preciso muito dinheiro.

– Sim – concordou o Padre. – Não temos recursos financeiros, mas eu tenho valiosos amigos, aos quais recorrerei para esse fim, depois, então, será mais fácil. Partirei imediatamente – disse, resoluto.

Ignácio, em face da longa viagem, propôs-se a acompanhá-lo, mas o bondoso Padre recusou e, levantando-se, começou a percorrer com passos vagarosos a pequena sala, entregue aos pensamentos que cruzavam desordenados pela sua mente.

Ignácio não o perturbou e, devagar, saiu também para o terreiro.

A noite continuava maravilhosamente bela e viu Francisco Ignácio sentado no tosco banco, junto à árvore, afagando o cãozinho que, ao seu lado, dormia; Ignácio se aproximou e sentou-se ao seu lado, sem lhe dizer uma só palavra; ficou olhando distraído para a Lua, que estava sendo coberta por uma nuvem escura...

Tudo era silêncio... Tudo estava parado... Era comovente o quadro, um preto velho, uma criança pensativa, um cão dormindo, tudo envolto pelo manto prateado do luar...

Quais seriam os pensamentos desse menino que contava somente dez anos e era de inteligência invulgar...

Examinando-o cuidadosamente, notava-se, no seu olhar, um misto de tristeza e inquietude, raras numa criança. À proporção que crescia ia se tornando mais bonito e acentuando-se mais a semelhança com Mariana; tinha, porém, já nítida, a elegância fidalga do Visconde que, com o decorrer dos anos, iria fazer dele um belo tipo de homem, disputado e admirado.

Ignácio, constatando tudo isso, compreendia a resolução tomada pelo

Padre e a necessidade de executá-la imediatamente. Resolveu contar ao jovenzinho, que ouviu em silêncio e, depois, disse:

– É esse o meu maior desejo, seguir para a Corte, ir para um Colégio e, depois, concretizar meu ideal: estudar Medicina, mesmo que para isso tenha que trabalhar e sacrificar-me, mas tenho certeza de que chegarei onde pretendo chegar...

Nesse momento, ouviram o chamado do Padre; apressados, levantaram-se, seguidos pelo cãozinho, que despertara e corria na frente.

Na mesa tosca, coberta por alva toalha, a ceia estava servida.

Depois de breve oração, feita respeitosamente em voz muito baixa junto à modesta mesa, saborearam, então, o gostoso café e os bolinhos preparados pela fiel preta; em seguida, foram dormir.

***

Dias depois, o Padre partiu para a Corte em busca dos amigos aos quais iria recorrer.

Combinou com Ignácio que, arranjado o Colégio, ele voltaria imediatamente e, então, Francisco Ignácio seguiria com ele; assim, pela madrugada de um esplêndido dia, o Padre seguiu para a cidade próxima, onde tomaria a diligência que o levaria à Corte.

Acompanhado pelo preto e por Francisco Ignácio, foi até a curva da estrada onde se despediu comovido; era a primeira vez que se separava do menino nesses dez anos e a custo conseguia reter as lágrimas que teimavam em brotar nos seus olhos e que ele tentava dissimular.

Fustigado o animal, desapareceu na curva, deixando o preto e o menino parados no meio da estrada. O Sol despontava forte e o céu muito azul, com algumas nuvens muito brancas formando delicados desenhos.

O menino olhou firmemente para o bondoso preto e, tomando-lhe a mão, começou a caminhar apressado em direção à casa que se avistava ao longe.

Calados, chegaram.

Ignácio tomou a enxada e saiu rumo ao trabalho. Francisco Ignácio sentou-se na porta e ficou pensativo; no seu cérebro, os pensamentos cruzavam desordenados, confusos; naquela criança, que tão cedo começava a viver, a sentir o peso das responsabilidades, eram impressionantes os traços do seu rostinho infantil; os olhos grandes e profundos tinham brilho intenso.

Sisudo, passava as mãos alisando os cabelos revoltos; que estaria ele pensando?

Não era a primeira vez que se sentava na soleira da porta e ficava nessa atitude de misteriosa meditação.

Muitas vezes, o Padre o surpreendeu assim e, sentando-se ao seu lado, procurava conversar com ele, tentando descobrir o motivo das suas preocupações, mas o menino, esquivo, recusava a responder as perguntas feitas sutilmente pelo Padre que, desanimado, sacudindo a cabeça, levantava-se e ia sentar-se na sua velha cadeira junto à pequena janela; tomava o livro de orações e começava a rezar contrito.

Ignácio também se preocupava muito quando, do canto distante, avistava-o sentado na soleira da porta, afagando o pelo macio do cãozinho amigo, e jamais o interrogou... Atemorizavam-lhe as respostas do menino... Seria melhor fingir que de nada se apercebia, pois compreendia que nem mesmo o bondoso Padre fora capaz de sondar os pensamentos da infeliz criança que, com tanto amor e desvelo, criavam.

Quantas noites Ignácio perdera, pensando na possibilidade de Francisco Ignácio pedir um esclarecimento sobre o seu passado.

Que deveria ele responder? Contar-lhe toda a tragédia?... Escondê-la?... E o boníssimo preto juntava as mãos e, numa prece sincera, pedia a Deus para que ele jamais quisesse saber algo sobre a sua origem.

Era pedir demasiado, mas ele pedia com todo o fervor, tinha bem oculto o documento feito pelo Padre, que poderia esclarecê-lo de toda a verdade, mas esse documento só lhe seria entregue quando ele lhe exigisse.

Como poderia o bondoso Padre arranjar para matriculá-lo conforme seu desejo? Seria necessário declará-lo enjeitado? Assim como Francisco Ignácio, uma criança, embora inteligentíssimo, já pensava e preocupava-se, o que poderia acontecer, então, com Ignácio e o Padre?

Que lutas titânicas, que pesadelos horríveis; volvendo a terra, o preto tinha o cérebro confuso; parou muitas vezes, enxugando o suor que escorria e, olhando a porta, sentia um calafrio percorrer-lhe todo o corpo; foi, pois, com um suspiro de alívio que viu o menino levantar-se e entrar vagarosamente.

Foi um dia triste na pobre casinha.

A falta do Padre era uma lacuna profunda; sem ele, a modesta habitação tornava-se vazia e silenciosa... até a prece diária perdeu o encanto quando rezada somente pelos três; e esse vazio ia se acentuando com o decorrer monótono dos dias longos de espera.

A curiosidade de todos era imensa, e um inesperado pessimismo atormentava-os.

Seria possível para o velho e bondoso Padre, afastado há tantos anos da Corte e dos amigos, que somente por correspondência mantinha os mesmos laços de amizade, conseguir deles o que desejava?

Era essa a pergunta que Ignácio fazia constantemente, desde o instante em que o Padre afastara-se.

Francisco Ignácio também esperava com ansiedade a volta do protetor.

Foi, pois, para todos, uma inesperada surpresa quando, certa noite, conversando na salinha iluminada pela luz amarelada do lampião, ouviram passos que se aproximavam na estrada.

O cãozinho vigilante ergueu as orelhas e ficou escutando atento... De repente, pulou e, junto à porta, começou a ladrar alto.

Ignácio tomou o lampião e, seguido do menino, foi abrir a porta.

Despertava indiscreta, por entre as nuvens, a Lua ainda pequenina... O terreiro, amplo e limpo, estava inundado por uma suave luz. Num farfalhar leve dos arbustos e árvores, desprendia-se delicado perfume.

Ignácio ergueu o lampião ao abrir a porta e divisou o vulto do padre que se aproximava...

Foi um momento de intensa alegria. Francisco Ignácio correu na frente para ajudá-lo a descer do animal, beijou-lhe respeitosamente a mão, enquanto Ignácio aproximava-se.

Ainda exausto e coberto de poeira, o Padre sentou-se na cadeira de balanço e, esfregando as mãos num gesto de satisfação, participou o resultado da sua missão:

– Pronto, meu filho; graças a Deus, consegui tudo quanto desejava. O Colégio está arranjado, é só preparar as malas para seguir o mais depressa possível...

Foi tão profunda a emoção do menino, que não conseguiu articular uma só palavra, e o Padre, compreendendo o efeito da revelação para aquela criança inteligente e boa, compadecido, afagou-lhe a cabeça, alisando os cabelos negros e revoltos; depois, erguendo-lhe o rosto, viu que ele estava chorando. Abraçando-o com infinita ternura, perguntou-lhe:

– Não ficou então satisfeito, meu filho? Por que chora? Não quer seguir para o Colégio?

O menino enxugou as lágrimas e, com energia, respondeu:

– Quero... E estou contente...

– E, então, por que estas lágrimas?

– Sinto separar-me do senhor, meu protetor e mestre... Sinto muito deixar Ignácio e Maria, meus amigos... Sinto deixar esta casinha... estes campos, esta estrada comprida e o meu cãozinho, que confio à sua guarda – e, desprendendo-se dos braços amigos do Padre, foi correndo para seu quarto, fechando a porta.

Depois de trocar a roupa e saborear um delicioso café, o Padre explicou, então, a Ignácio o que fizera na Corte para conseguir o lugar no Colégio para o menino.

Na Corte, era surpreendente o movimento e o impulso de progresso que avassalavam em todos os setores...

Fez para o preto, que ouvia atentamente as novidades, mais uma surpreendente revelação:

– É espantoso – dizia o Padre entusiasmado – como a ideia da libertação propala-se impetuosamente. Mais uns anos de lutas e sacrifícios, e ela estará concretizada, meu amigo...

Essa mancha negra e vergonhosa será apagada do nosso País, para isso já está lutando esse punhado de patriotas sinceros e batalhadores...

Ignácio curvou a cabeça e recordou-se de Josefa presa no tronco, chicoteada pelo feitor cruel e desumano... Recordou a figurinha bonita de Mariana e, depois, a noite de tempestade.

– Sim, realmente, o Padre tinha razão quando dizia que a escravidão era a mancha negra que sujava a beleza do Brasil – meditou.

***

Feitos apressadamente os preparativos necessários, dias depois Francisco Ignácio seguia para a Corte, acompanhado do dedicado Ignácio.

Foi dolorosa a despedida.

O Padre acordou muito cedo, abriu a janela e ficou debruçado muito tempo, admirando o dia que despontava lentamente.

Toda a natureza resplendia magnífica de encantos, desde o Sol rubro que surgia por detrás dos montes, cobrindo o céu de um manto avermelhado, até os bandos alegres dos pássaros que voavam entoando ritmados gorjeios.

O campo verde, as árvores, as flores agrestes cobertas por tênue camada de orvalho, tudo era belo nessa manhã, e o Padre, contrito, olhava e sentia uma profunda nostalgia, que oprimia o coração velho e cansado... Depois, retirou-se e, pegando o livro de orações, ajoelhou-se junto a uma imagem do Crucificado e começou a rezar.

Aos poucos, a opressão foi diminuindo e, quando terminou a prece, sentiu que podia enfrentar a despedida difícil.

Separar o garoto do convívio deles era quase pedir a todos o impossível, mas aqueles dois seres admiráveis souberam recalcar as emoções que os dominavam, em troca da felicidade do pequeno que adoravam.

Quando o Padre terminou a oração, guardou cuidadosamente o livro e, esfregando as mãos, saiu do quarto...

Na sala, estava Ignácio, fechando a modesta mala onde Maria, com desvelos maternais, tinha arrumado as poucas roupas, os livros e pequenos objetos de Francisco Ignácio.

O Padre aproximou-se e ficou calado ao lado, não podendo ocultar as lágrimas que nublavam os seus olhos. O menino veio para perto dele e, encostando a cabeça no seu ombro, começou a soluçar.

O preto saiu da sala e, no terreiro, onde dois pacientes animais esperavam, foi colocar a mala.

Chegava o momento da partida.

Maria, chorando alto, abraçou o menino enquanto o Padre saía para entregar a Ignácio uma carta e uma pequena importância em dinheiro; fez as recomendações necessárias e, erguendo os olhos para o céu, como que implorando do Alto, forças e coragem, chamou com voz firme Francisco Ignácio, que ainda estava abraçado com Maria:

– Vamos, meu filho! Chegou a hora, venha e seja um menino valente.

Desprendendo-se dos braços amigos da preta, ele correu para o Padre, que o estreitou; depois, erguendo-lhe o rosto, fitou-o demoradamente, murmurando uma pequena prece. Em seguida, abençoou-o.

– Agora, meu filho, vá! Seja sempre obediente e não esqueça os meus conselhos. Vá, e que Deus o acompanhe!

Ajudou-o a montar e, colocando-lhe na mão um pequenino chicote, com uma palmada fez com que o animal andasse rumo à estrada.

Ignácio despediu-se ligeiro e, montando também, saiu atrás do menino, que chicoteava o cavalo.

De longe, voltou-se e ainda pôde ver, no terreiro muito limpo, o Padre na porta, acenando-lhes adeus.

Depois, a curva fechada, que ocultava dos seus olhos a casinha modesta onde sempre vivera e tudo quanto adorava.

Ouviu os latidos do cãozinho preso e o seu coração bateu forte... Teve vontade de voltar, desistir e aí ficar para sempre, cultivando a terra, vivendo obscuro, humilde, mas logo a ideia foi morrendo à proporção que se distanciava do sítio. Voltava outra vez a ânsia de estudar, de tudo conhecer, de vencer, de subir, de descortinar novos horizontes, de lutar, de batalhar até chegar ao ponto final, a vitória... e poder recompensar àqueles que agora tudo faziam para que ele pudesse seguir a meta traçada. Com dez anos, essa criança excepcional já organizava planos audaciosos.

Muito tempo caminharam os dois, calados e cabisbaixos. Ignácio não tinha coragem de falar com o menino; sentia a garganta seca e o coração oprimido.

A viagem foi longa, penosa e exaustiva, principalmente para Francisco Ignácio; mas, afastando todas as dificuldades e todos os obstáculos, conseguiram vencer as inúmeras barreiras e, finalmente, depois de muitos dias, chegaram à Corte.

Foram dias compridos de Sol causticante, debaixo de chuvas torrenciais, calor, frio, vento, noites longas, mas reparadoras, para, em seguida, reiniciarem a caminhada, esperançosos de poderem alcançar com êxito a jornada traçada.

Sentiram imensa alegria quando avistaram, ao longe, as primeiras casas...

Era a Corte tão sonhada por Francisco Ignácio, e o Colégio ambicionado... os mestres sábios... as aulas tão desejadas.

O menino sentia dentro dele uma emoção até então nunca sentida... Sentiu ligeiro temor diante do desconhecido...

Como seria o Colégio? Seria como ele pensava, grande, salas amplas, claro, de largas janelas, divisando o mar e as montanhas? Como seriam os mestres e os companheiros de estudo? Como iriam recebê-lo?

Menino pobre, sem nome, que ali estudaria gratuitamente devido à velha amizade de seu protetor, para o seu coraçãozinho ingênuo essas interrogações eram terríveis...

Não queria fazê-las a Ignácio, pois via que o bondoso preto também vinha preocupado.

Lembrava-se dos conselhos do Padre, revia o momento da despedida e ouvia as palavras por ele pronunciadas: – Vá, meu filho, e seja um menino valente...

Sentia-se empolgado pela recordação do Padre, e, desde aquele instante, traçaria para a sua vida um lema que o levaria a vencer constantemente, fossem quais fossem as dificuldades apresentadas: Com valentia caminharei. E ouvia, nitidamente, como se fosse trazida pela aragem fresca, uma voz terna e amiga murmurando: – Seja um menino valente... valente... valente...

Finalmente, chegaram.

***

A tarde findava, e as sombras começavam a cobrir a grande cidade.

O menino, acostumado à quietude dos campos, ficou atordoado com o barulho das ruas e o movimento.

Junto a Ignácio, olhava desconfiado para todos os lados, à espera que viessem recebê-los.

Estremeceu quando a grande porta foi aberta e um velho Padre apareceu.

Ignácio, respeitoso, beijou-lhe a mão e entregou a carta.

O padre ali mesmo abriu-a e leu pausadamente. Ao terminar a leitura, sorriu com bondade e, acariciando os cabelos de Francisco Ignácio, mandou-os entrar.

As luzes ainda não tinham sido acesas e o longo corredor estava envolto em suave penumbra...

Caminhavam os três, e o menino ia observando atentamente o velho casarão.

No fim do corredor, uma grande cruz de braços abertos, como que estreitando a todos que ali entravam...

O Padre empurrou uma porta e entraram num imenso salão; no mesmo instante, entrava também um jovem padre, trazendo um lampião e colocando-o sobre o mármore de um console.

Todo o salão ficou iluminado por uma luz amarelada, dando estranho realce à imponente mobília de pesado jacarandá.

Nas paredes laterais, retratos de sacerdotes e, no centro, um grande quadro de invulgar beleza: "A descida da cruz".

Francisco Ignácio estava atordoado e, tímido, pegou a mão de Ignácio.

Os padres notaram o gesto dele e, delicados, aproximaram-se, tentando afastar o visível temor que o amedrontava. Fizeram com que ele se sentasse no comprido sofá e começaram a conversar, fazendo inúmeras perguntas, que foram prontamente respondidas.

Esperaram a chegada do superior da casa. Ignácio, sentado um pouco afastado, estava atento.

Momentos depois, ouviram passos, e todos se voltaram para a porta aberta, levantando-se imediatamente. O menino fez o mesmo e Ignácio também.

Surgiu, então, o vulto venerando de um velho Sacerdote, rosto sulcado de rugas, cabeleira alva, olhar expressivo, sorriso bondoso. Bastava olhá-lo para que todos ficassem presos à sua irresistível simpatia.

Aproximou-se de Francisco Ignácio e, antes de receber a carta na qual o Padre apresentava-o, disse, abraçando o menino:

– Então, é você, meu filho, que meu amigo me envia? Bem-vindo seja nesta casa, que o Senhor o cubra com Seu manto protetor...

Ignácio veio e, ajoelhando-se, beijou a mão do reverendo que, humildemente, ajudou-o a erguer-se.

Tomou a carta e, sentando-se numa poltrona, começou a ler.

Todos esperavam respeitosamente.

Finda a leitura, dobrou a carta, guardou-a no bolso da batina e, levantando-se, tomou a mão de Francisco Ignácio e saiu dizendo:

– Vamos, meu filho, conhecer a sua nova casa.

Ficava o antigo casarão situado no alto de um morro, de onde podia descortinar-se uma das mais belas paisagens; ao longe, o mar de ondas serenas sulcado de numerosas embarcações; circundantes, altas montanhas.

A velha habitação, reformada para o Colégio pelos abnegados padres, tinha passado por completa metamorfose, conservando somente o estilo exterior.

Inúmeras janelas e a pesada porta de jacarandá davam-lhe um aspecto imponente, assim como o pátio imenso, sombreado por seculares árvores e esbeltas palmeiras imperiais.

Grandes salões para as aulas e amplos dormitórios para os inúmeros alunos.

Francisco Ignácio conheceu todas as dependências e, finalmente, o seu dormitório.

Estava cansado e, quando se deitou na macia cama, respirou satisfeito.

Foi realmente confortador, depois de tantos dias de viagem. Dormiu toda a noite e, quando acordou, o Sol já batia forte no vidro da janela.

Levantou-se apressado, vestiu-se e, quase correndo, saiu pelo corredor...

No salão de refeições, os alunos já estavam reunidos. Timidamente aproximou-se do superior e, reverente, beijou-lhe a mão. O Padre fez então a apresentação do novo aluno e designou o seu lugar.

Recebido com simpatia pelos meninos, ele ficou à vontade.

Terminada a refeição, foram para a sala de aula. Chegou o momento difícil para Francisco Ignácio, o momento de ser examinado, para que pudesse ser constatado o seu adiantamento.

Junto ao Superior, foi arguido pelos professores, que não puderam esconder a surpresa que tiveram ao ouvir aquela humilde criança, que ali chegava para ser educada gratuitamente, responder com firmeza a todas as perguntas formuladas.

Impassível e calmo, respondia fitando os mestres. Até o Superior ficou impressionado profundamente; conhecia, de muitos anos, o protetor do menino e era admirador do modesto e culto sacerdote.

Foi devido a essa velha amizade e o respeito ao talento do amigo, que acedeu em receber no Colégio o pequeno protegido e recomendado com muita insistência. Sabia que ele tivera ótima orientação, que a sua fase de formação tinha começado com alicerces sólidos, firmes, mas, mesmo assim, estava surpreso diante do menino e já antevia o que ele seria anos depois. Era surpreendente, para a sua pouca idade, o muito que sabia, principalmente para uma criança nascida tão longe da civilização.

Designada a classe que devia seguir, ele iniciou imediatamente os estudos.

***

Ignácio demorou uns dias na Corte, aproveitando para, de perto, ver e ouvir tudo quanto desejava.

Hospedado no Colégio pelos bondosos padres, o preto teve ainda oportunidade de conversar diversas vezes com o velho Superior e auscultá-lo também sobre o movimento libertador que avassalava todos os recantos brasileiros.

Aí mesmo, no austero casarão, a semente germinava vigorosa; aí mesmo, nos amplos salões, vários elementos imbuídos dos mais santos ideais reuniam-se para traçarem novos e audaciosos planos.

As províncias do norte aderiam com mais facilidade; porém, as do sul relutavam e procuravam afastar o movimento considerado perigoso e prejudicial para o Brasil.

Era a Província de S. Paulo de Piratininga a líder desse movimento contrário. Pensavam os abastados fazendeiros que, com a abolição da escravatura, a Província retrogradaria devido à escassez de braços para as culturas imensas e em franco desenvolvimento.

Seria a ruína total... gritavam os paulistas, já então senhores absolutos, batalhadores indomáveis, dignos rebentos dos valorosos bandeirantes, que não trepidavam em sacrificar família e filhos em holocausto da soberana Província amada. Tudo deixaram, embrenhando-se pelas matas e florestas, abrindo estradas, plantando para que o progresso pudesse chegar até o planalto. Como, pois, agora, abolir a escravidão, que era o sustentáculo dessa riqueza?

Baseados nesses princípios, os paulistas formavam uma barreira perigosa, difícil de ser afastada.

Ignácio ouvia atento o Padre Superior explicando-lhe tudo isso, mas sacudia a cabeça em sinal de incredulidade... e, depois, dizia convincente:

– Apesar disso tudo, meu reverendo, a escravidão será abolida, os grilhões serão quebrados e libertos os negros; tenho certeza disso, e esse dia glorioso já não está muito distante.

Finalmente, Ignácio marcou o dia da volta e foi tocante a despedida.

Francisco Ignácio chorava abraçado ao preto, que também não podia reter o pranto. Foi preciso que o Superior viesse separá-los e, tomando a mão do menino, entrou, enquanto Ignácio partiu apressado, sem olhar para trás.

***

Os anos foram se passando, e Francisco Ignácio ia se tornando um jovem talentoso e de raros predicados.

No Colégio, conquistou a estima dos Padres, dos mestres e colegas. Fez um curso brilhante.

Durante esses anos, não viu mais os seus protetores, mas tinha sempre notícias por cartas, que ele recebia com grande alegria, respondendo-as imediatamente, pois aproveitava para transmitir, aos dois bondosos amigos, todos os seus anseios e todos os seus planos para o futuro.

Tinha o mesmo ideal; estudaria Medicina, mesmo que, para isso, tivesse de enfrentar os mais difíceis obstáculos.

Contava com o apoio dos Padres; auxílio valioso que ele teria sempre.

Francisco Ignácio estudava com amor e dedicação, pois compreendia que não podia fracassar, não podia decepcionar aqueles que tudo faziam para que ele pudesse concretizar o ideal sonhado.

Era um jovem simpático e alegre e quem o visse conversando com amigos, ou com os velhos mestres, não podia avaliar as lutas que enfrentava ocultamente.

Quantas vezes, estudando à noite no seu quarto, no velho Colégio, exausto, deixava os livros e ia até a janela respirar o ar puro da noite. Envolto no silêncio profundo que tudo envolvia, ele perguntava, amargurado, a si mesmo:

– Qual será o mistério da minha vida? Não conheço minha família nem meus pais, e as poucas vezes que tentei interrogar o bondoso Superior, senti que, realmente, ele tudo ignora.

Ignácio está longe e sei que, mesmo conhecendo toda a verdade, jamais falará. Resta meu protetor, mas ele falará? Não - dizia Francisco Ignácio, apertando desesperado a cabeça.

Depois, mais conformado, murmurava:

– Não faz mal, lutarei e farei meu nome conhecido. Serei a base de uma nova família, de uma nova estirpe. Os meus filhos terão meu exemplo e o meu nome continuará cada vez mais enobrecido. Por que procurar meus pais, quando eles me abandonaram? Devia existir um justo motivo para esse gesto – assim pensando, ele sentia mais alívio e, procurando recalcar as emoções que o atormentavam, engolfava-se nos estudos, momento em que tudo esquecia.

Aproximava-se o fim do último ano de estudos, e, brevemente, Francisco Ignácio receberia o diploma de Médico.

Escreveu longa carta para o velho Padre e Ignácio, convidando-os para assistir as solenidades, que seriam suntuosas. E foi com imensa tristeza que recebeu, dias depois, a resposta da mesma, na qual o bondoso Padre agradecia o convite, mas avisava que seria impossível a vinda dele e de Ignácio; junto, veio uma carta para o Superior, pedindo que o representasse em todas as solenidades.

Nessa noite, Francisco Ignácio não conseguiu dormir; deixou a janela aberta e, deitado, olhando o céu estrelado, fazia as mesmas perguntas que tanto o atormentavam...

Volvia o pensamento para a sua infância distante e recordava, com clareza, diversos episódios que jamais pôde esquecer...

Recordava frases ouvidas esparsamente durante as conversas do Padre e de Ignácio, quando ele brincava ao lado. Dessas conversas, um nome ficou para sempre gravado na sua memória; era um nome de mulher: Mariana!

Quem seria Mariana?

E por que agora, que se aproximava o fim de seu curso e marcava nova etapa na sua vida, esse nome teimava em ficar também constantemente na recordação pungente de suas reminiscências?

Era como se fosse uma mensagem enviada por mãos carinhosas, por mãos amigas e maternais; ela surgia sempre que se lembrava que não tinha nome nem família.

Surgia quando o desespero e a revolta o dominavam; então, sem saber explicar por que, murmurava baixinho: – Mariana... e era como se estivesse pronunciando: – Minha mãe... Então, a revolta e o desespero desapareciam inesperadamente e uma suave tranquilidade envolvia-o. Parecia que mãos macias e quentes acariciavam seus cabelos e que lábios ternos pousavam sobre seu rosto... Parecia que ouvia passos vagarosos ao seu redor e, mais de uma vez, ouviu balbuciar seu nome.

No dia em que recebeu a carta do velho Padre, muito cedo foi para o quarto e, como costumava fazer, abriu a janela e deitou-se, pois estava exausto.

Profunda tristeza invadia sua alma: recordar-se de que era o único na turma que não tinha ao seu lado um parente, só o Superior e alguns Padres do Colégio.

E como lutara para alcançar aquele pergaminho! Quantas renúncias e quantos sacrifícios!... Quantos anos de lutas e, agora, ao receber o tão sonhado diploma, não tinha ninguém para compartilhar com ele do triunfo alcançado...

Sentia-se sozinho... muito sozinho... fechou os olhos e com as mãos comprimiu o coração, cujo ritmo desordenado magoava-o...

Ouviu, então, os mesmos passos vagarosos que se aproximavam, sentiu a mesma mão macia afagando-lhe os cabelos, os mesmos lábios ternos pousarem no seu rosto e junto ao ouvido, muito sutil, murmurar: – Meu filho!...

Francisco Ignácio estremeceu emocionado, abriu apressadamente os olhos e ainda pôde distinguir um vulto branco que desaparecia.

Abriu a porta e saiu correndo pelo corredor. O velho casarão estava silencioso, todos dormiam; no fim do corredor, parou e, erguendo os olhos, fitou a cruz... Muito tempo ficou olhando-a e, aos poucos, foi ficando mais calmo, até que conseguiu coordenar seus pensamentos; e, sem fazer o menor ruído, abriu a pesada porta e saiu para o jardim.

Caminhou por muito tempo e, depois, sentou-se num velho banco. Queria afastar a visão perturbadora, mas inútil; revia o vulto branco e ouvia as mesmas palavras: – Meu filho!... – Que doce ternura, só em repetir essas palavras: – Meu filho!...

Era a suprema recompensa de seu sacrifício. Educado naquele Colégio, onde imperava o cristianismo romano, Francisco Ignácio seguiu fielmente os ensinamentos recebidos, mas, estudioso e observador, nesse período de sua vida já sentia que algo existia além do que lhe fora ministrado pelos Padres e mestres.

Jamais revelaria esses fatos e aí, sozinho, recordando-os, não tinha dúvidas da veracidade dos mesmos. Se contasse ao Superior, ele tentaria convencê-lo de que era cansaço ou, então, terrível tentação.

Guardaria, portanto, absoluto sigilo e, mais de uma vez, desejou que o vulto tornasse a volver, que a mesma frase fosse repetida: – Meu filho!...

Só muito tarde da noite, ele voltou para o seu quarto e conseguiu dormir.

Dias depois, recebeu o diploma de médico. Foi uma festa encantadora e, quando apertou nas mãos o tão sonhado troféu, recordou-se de que, muito distante dali, numa modesta casinha, oculta num pedaço de terra paulista, dois seres estavam irmanados com ele nessa hora marcante de sua vida. Recordava o velho Padre e o bondoso preto, que simbolizavam sua família.

Sentia que não os decepcionara e que soubera recompensá-los de todos os sacrifícios feitos por eles durante tão longos anos.

A batalha finalizara e, agora, restava somente colher os louros dessa vitória.

***

Trabalhador incansável, ávido de conquistas, Francisco Ignácio, logo que se formou, tentou iniciar nova vida.

Auxiliado pelo velho Superior, que o recomendou a um renomado médico, o jovem começou a trabalhar com ardor e dedicação.

Logo adquiriu a simpatia e a confiança do abalizado clínico. Ao lado do novo protetor e mestre, ele conseguiu novos êxitos.

Acompanhando-o constantemente, foi ficando conhecido e angariando valiosas amizades no seio da aristocrática sociedade.

Era realmente impressionante vê-lo ao lado do austero cavalheiro impecavelmente vestido, de rosto bondoso, onde sobressaía belíssima barba muito alva e bem tratada.

Francisco Ignácio continuava morando no Colégio e ocupando o mesmo quarto modesto.

Dedicado aos estudos, acompanhava com curiosidade a evolução da Medicina. Muitas vezes foi à procura do velho Superior, empolgado com novas e sensacionais descobertas e, juntos, discutiam acaloradamente, mas essas discussões não eram somente sobre Medicina; outros assuntos também surgiam e tão entusiasmados ficavam que iam em busca de outros padres, formando um círculo onde sobressaía a figura do jovem médico, debatendo em defesa dos seus pontos de vista.

Um dos assuntos que mais debates apresentava era sobre o movimento dos abolicionistas que, cada vez mais, firmava-se no cenário político da Corte.

Todos os Padres do velho Colégio abraçavam com sinceridade e amor o movimento libertador...

Francisco Ignácio era também um baluarte na defesa dessa ideia redentora. Suspeitou diversas vezes de que o Superior era um dos líderes do movimento, e que, no silêncio do austero casarão, importantes reuniões realizavam-se ocultamente, mas nunca procurou fazer com que o velho mestre lhe fizesse revelações.

Respeitava o silêncio do abnegado Mestre e ficava vigilante ao seu lado, pronto para defendê-lo; quanto mais discutia com ele, mais certeza tinha das suas suspeitas. E assim, entre o trabalho assíduo, os estudos e o convívio dos Padres, os meses foram se passando e Francisco Ignácio galgando vertiginosamente os degraus da fama.

Em poucos anos, estava conhecido, respeitado e disputado na sociedade. Jamais esqueceu o preto Ignácio e o Padre, que viviam despreocupados na mesma casinha, recebendo dele o necessário para viverem com fartura e felizes.

Mais de uma vez recebeu a visita de ambos. Foram dias inesquecíveis para os três; o tempo ia se passando, meses, anos, e o menino, que fora criado pela caridade daqueles bondosos Padres e do pobre preto, era um médico de renome cuja fama já se projetava muito longe.

Tendo falecido o médico que o recebera a pedido do Superior, Francisco Ignácio ocupou o seu lugar; estava assim assegurado o êxito de sua vida; teria somente de trilhar a reta já traçada.

SOMBRA OBSESSIVA

VIII - SOMBRA OBSESSORA

Durante esses longos anos, a vida na grande fazenda tinha passado por várias e sérias modificações. Apesar de ser ainda uma rica propriedade, estava entrando numa fase de estacionamento, na época em que Francisco Ignácio conquistava o diploma de médico.

A casa grande não fora modificada e, pelas paredes encardidas pelos anos e pela umidade, já se notava profundos defeitos.

No interior austero e luxuoso, o tempo tinha deixado também sulcos marcantes. Os estofados de vários móveis estavam desbotados e roídos, assim como as cortinas e tapeçarias. As palhinhas delicadas e finamente trançadas dos longos sofás e poltronas estavam arrebentadas. Vários bibelôs de finíssimas porcelanas tinham desaparecido sem que fossem substituídos. O piano sempre fechado, pois Matilde abandonara-o para sempre. No salão de refeições, podia-se ver as baixelas de prata que nunca mais foram ocupadas.

A casa vivia envolvida em pesado silêncio, que só era interrompido pelo gorjeio alegre dos pássaros pousados nas árvores próximas.

As escravas pisavam de leve e conversavam baixinho.

No imenso parque era visível também o abandono reinante; ainda era um belo parque, porém sem a grandiosidade passada.

As árvores seculares e majestosas ainda projetavam sombra amena e davam guarida à passarada, mas, nos troncos ásperos e rugosos, ervas daninha subiam tentando asfixiar o gigante colossal.

As estátuas de puro mármore, vindas da Itália, por altos preços e incalculáveis dificuldades, estavam esverdeadas pelo mofo.

Das flores raras e cultivadas com desvelo, muitas tinham desaparecido, minadas pela falta de humo; poucos exemplares ainda teimosos desafiavam o tempo.

Do terraço pitoresco, circundado de verdejantes e floridas trepadeiras, nada mais existia, permitindo que o Sol o invadisse completamente.

Só os campos é que se mantinham verdejantes e as terras impressionantemente férteis, proporcionando ao Visconde fartas colheitas.

Matilde, envelhecida e decepcionada, aceitara resignada os desígnios caprichosos do destino que a atirara, ainda adolescente, àquela distante fazenda.

Raramente saía, pois, tendo perdido os pais, resolveu ficar para sempre afastada da sociedade.

As cunhadas, já com filhas casadas e netos, também não podiam visitá-la e assim passou a viver isolada e anônima.

Ao lado do esposo, era simplesmente uma bondosa amiga; desde a morte de Josefa e Mariana e do desaparecimento de Ignácio, compreendeu que algo de terrível passara-se ali e jamais tentou descobrir. Temia pela verdade...

Não teve filhos e nunca se afeiçoou por uma criança, nem mesmo por um animalzinho. Sua única distração constituía na leitura dos jornais e livros que recebia assiduamente.

Fechada no quarto espaçoso com amplas janelas, de onde podia, mesmo deitada, avistar as serras distantes e a linha azulada do horizonte, Matilde lia horas seguidas. Tinha sempre ao seu lado, na cesta de costura, um trabalho de agulha que ela executava com verdadeira perfeição.

Não dedicou amizade a uma só escrava, tratando a todas com delicadeza, mas sem afeto. Mesmo à mucama que lhe servia desde o seu casamento, dispensava o mesmo tratamento.

Quando descia ao parque para pequenos passeios, passava indiferente pelas senzalas, sem olhar para os escravos; excepcionalmente falava com alguns.

Quanto ao feitor, era visível a antipatia que sentia por ele, apesar do marido lhe dedicar grande estima; quando os via juntos, não podia ocultar o desprezo que aquela amizade infundia-lhe.

Era realmente árida a sua vida e daquela alegre adolescente que aí chegara acompanhada de uma bela comitiva, nada mais restava do que envelhecida e triste mulher.

***

Quanto ao Visconde, era também impressionante a transformação; nada mais existia nele que pudesse relembrar o belo homem que fora.

Nada, absolutamente nada...

Andava devagar, apoiado numa grossa bengala artisticamente esculpida, na qual se podia ainda distinguir um pequenino brasão já quase desaparecido pelo contato contínuo daquela mão forte.

Os cabelos brancos e poucos, assim como a barba e o bigode, olhar triste, profundo, às vezes amedrontado; a pele de um tom amarelo e enrugada dava ao rosto um aspecto que causava imensa piedade.

Quem o vira anos antes, enérgico, autoritário, percorrendo a fazenda em fogoso cavalo, tendo ao lado o feitor, pronto para executar e atender as suas ordens, desconhecia agora o homem que raramente descia os degraus do terraço e aproximava-se da senzala ou de onde os escravos trabalhavam nos pátios junto à casa grande.

A propriedade estava entregue ao feitor, que administrava com toda a autoridade dada pelo Visconde. Todos os dias, subia até o escritório de André, onde este ouvia pormenorizadamente todos os detalhes fornecidos pelo administrador, desde os plantios, colheitas, vendas de cereais e animais, até a produção dos escravos, que eram tratados com severa disciplina e castigos.

A fazenda ainda produzia muito, mas o feitor vinha notando que as colheitas diminuíam e as pastagens minguavam.

Mais de uma vez comentou com o Visconde, não lhe ocultando os seus temores de que a rica fazenda não pudesse manter, por muitos anos ainda, o prestígio e a fartura que sempre teve.

André sacudia indiferente a cabeça e calmamente respondia:

– Paciência... Estou velho, não tenho filhos e, quando desaparecer, minhas irmãs tomarão conta de tudo e farão novas modificações.

O feitor assim não pensava e continuava a advertir o Visconde do perigo que se aproximava; não sabia exatamente o que tinha se passado anos atrás, mas, como a Viscondessa, suspeitava algo do sinistro drama que aniquilou para sempre a vida daquele homem, até então, bafejado pela sorte.

Durante muito tempo, tentou descobrir o paradeiro de Ignácio, depois, desanimado, esqueceu-o.

Nos primeiros anos, André tentou disfarçar o sofrimento que o martirizava. Saía com o feitor, percorria a fazenda, ia à cidade e interessava-se pelos problemas políticos, principalmente a abolição, que tomava novos rumos e angariava novos e valorosos adeptos.

Depois, foi deixando de percorrer a fazenda, de ir à cidade e passou a ficar em casa, fechado sozinho no escritório ou sentado no terraço, ainda fresco e florido.

À noite, conversava um pouco com Matilde e, depois, ia para os seus aposentos.

Quem passasse junto ao parque podia ver, até altas horas da noite, luz no quarto; e, nas noites enluaradas, a janela aberta, e ele debruçado contemplando a Lua redonda e clara, cujos raios prateavam as árvores, os montes e as estradas.

Que estaria pensando aquele homem rico e fidalgo? Assim perguntavam alguns velhos escravos, quando o viam sozinho no terraço ou junto à janela.

Muitos deles viram André menino, correndo em companhia de Ignácio, matando passarinhos, perseguindo os bois ou, então, brincando, escondido, com os negrinhos cativos.

Recordavam ainda quando ele voltou da Europa, trazendo a jovem esposa. Que festa grandiosa, que o tempo não conseguiu apagar na lembrança daqueles humildes negros.

Que diria o Sinhô velho Conde se visse o filho naquele estado?...

Mas o que teria acontecido? – era a pergunta constante que não encontrava resposta.

Só mesmo André sabia o porquê de seu aniquilamento e com ele guardava o terrível e doloroso segredo que o mantinha acorrentado.

Foi logo depois da morte de Mariana que sentiu, ao seu lado, aquela Sombra negra, fria e apavorante.

Nas primeiras manifestações sentiu medo, mas com esforço conseguiu coordenar as ideias e, tentando acalmar os nervos excitados, julgou que aquela Sombra era simplesmente fruto de sua própria imaginação.

Pobre Visconde!... Como estava enganado!

Jamais aquela Sombra o deixaria; iria persegui-lo constantemente até o fim... Até que humildemente se arrependesse e implorasse, com sinceridade, perdão.

Mas para aquele homem altivo, enérgico, orgulhoso da sua estirpe, da sua fortuna, aquele que jamais fora contrariado, que, desde o berço, sempre tivera ao seu lado todos submissos, pai, irmãs, esposa e centenas de míseros escravos, era difícil chegar a esse ponto... Porém, ao seu lado, estava a Sombra – fantasma terrível que o levaria, depois de muitos sofrimentos, a curvar-se vencido...

As suas noites eram longas, e a insônia, martirizante. Pelo seu cérebro passava constantemente o vulto de Josefa... a boa Josefa que o criara com desvelo e ternura de mãe... O vulto de Mariana, adolescente, pura, meiga... Aos seus ouvidos, o grito de Josefa no tronco e as súplicas de Mariana, nos seus braços fortes, prestes a ser maculada... Sentia, em suas mãos sacrílegas, o contato daquele corpinho tenro de recém-nascido e o estrebuchar do mesmo quando o estrangulou... Sentia as lágrimas de Mariana molharem seu rosto, como sentira durante o tempo que a manteve segura junto ao seu peito arquejante, louco de pecaminosos desejos... Via, num rápido lampejo, quando, satisfeitos seus instintos, atirou-a ao chão, rasgada, cabelos em desalinho, alma em farrapos... Ouvia o estrondo dos trovões e a luz rápida dos relâmpagos... Revia sua própria figura quando, no mísero casebre, a preta veio avisar-lhe que Mariana estava agonizante... Sentia como se ainda estivesse com os cabelos molhados e o suor frio escorrendo pelo rosto...

Mariana morreu antes de completar 16 anos; lírio puro imaculado, que jamais fora manchado mesmo quando lhe foi atirado lama.

Via quando, em companhia da escrava submissa, levara o corpo de Mariana, que fora perfeito, lindo, mas que, ao descer à cova rasa em plena mata, estava dilacerado, sujo de sangue.

Quando o corpo foi colocado no fundo negro da terra, André, sem poder se dominar, pousou o olhar no rosto tranquilo da morta, da sua vítima; parecia que, nos lábios de Mariana, pairava um sorriso enigmático e que a morte retivera as últimas palavras, talvez uma bênção para o filhinho que deixava entregue ao seu próprio verdugo.

A terra fresca, úmida pela tempestade, agasalhava o corpo de Mariana, e André tudo isso revia nas suas noites intermináveis, horríveis.

Passados os primeiros anos, sempre atormentado por essas recordações e pelos fantasmas de Josefa, Mariana, do velho pai, que também vinha acusar-lhe, André ia, aos poucos, aniquilando-se, como aniquilada estava a esposa, e breve estaria também a rica fazenda.

Porém, o que mais o torturava era o desaparecimento do preto Ignácio, seu companheiro de infância, dedicado e bondoso.

Por mais que tentasse revê-lo como quando menino ou então adolescente, ao seu lado, no colégio ou na Europa, não conseguia, via-o sempre envolto no clarão de um relâmpago, levando o pequenino fardo... ouvia o choro fraco da criancinha, de seu filho salvo... Onde estaria esse filho? Teria morrido? E se tivesse sobrevivido, onde estaria, com Ignácio? Mas que poderia fazer o preto velho e cansado?

E para aumentar ainda mais a sua tortura, estava a Sombra negra ao seu lado, sem deixá-lo um só instante. E quando dormia não conseguia livrar-se dos constantes sonhos, nos quais só bailavam os espectros das suas vítimas e as fases marcantes do seu hediondo crime, tão bem premeditado, mas em parte frustrado milagrosamente.

E assim, nessa angustiosa tortura, os anos iam se passando lentamente, e o Visconde, sentindo que as forças lhe faltavam e que o seu organismo estava sendo minado por terrível enfermidade, que breve o aniquilaria totalmente.

Nas rápidas conversas com Matilde, não lhe ocultava essa verdade e reconhecia que precisava de sérios tratamentos.

Quase com indiferentismo, a esposa ouvia tudo quanto André revelava-lhe e, fitando-o, não sentia a menor compaixão pelo seu companheiro de tantos anos. Não lhe perdoava as desilusões sofridas e o abandono em que sempre viveu naquela triste e distante fazenda.

Procurava olvidar o passado e recalcar as recordações que tanto lhe magoavam, mas, mesmo assim, sem que ela pudesse sufocá-las, constantemente estava lembrando velhas passagens, episódios alegres que marcaram a sua vida.

Quantas vezes, fitando a larga estrada, a porteira ao longe, revia, com os olhos nublados de lágrimas, a sua chegada festiva...

Voltava o olhar para o retrato do Conde, e revia-o em pé na escadaria do terraço, enquanto André, jovem e forte, descia do fogoso animal, entregando-o ao escravo, e corria para abraçá-lo... Fixava depois o olhar no esposo sentado à sua frente, de olhos fechados, pálido, fraco, enfermo.

Era horrível o contraste...

Matilde procurava encontrar a fonte donde tinha vindo todo o aniquilamento de André... Debalde... Jamais conseguiria descobrir o mínimo detalhe.

Foi numa dessas conversas que ela o aconselhou a ir até a Corte à procura de um médico e iniciar um tratamento sério.

Ao lado das irmãs, tudo seria fácil; porém, André não concordou e ela compreendeu que seria inútil tentar convencê-lo. E nada mais lhe disse.

***

E os dias continuavam na mesma monotonia. Tudo na casa grande era executado metodicamente, o mesmo horário para as refeições, a execução dos mesmos trabalhos feitos disciplinadamente pelas escravas, obedientes à rotina traçada por Matilde, que não encontrava um só motivo para uma repreensão.

Quando, pela manhã, saía dos seus aposentos e encaminhava-se para a sala de refeições, já a mucama zelosa estava à espera para servi-la.

Raramente descia ao jardim, nem mesmo quando florido.

Tinha sido para Matilde tão profunda a sua desilusão, que a deixou insensibilizada, nada lhe entusiasmava, nada lhe alegrava... Deixou de admirar as coisas belas e delicadas, as flores, os pássaros, as paisagens bonitas, o céu, o luar...

Não sentia ternura pelas crianças... Quando sabia que, na senzala, nascera uma criancinha, recebia a comunicação como quando sabia que nascera algum bezerro ou potrinho.

Andando pelos salões do velho casarão, pisando de leve sem fazer o menor ruído, parecia um fantasma. Vestindo longos vestidos, os cabelos simplesmente penteados, sem um só adorno, era, assim mesmo, bonita.

***

Certa noite muito escura, prenunciando temporal, estava André sentado no terraço quando, de repente, ouviu, vindo do salão, acordes suaves executados no velho piano, fechado há muitos anos.

Deu um salto da cadeira e, quase correndo, entrou no salão iluminado pelas velas do candelabro, colocado em cima de um dos consoles; parou atônito ao ver Matilde, toda vestida de preto, dedilhando uma antiga canção.

Teve a impressão de que os retratos de seus pais e avós tinham tomado formas e, sentados nas cadeiras de jacarandá, ouviam enlevados a música do passado, executada por Matilde...

Preso ao mesmo lugar, não podia falar nem afastar a alucinante visão, e a música continuava... Continuava... De repente, olhando em direção ao longo corredor, viu, encaminhando-se para o seu lado, Mariana adolescente, linda, trazendo nas mãos a bandeja de prata com o bule grande, o açucareiro no qual ele via os seus brasões, as xícaras de fina porcelana...

Ela vinha chegando e já estava quase junto dele quando, apavorado, deu um grito estridente e, correndo, saiu em direção de seu quarto; empurrou a porta e depois bateu com força.

Matilde deixou de tocar, fechou o piano, apagou as velas dos candelabros e, tomando o castiçal que estava ao lado, vagarosamente saiu do salão, passou pelo quarto do esposo e foi para o seu.

Entrou silenciosamente, sem se preocupar com o que se passava com André.

No dia seguinte, soube pela mucama que ele ainda não tinha se levantado.

Terminou de tomar calmamente o café, depois ficou ainda muito tempo junto à janela, olhando o campo distante e os escravos que, em grupos, trabalhavam nos pátios junto às senzalas.

Ouvia o ranger dos carros de bois pesados e lentos, cheios de sacos em direção à estrada...

Viu quando o feitor saltou do cavalo, entregando as rédeas a um escravo; as botas estavam enlameadas, o grande cão cansado, com a língua pendente. Ele procurou a sombra de uma velha árvore; as galinhas, apavoradas com a presença do inimigo, batendo as asas num alarido estridente, correram para o outro lado.

Matilde ouvia a voz rude do feitor transmitindo ordens e sentia, no coração, uma dor aguda como jamais sentira. Tinha as mãos geladas e úmidas de suor; era o começo de grave enfermidade.

Num esforço enorme, conseguiu dar alguns passos, sentando-se perto da grande mesa; estava sozinha, as escravas na cozinha trabalhavam despreocupadas... Muito tempo ficou Matilde sentada, até que, refeita, resolveu ir ver como estava passando o esposo.

Devagar, encaminhou-se para o quarto dele, empurrou a porta e entrou sem fazer barulho. O aposento estava envolto em completa escuridão, a janela fechada; Matilde aproximou-se e abriu-a de uma só vez.

Um jato de luz forte do Sol invadiu o quarto abafado; voltou-se e deparou com André deitado, com as mãos sobre o peito; estava pálido e os cabelos despenteados e brancos caíam sobre sua testa, dando-lhe um aspecto impressionante.

A barba crescida e o bigode comprido acentuavam mais o aspecto daquela ruína de homem; mesmo assim Matilde não se comoveu... Junto à cama, chamou-o muitas vezes...

Sem abrir os olhos, o enfermo falou, tentando afastar com as mãos mirradas, de dedos longos, a Sombra que o perseguia, dizendo, apavorado, frases que a esposa não podia compreender:

– Sai!... Sai!... Deixa-me em paz!... Por que me persegues? Quem és?

Fala!... Fala!... – gritava alucinado, fazendo força para se erguer; porém estava fraco e debalde debatia-se, procurando agarrar-se nos braços de Matilde.

– Ajude-me! – pedia ele. – Afaste essa Sombra negra, fria, que está me matando!... Ajude-me, eu lhe imploro!

Enquanto André se debatia nesse delírio, Matilde, em pé, segurando as mãos trêmulas do esposo, pensava aflita: – Que sombra será essa que tanto o atormenta?... – não era a primeira vez que presenciava esses delírios do esposo.

No decorrer desses anos longos, já tivera a oportunidade de assistir a essas manifestações.

Muitas noites, no silêncio profundo do casarão, acordava assustada com os gritos estridentes vindos do quarto do esposo; levantava-se e tentava auxiliá-lo, porém encontrava sempre a porta fechada.

Parada, ficava ouvindo tudo. Eram sempre as mesmas frases. Recordava-se, entretanto, que ouvira entrelaçados os nomes de Mariana, Josefa e Ignácio, e suspeitava que todo o drama torturante que martirizava André estava ligado a essas três criaturas; duas mortes repentinamente, um desaparecido, levando com ele o segredo terrível que ela jamais iria conhecer, mas que tinha destruído a sua vida, a sua felicidade.

Queria auxiliar o esposo, confortá-lo, mas as palavras morriam na sua garganta ressequida.

Ao seu lado, naquela manhã tão linda, tão clara, tão cheia de luz e calor, tentava dizer algumas frases amigas, mas impossível... André segurava com força as suas mãos, umedecendo-as com seu suor frio e pegajoso.

Matilde conseguiu desprender uma das mãos e, sentando-se ao seu lado, afastou os cabelos da testa e, com a ponta do alvo lençol de linho, enxugou o rosto pálido e transtornado do infeliz enfermo.

Há muitos anos que não lhe dedicava um gesto de ternura... Sorriu tristemente quando ele, abrindo os olhos, disse-lhe, mais calmo:

– Graças a Deus, ela afastou-se um pouco...

Ela... A Sombra fria, apavorante...

Para Matilde, essa terrível cena teve consequências fatais. Desde essa manhã, jamais deixou de sentir a dor aguda no coração, que, aos poucos, ia mirrando-lhe as forças... as energias...

***

André, engolfado nos pensamentos que o torturavam, não se apercebia do estado grave da esposa.

As escravas notaram e, baixinho, na cozinha e nas senzalas, comentavam penalizadas.

Matilde não as estimava, mas também nunca as castigou; diversas vezes, chegou mesmo a impedir que o feitor rude e cruel executasse um castigo.

Com as mucamas também as tratou assim, sendo que, nos primeiros anos de casada, quando ainda alimentava ilusões e esperava algo de bom na vida, chegou a tratar, principalmente a sua mucama preferida, com certo carinho e bondade. Mas depois que Mariana e Josefa morreram e Ignácio desapareceu, ela transformou-se para nunca mais voltar a ser o que fora.

Quando sentiu que realmente estava gravemente enferma, foi que notou o completo isolamento em que vivia.

Sem o amor do esposo, sem os pais, longe das cunhadas, quase desconhecida, sem o carinho e a dedicação das escravas, sendo inteligente e instruída, compreendia perfeitamente o fim que a esperava.

Quantas vezes, fechada no seu quarto, procurava fazer um exame de consciência, recapitulando a sua vida, e constatava que, se não tinha faltas para remir, também não tinha nada feito que a dignificasse...

Era religiosa, porém sem fervor; rezava todos os dias e, como não se afastava da fazenda, também não tinha oportunidade para ouvir missas, confessar e comungar. Rezava diante do imponente altar de jacarandá esculpido, olhando as belíssimas imagens, algumas seculares, porém rezava sem que essas orações tocassem sua alma; chegava a sentir que de nada lhe valiam aquelas rezas, mas continuava rezando, assim como continuava ao lado de André, simplesmente por cumprir um sagrado dever.

Quando sentiu que estava seriamente doente, procurou fazer com mais cuidado seus exames de consciência, vendo e sentindo, então, quanto estéril fora a sua existência.

Se, quando moça, no momento que fora atingida pelo abandono do esposo, tivesse tomado outro rumo, agora não estaria tão só... Quantas crianças teve ao seu redor, sem que de uma só se apiedasse...

Recordava tudo o que lhe contara o velho Conde, desde a morte da esposa até o casamento do filho. Ficara também sozinho, mas nada lhe faltou, pois teve em Josefa uma fiel e dedicada amiga, sempre ao seu lado, carinhosa, procurando cercá-lo de todo afeto e respeito.

Teve em Mariana uma filha extremosa, que lhe proporcionou momentos de infinitas ternuras...

Nunca esteve sozinho, pois além dessas duas criaturas admiráveis, teve o apoio de todos os escravos, que encontravam nele, o Sinhô Conde, o amigo bom e compreensivo...

Morreu confortado e a sua morte foi sentida e chorada; mas ela e André não seguiram esse exemplo e, em pouco tempo, tudo destruíram; assim pensava Matilde, sozinha, no seu quarto fechado.

Naquele enorme casarão, sempre silencioso, não tinha o sorriso de uma criança nem a presença de um animalzinho de estimação.

Agora, seria demasiado tarde para uma reparação; esperaria resignada o fim que estava se aproximando, não tinha recomendações a fazer, nem dádivas para deixar.

Certa noite, quando a dor tinha diminuído, mas a insônia a perseguia, levantou-se e foi abrir uma das gavetas, onde guardava suas joias e, fechando os olhos, reviu o instante em que as recebera.

Quando abriu o escrínio onde estavam as joias que pertenceram à mãe de André, e que o Conde oferecera-lhe como presente de casamento, sentiu que as lágrimas corriam pelo rosto, caindo sobre as pedras preciosas.

Baixinho, então, perguntou:

– Para onde irão essas joias depois de minha morte?... Para as irmãs de André?... Para a Corte distante?... – tão diferente do que desejava o velho fidalgo... tão diferente...

Soluçando, guardou as joias e fechou a gaveta, depois de arrumá-la cuidadosamente. Devagar, encaminhou-se para outro móvel, parada ficou muito tempo, depois, resoluta, abriu; suas mãos tremiam e nos seus olhos as lágrimas ainda brilhavam... Pegou uma cadeira e sentou-se. A noite estava abafada e o céu escuro e sem estrelas prenunciava forte tempestade. Matilde sentia que a dor aumentava, não queria chamar a mucama, preferia estar sozinha...

Por que aquela ânsia de rever coisas guardadas há tanto tempo?... Era como se se despedisse... parecia que ia partir para muito longe...

Tirou do velho móvel diversas peças de roupas finamente bordadas, enfeitadas de rendas e fitas amareladas pelo tempo.

Eram peças do seu enxoval, feitas na Europa. Revia quando as comprou ao lado de sua mãe, fazendo a escolha com alegria e cuidado.

Revia a Capital francesa, onde viveu os melhores anos de sua vida, só deixando-a para seguir o homem que amava.

Deixara confiante a Capital famosa, pela fazenda distante e desconhecida. Tinha confiança no homem que escolhera para seu companheiro e, feliz, tudo deixou.

Com as peças no colo, ia recapitulando tudo. Primeiro, quando ergueu o Castelo das suas ilusões, depois, os primeiros embates, as primeiras lutas, as primeiras derrotas, até o desmoronar completo, as ruínas donde jamais pôde reerguer-se...

Bruscamente, enrolou tudo e atirou na gaveta, fechando-a com força.

O peito arfava, a dor aumentava; foi para junto da janela, abrindo-a toda; vento forte e frio começava a sacudir violentamente as árvores e, no céu escuro, relâmpagos cruzavam.

Não podia ver nada, tudo estava envolto pelo escuro aterrador, somente alguns pirilampos acendiam a pequenina luz.

Nenhum barulho vinha da senzala, todos dormiam; só ela e André estavam acordados. Teve ímpetos de procurar o esposo quando sentiu que a dor a martirizava com mais frequência, porém logo desistiu.

Compreendia que ele nada faria e que também estava muito enfermo. Teve medo quando um trovão reboou com fúria e, depressa, fechou a janela.

O quarto, suavemente iluminado pela luz de um lampião, dava-lhe um certo conforto.

Começou a sentir frio e um suor gelado umedecendo seu corpo; aproximou-se do oratório e, ajoelhando-se, rezou uma breve prece.

Sentiu que a luz diminuiu o brilho e que tudo vacilou ao seu redor; com esforço ergueu-se e ainda teve forças para fitar a imagem da Virgem Santíssima, depositando um beijo em suas mãos; cambaleando, alcançou o leito e caiu quase sem sentidos.

Passados alguns instantes, abriu os olhos e comprimiu o coração; a luz do lampião estava quase extinta...

Matilde foi novamente sacudida por intensa dor; era o fim...

O grande relógio do salão badalou exatamente duas horas da madrugada. O som forte repercutiu por todo o casarão silencioso...

Matilde não mais ouvia esses sons... Quis pronunciar o nome de André, mas não pôde... Suavemente deixou de respirar e mergulhou no sono final.

Morrera sozinha, numa noite feia, escura, tempestuosa...

Pela manhã, a mucama, como habitualmente fazia, preparou o café e ficou esperando que Matilde viesse, para servi-la.

Estranhou a demora, mas não quis ir chamá-la; naturalmente não passara bem a noite e repousava um pouco mais.

Quando André veio para o salão, não notou a falta da esposa. Devagar, tomou o café e foi conversar com o feitor, que o esperava no terraço para tratar de assuntos urgentes.

Quando ele saiu, desceu para o jardim.

Alarmada com a demora de Matilde, a mucama resolveu ir ao quarto chamá-la; bateu de leve na porta, nada... Bateu outras vezes, sem ouvir o menor barulho.

Tentou abrir a porta, porém estava fechada.

Novos chamados, e o mesmo silêncio.

Quase correndo, foi chamar outras escravas que, alarmadas, foram à procura do Visconde, que calmamente passeava pelo parque úmido.

André não se alterou e, devagar, seguiu a mucama aflita.

Junto à porta, chamou pela esposa. Tentou entrar, mas a pesada porta resistiu. Mandou chamar o feitor, que pronto atendeu e, pela janela, conseguiu entrar no aposento.

Aberta a porta do quarto, depararam-se com Matilde morta no leito.

No rosto bonito, a morte não tinha deixado feios estigmas.

Com simplicidade, foi sepultada junto aos Condes, e uma placa de mármore, com o seu nome, foi ali colocada.

André acompanhou o enterro da esposa e, quando voltou para a fazenda, vinha mais alquebrado, mais aniquilado...

Foi ao entardecer que chegou em companhia do feitor. Ao transpor a porteira, divisou ao longe, com as janelas fechadas, o casarão branco, meio oculto pelas árvores e palmeiras.

No parque, um escravo esperava-o; entregue as rédeas, despediu o feitor e, devagar, começou a subir a velha escadaria.

No terraço, sentou-se e ficou olhando as trepadeiras que começavam a fenecer. Não se moveu quando a mucama abriu uma das janelas do salão e colocou, sobre o console, um candelabro.

O silêncio era impressionante e a noite escura já cobria a Terra com um manto pesado e negro. O céu sem estrelas. André, sozinho no terraço, meditava e sentia que o coração batia lentamente...

Como sofria aquele homem, que tanto fora bafejado pela sorte, mas que, inesperadamente, tudo perdera. Vivia amedrontado; ao seu lado, sempre aquela Sombra apavorante... Era o fantasma terrível que o perseguia desde a morte de Mariana, não lhe dando um só instante de tranquilidade.

E, agora, como poderia viver sem a companhia da esposa?

**

Desde a morte de Matilde, iniciou-se o declínio da grande fazenda; André tudo entregou ao feitor, passando a viver alheio a todos os negócios e, quando procurado, ouvia sem interesse para depois dizer: – Faça como achar melhor – e, sem esperar resposta, dirigia-se para seus aposentos, onde permanecia fechado muito tempo.

O feitor, ambicioso, tirava proveito dessa apatia e resolvia os negócios com poucos lucros para o infeliz Visconde.

As plantações foram ficando abandonadas e as colheitas esparsas. As pastagens mirrando e o gado desaparecendo.

Quando André resolvia sair, notava tudo isso, mas não tinha coragem para enfrentar novas lutas.

– Para que lutar? – pensava ele. – Para quê? Estou só...

Imediatamente a Sombra fazia-se mais nítida ao seu lado; forte arrepio percorria seu corpo e, caminhando apressado, procurava refúgio no quarto fechado. E assim os dias iam se passando morosamente e na fazenda a destruição acentuava-se.

A casa, de paredes encardidas; nos salões, os revestimentos de papel estavam rotos e desbotados. As cortinas e tapetes rasgados; nos jardins, o mato crescia e as trepadeiras do terraço estavam mortas.

Mais de uma vez, o feitor aconselhou André ir à Corte passar uma temporada, mas ele não concordava; queria viver ali mesmo, queria morrer na casa em que nascera.

Se pudesse afastar a Sombra que o perseguia... Sorria tristemente quando lhe vinham esses pensamentos; mas jamais conseguira isso. A Sombra estaria junto dele, junto até o fim.

Quando pensava em Mariana e no filho que estrangulara, sentia que a Sombra ficava mais ligada a ele e mais nítida; mesmo assim não sentia remorsos do que fizera...

Em sua alma orgulhosa, Mariana, mísera escrava, pertencia ao senhor; mas a morte do filho era o grilhão que feria a sua carne...

Sempre que recordava o drama, tinha medo e, com o decorrer dos anos, mais dolorosa seria essa recordação.

A moléstia persistente minava-lhe o organismo enfraquecido.

Sem assistência médica, sem os desvelos de uma esposa, filha ou irmã, o infeliz Visconde era um fantasma, que percorria o velho casarão de tantas glórias passadas.

Alheio a tudo que se passava na Província e na Corte, André ignorava o impulso abolicionista...

Não lia os jornais e as poucas cartas que recebia das irmãs eram lacônicas, poucas palavras, poucas novidades...

Assim também as respondia.

Mesmo sua irmã Maria Luíza, que morava mais perto, pouco visitava.

Os amigos esqueceram-no, pois ele nunca respondia as cartas que recebia.

O grande círculo de amizade mantido pelo Conde foi também desfeito.

Só não ficou completamente olvidado, devido ao nome ilustre que possuía e o muito que fizera seu pai pelo engrandecimento da Província querida, que já se despontava orgulhosa e com ímpetos avassaladores de progresso.

As terras férteis iam sendo desbravadas e novas cidades surgiam, novas fortunas avolumavam-se e novos brasões eram criados, formando novas e vigorosas estirpes.

Os nomes de André e do velho Conde ainda eram pronunciados com respeito.

Certa tarde, recebeu a visita inesperada do feitor, que veio participar-lhe outros revezes, outras dívidas vencidas e outros compromissos que necessitavam prontas providências, mas que André nada mais podia fazer.

Desanimado, o feitor retirou-se, já arquitetando um plano seguro para se afastar definitivamente da fazenda que pouco rendia. Tinha feito um sólido patrimônio e, agora, sem compaixão, iria abandonar aquele que o protegera tantos anos.

Sobre a mesa, deixou um jornal que, casualmente, André pegou e começou a ler sem entusiasmo.

Logo na primeira página, uma notícia despertou-lhe a curiosidade: "Aproximação da sonhada abolição no Brasil - lutas e polêmicas".

O Visconde começou a ler atento.

***

Corria o ano de 1887. O Imperador partira para a Europa numa das suas habituais viagens e a jovem Princesa ocupava o Trono Brasileiro.

Como seu augusto pai, a Princesa era fervorosa abolicionista.

Jamais se conformou com a escravidão na sua amada terra, e via com entusiasmo o avanço da ideia redentora.

Cada dia avolumavam-se mais os adeptos, empolgados pela campanha feita principalmente pelo grande José do Patrocínio, talvez a maior figura da abolição, jornalista notável e orador que empolgava.

Ao seu lado, outra impressionante figura, o negro Luiz Gama, também destacado tribuno; poetas ilustres, como o insigne baiano Castro Alves, mantinham aceso o facho luminoso do ideal abolicionista.

Luiz Gama sobressaía-se pela sua personalidade, pois era dotado de imensa bondade e profunda ternura; tinha, entretanto, ódio tremendo contra todos os meios de opressão. Como ele podia realizar o grande milagre de poder manter esses dois sentimentos tão chocantes? Mas ele os mantinha, talvez, pelo muito que desejava a liberdade dos seus irmãos de infortúnio, acorrentados às pesadas algemas do cativeiro.

Os abolicionistas coesos formavam sociedades onde, reunidos, traçavam planos, recebiam adesões, organizavam festas e passeios com o fim de angariarem meios com que pudessem levar adiante a ideia e obter também a liberdade de muitos negros.

Por toda a vastidão das Províncias, até mesmo nas mais longínquas, a ideia empolgava...

Era diminuto o número dos adversários e estes estavam localizados principalmente no Sul, onde os grandes e abastados fazendeiros tinham as suas ricas e valiosas propriedades mantidas pelo braço escravo do negro.

Mesmo assim, muitos desses fazendeiros estavam reconhecendo a nulidade dessas teimosias e resolveram, então, libertar muitos escravos, porém, exigindo grandes indenizações.

Assim, ia cada vez mais crescendo o movimento e apaixonando avassaladoramente a opinião pública.

Homens ilustres, diariamente, aderiam ao movimento, batalhando com ardor e coragem.

Seria inútil tentar reter essa poderosa avalanche que sacudia todo o País e todos os brasileiros de coração bondoso que viam, na escravatura, a mancha que ofuscava a soberania da Pátria.

O querido e venerando Imperador, que também era partidário da abolição, mas que, ponderado e para evitar sérios desentendimentos, achava que deveria ser feita a libertação com prudência e vagarosamente. Compreendia que não seria perdoado por muitos fazendeiros que, naturalmente, deixariam de apoiar a Monarquia; mesmo assim era sincero adepto do movimento, assim como a Imperatriz e a Princesa.

Lutas tremendas eram travadas em polêmicas terríveis, quer nos Congressos quer pelos jornais.

Foi assim, casualmente, que André leu o jornal deixado pelo feitor e indiferente leu os debates; e viu, com clareza, que breve estaria vitorioso o ideal defendido pela maioria dos brasileiros.

Estava com sessenta e cinco anos, mas parecia ter muito mais.

Com a morte de Matilde, foi completo o seu aniquilamento; os cabelos completamente brancos, olhar parado e triste, andar lento e curvado, apoiado numa grossa bengala, tinha o aspecto de um ancião na decrepitude.

Pouco lhe interessava que fosse abolida a escravatura e que os negros abandonassem a fazenda. Nada mais queria, nada mais desejava; somente queria ficar livre da Sombra perseguidora, mas essa jamais o deixava, estava sempre ao seu lado, quer de noite, quer de dia.

Na fazenda, os escravos sabiam do movimento e ansiosos esperavam pelo alvorecer desse grande dia; e nos recantos escuros das senzalas, formavam grupos que comentavam as novidades que esparsamente lhes chegavam. Comentavam também o declínio da velha fazenda, a traição do feitor e o estado deplorável do Visconde.

Os antigos escravos recordavam-se quando ele, moço e enérgico, administrava a fazenda, que prosperava sempre; mas, de repente, ele mudou e tudo foi se desmoronando até chegar ao ponto de completo declínio.

E se fosse abolida a escravidão?

Ali não poderiam continuar, teriam de procurar novos rumos, ansiavam pela liberdade, eram como pássaros cativos que se debatiam contra as grades das gaiolas, ávidos de poderem alçar voos pela amplidão azul do Infinito.

Como seria feliz o dia em que os míseros escravos, algemados durante anos, vissem as portas das senzalas abertas e, ao longe, a estrada ampla que os levaria para um mundo melhor e desconhecido, onde pudessem viver sem o terrível feitor e seu chicote!

Muitos escravos iriam preferir ficar nas mesmas fazendas onde eram tratados com mais brandura e mais humanidade. Libertos, continuariam trabalhando nas mesmas terras, mas, na fazenda de André, isso não iria acontecer, pois, há muito, que os infelizes negros eram ali tratados com rigor, recebendo do feitor prepotente castigos severos e cruéis. Muitos ainda recordavam a morte de Josefa e o desaparecimento misterioso de Mariana.

Até a lembrança do velho Conde estava quase extinta; só os velhos escravos ainda recordavam do tempo em que viveu o velho e bondoso fidalgo.

Com a aproximação da abolição, os negros jovens e robustos tinham no olhar um brilho intenso e, ansiosos, esperavam pelo grito redentor que, agora, nesse ano de 1887, estava tão perto.

O Imperador ausente e, no Trono, a Princesa, era propício para os adeptos da grande cruzada que trabalhavam arduamente para que fosse concretizado o sonho de milhares de infelizes escravos.

Findava o ano, e todo o País era sacudido pelas notícias espalhadas e pelo alarido das discussões, das polêmicas...

***

Surgiu finalmente o ano de 1888... ano que nasceria para a posteridade um dia glorioso no calendário do Brasil:

13 de maio de 1888 – Dia em que uma excelsa mulher, nascida da mais pura nobreza, esqueceu que, com um pequeno gesto seu, perderia o Trono dos seus antepassados, seria afastada da sua Pátria amada, não só ela como toda a sua família; mesmo assim, não vacilou e, no momento preciso, corajosa e destemida, empunhou com a mão firme a pena e, debaixo do mais profundo e emotivo silêncio, assinou a lei que iria libertar os pretos de todo o Brasil...

Não tremeu a mão da augusta Princesa e, nos seus olhos do mais límpido azul, perpassou um clarão que só os santos conseguem ter, pois, naquele momento, realmente, tinha aureolado sua cabeça o esplendor da santidade...

No vasto e nobre salão, reboou uma salva de palmas e aclamações delirantes; muitos choravam de alegria...

Nesse instante, apareceu, dentre a multidão, José do Patrocínio, baluarte da gloriosa campanha que, tomado de emocionante entusiasmo, atirou-se aos pés da Princesa e quis, agradecido, beijá-los.

Nas ruas, a multidão esperava a grande notícia, e quando, de uma das janelas, Nabuco transmitiu a notícia esperada, aquela massa compacta, tomada de incontido júbilo, aplaudiu delirantemente o gesto redentor da Princesa e, imediatamente, em todos os recantos da cidade, a notícia foi transmitida.

Estavam libertos os escravos no Brasil e a mancha negra que enfeiava a nossa Pátria desaparecera para sempre.

Foram dias de festa na Corte e depois a notícia transmitida para todos os recantos das Províncias...

Nas fazendas, a balbúrdia foi intensa; os negros, atordoados com a liberdade conquistada, não sabiam qual o rumo que deviam tomar...

Os fazendeiros, também atingidos pelo grande acontecimento que marcava nova etapa na vida do Brasil, estavam aturdidos.

A confusão avolumava-se e dessa confusão surgiram muitas ruínas, muitos desastres financeiros, que abalaram velhas e sólidas fortunas...

Precisaria muito tempo para que fosse novamente normalizada a situação; para isso, trabalhavam os mais destacados brasileiros, procurando uma fórmula capaz de manter o equilíbrio financeiro da maioria dos fazendeiros, que se debatiam na maior crise que atravessava o Império Brasileiro.

Na fazenda do Visconde, a notícia chegou com muitos dias de atraso, e André recebeu-a com indiferentismo; recusou-se a ouvir alguns pretos que o procuraram para, com ele, traçarem um plano que pudesse suavizar a terrível situação.

Desanimada, a maioria foi, aos poucos, deixando a fazenda. O feitor, há muito, tinha abandonado o Visconde. A fazenda ficou entregue a alguns velhos negros que, recordando ainda a bondade do velho Conde, não tiveram coragem de deixar o lugar onde nasceram e sempre viveram.

O abandono era completo, e André, enfermo, até que foi preciso que um dos negros fosse até a cidade à procura de Maria Luíza, a única irmã que residia próximo.

Imediatamente, veio ao encontro do irmão e, sem que ele protestasse, levou-o para sua casa.

Na fazenda, os últimos escravos ficaram à espera de uma oportunidade para também deixá-la.

Era desolador o estado em que ficou a rica propriedade depois da abolição.

A casa grande fechada, as paredes tomadas por uma grossa camada esverdeada e, em muitos lugares do reboco caído, mostravam-se tijolos também enegrecidos.

O terraço, sem a trepadeira que o enfeitava e com a escadaria carcomida; no parque, o mato invadiu os canteiros, matando as flores, e as árvores frondosas foram, aos poucos, morrendo, vítimas dos cipós daninhos que as asfixiavam, sorvendo-lhes a seiva.

As esbeltas palmeiras também feneciam depois de longos anos de vitalidade e beleza.

A estrada mal tratada e a porteira quebrada.

As senzalas sujas, tendo abandonadas, nos cantos, montes de enxadas enferrujadas e de cabos quebrados.

Num quarto, os instrumentos de tortura...

Nos depósitos e paióis, montões de palhas podres, últimos vestígios da derradeira colheita.

Carros e carroças encostados junto aos estábulos.

Os campos, que foram verdejantes, estavam amarelados.

Os cafezais extintos, restando algumas centenas de velhos pés ainda verdes e floridos, porém cercados de mato.

No pomar, que fora orgulho do velho fidalgo que o iniciara, nada mais existia, além das frondosas jabuticabeiras que ainda teimavam em viver no meio daquela desolação.

Só alguns escravos ainda ali ficaram, construindo suas pobres habitações, um tanto afastadas do casarão, e onde pretendiam iniciar uma pequena plantação numa faixa de terra cedida por André num momento de tranquilidade.

Foi esse grupo de antigos escravos que, reunido perto do parque, esperava a partida de André.

Junto à escadaria, uma carruagem.

Com que compaixão viram o Visconde aparecer apoiado no braço da irmã e na grossa bengala.

Desceu com dificuldade e sentou-se perto de Maria Luíza, que deu ordem para que a carruagem seguisse.

Quando esta passou junto ao grupo de escravos libertos, André pediu para que parasse.

Obedecido, chamou um dos pretos e pediu para que não abandonassem a fazenda e que tomassem conta da mesma.

Sem esperar resposta, deu ordens ao cocheiro para que partisse; recostou a cabeça no ombro amigo da irmã e fechou os olhos, evitando fitar aquele recanto de terra em que nascera.

***

Quando compreendeu que tinha passado a porteira, abriu os olhos; na sua frente, as montanhas verdes e o perfume forte dos campos; sentia a maciez das mãos de Maria Luíza sobre as suas e olhou o rosto ainda belo da irmã.

Morava tão perto dela, mas pouco a visitava, principalmente nos últimos anos...

Pensava que, talvez indo para a casa dessa bondosa irmã, ficasse livre da Sombra perseguidora.

Teve ímpetos de tudo lhe confessar, mas seria necessário confessar também o crime praticado, que jamais ninguém suspeitou...

Não... Nada diria, levaria para o túmulo o seu segredo; teria forças para enfrentar esse fantasma...

Pensando assim, André abriu os olhos numa curva da estrada, quando a carruagem foi violentamente sacudida.

Nesse instante, ele viu nitidamente a Sombra entre ele e Maria Luíza... era perfeitamente visível.

Todo seu corpo foi sacudido por um estremecimento violento e a bengala caiu das suas mãos trêmulas.

A irmã, surpreendida, chamou-o repetidas vezes, pensando que fosse a emoção de ter abandonado enfermo a velha fazenda e, com palavras carinhosas, tentou reanimá-lo; pegou a bengala e pôs novamente em suas mãos.

Com um lencinho, enfeitado de finíssimas rendas e suavemente perfumado, limpou o suor que corria pelo rosto do seu único irmão.

Profunda piedade invadiu a alma boa de Maria Luíza, assim pensando:

– Como pôde André chegar àquele ponto? O que teria lhe ocasionado tão profundo desgosto?

Teve vontade de perguntar, mas, olhando o rosto triste de André, faltou-lhe coragem.

Em silêncio, a viagem continuava e André ainda sentia, sempre junto a si, a Sombra... era terrível e por mais que se esforçasse para não vê-la, ela ali estava firme... visível.

Já perto da cidade, foi que Maria Luíza, ainda acariciando as mãos do irmão, disse-lhe:

– André, acho que deves ir à Corte e lá, em companhia das nossas irmãs, procurar um médico e iniciar um sério tratamento. Há muito que devias ter feito isso; agora que estás sozinho e a fazenda abandonada, precisas tratar da tua saúde, para depois tentar reerguê-la. É um patrimônio de família que não deve e não pode ser desprezado.

André ouvia as palavras da irmã em silêncio, reconhecia que eram justas as suas ponderações, mas jamais teria coragem de enfrentar tão grande tarefa.

Maria Luíza continuava falando, enquanto André pensava. Insistindo, conseguiu finalmente que o irmão lhe prometesse ir à Corte em busca de tratamento.

Ao chegar à cidade, André ficou confuso com o movimento das ruas; há quanto tempo não saía da fazenda.

Recebido com atenção pelo cunhado e com alegria pelos sobrinhos, André sentiu agradável bem-estar.

A casa acolhedora de Maria Luíza impressionou-o profundamente; o quarto que lhe fora preparado era amplo e sobriamente mobiliado, com janelas para a rua.

Logo que chegou, pretextando cansaço, foi para o quarto, onde se deitou por alguns momentos.

Olhando para os retratos de seus pais, sentiu que o coração batia com força e, sem poder reter os pensamentos, recordou aqueles dois seres admiráveis; principalmente o Conde, que deixou para ele tão vastos e edificantes exemplos, mas, na trajetória atribulada de sua existência, esses ensinamentos foram totalmente olvidados.

Os últimos anos decorridos, ele os passou mergulhado num torpor de profundo alheamento; nada o interessava, nada fazia vibrar a sua alma torturada. Vivia envolto na mais torturante insensibilidade.

Só agora é que podia avaliar como era árida a sua vida, ao confrontá-la com a de sua irmã, muito mais velha que ele e, entretanto, bonita, alegre, feliz ao lado do esposo que também demonstrava belo aspecto, forte, enérgico e respeitado.

Na fazenda que possuíam, a libertação dos escravos pouco alterou o ritmo de trabalho; os pretos continuaram ao lado dos senhores bondosos e amigos.

Maria Luíza era estimadíssima e, quando ia passar temporadas com os filhos, a fazenda vivia dias alegres e festivos.

Tanto ela como o esposo, logo depois da abolição, começaram a estudar um sistema de organização em que os escravos pudessem iniciar nova e próspera vida.

Largas faixas de terra foram-lhes entregues para que pudessem plantar e, aos poucos, irem se integrando às novas conquistas adquiridas depois de longos e cruéis anos de cativeiro.

***

André, antes de partir para a Corte em busca de melhoras para a sua saúde seriamente abalada, foi com o cunhado e a irmã passar uns dias na fazenda que não visitava há muito tempo.

Viagem relativamente sem obstáculos.

Era, já nesse tempo, uma das mais sérias preocupações do marido de Maria Luíza, homem culto e viajado, a importância que traria para o Brasil o problema das estradas.

Nas reuniões que tomava parte, quer na Província, quer na Corte, focalizava com ardor, explicando e defendendo o valor da abertura de novas estradas, principalmente agora que a escravatura fora extinta e que um punhado de brasileiros esclarecidos já tratava da possibilidade da vinda de alguns colonos estrangeiros, numa tentativa audaciosa.

Na Província de S. Paulo de Piratininga, esse movimento já estava iniciado e, talvez, muito breve aportariam os primeiros colonos, que viriam a ser o baluarte do progresso dessa grande e esperançosa província.

Pensando e agindo assim, foi que o destemido fazendeiro paulista, num arrojo de audácia, traçou, ele mesmo, a bela estrada que ligava sua fazenda à cidade.

Combatido por muitos, criticado impiedosamente, mesmo assim não esmoreceu; a estrada foi aberta e era com reconhecido orgulho e júbilo que ele via coroado de êxito o seu plano... Breve seria imitado e o seu gesto destemido marcaria nova etapa de progresso, que iria sacudir a Província, fazendo dela a líder conscienciosa de todo o país.

Até André, a quem nada mais entusiasmava, ficou impressionado com a obra grandiosa do cunhado.

Ao lado da irmã, na carruagem, enquanto o cunhado cavalgava na frente, ele ia observando calado a imponente paisagem que se descortinava à sua frente.

Os campos verdes oferecendo ótimas pastagens, os morros com os cafezais alinhados e cobertos de frutos vermelhos e polpudos, grande quantidade de gado e alguns já de raças importadas.

A casa, sem o aspecto senhorial da de sua fazenda, era assim mesmo bonita e bem tratada.

Maria Luíza gostava de flores e tinha um belo jardim na frente da casa que ela mesma idealizara.

Os amplos pátios, sempre varridos, davam maior realce à fazenda.

André ali passou uns dias e, num esforço inaudito, mais de uma vez saiu a cavalo com o cunhado para percorrer a propriedade.

Se não fosse a Sombra que o acompanhava, esses dias teriam sido admiráveis, mas ela não o deixava.

Outra vez teve vontade de confessar à irmã carinhosa e boa todo o seu drama, porém vacilava quando pensava no crime que praticara...

Nada... nada disso... Sofreria sozinho o castigo merecido.

Quando retornaram à cidade, já estava definitivamente marcada a viagem de André; mais uns dias, e ele seguiria para a Corte, em busca do especialista que necessitava.

Maria Luíza escreveu para as irmãs, pedindo que fosse dispensado a André todo o cuidado e toda a assistência, não ocultando delas o estado em que se encontrava a fazenda que fora de seus avós e que, agora, nada mais era do que um monte de ruínas. Precisavam salvar o único irmão, pois, salvando-o, a fazenda seria também resgatada. Era com profunda mágoa que fazia essas revelações, mas as mesmas eram necessárias.

Entregou as cartas a André no dia em que ele partiu.

Com lágrimas, abraçou o irmão e ficou na porta, acenando com o lenço, até que ele desapareceu.

PAI E FILHO

IX - PAI E FILHO

Foi uma viagem longa e exaustiva, que André suportou com muito sacrifício.

Quando chegou, as irmãs estavam esperando-o; emocionadas, ajudaram-no a descer...

Abraçadas ao irmão, não puderam reter as lágrimas. Afastadas há muitos anos, jamais imaginaram que ele pudesse chegar a um estado tão deplorável. A última vez em que estiveram juntos, ele ainda estava aparentemente forte, mas, agora, o que restava daquele homem enérgico e corajoso?

Amparado pelas irmãs, subiu a longa escadaria da aristocrática residência de Maria Antonieta; passados os primeiros momentos de emoção, puderam então conversar com mais calma.

Reunidos no luxuoso salão, André ouvia indiferente a acalorada conversa dos cunhados com suas irmãs a respeito do jovem médico que pretendiam chamar para consultá-lo com urgência.

Tudo combinado, ficou resolvido que o marido de Maria Antonieta iria, no dia seguinte, ao consultório do renomado médico para trazê-lo à sua residência, onde André o esperaria.

Cansado depois de tão longa viagem, foi com um suspiro de alívio que se despediu de todos, indo para o aposento preparado com todo o carinho pela irmã bondosa e amiga.

Quando fechou a porta, André, mesmo vestido, deitou-se na larga e macia cama de jacarandá, lindamente esculpida, assim como os outros móveis.

Pesadas cortinas enfeitavam as duas janelas.

Sobre uma pequena mesa, um candelabro de prata; espesso tapete cobria quase todo o assoalho.

Olhos abertos, fitando o teto, André pensava que, talvez ali, pudesse desfrutar um pouco de tranquilidade, talvez a Sombra o deixasse, mas, nesse mesmo instante, sentiu frio e, apavorado, viu surgir ao lado da cama a Sombra, que cada vez mais se aproximava.

Não pôde sufocar um grito de terror; todo o seu corpo fora sacudido por violento tremor...

Escondeu o rosto com as mãos e começou a soluçar baixinho, depois falou a si mesmo:

– Por que vejo, há tantos anos, esta Sombra, sem poder identificá-la? Por que ela me persegue? Por quê?

Mais de uma vez formulara essas mesmas perguntas, quando via nitidamente ao seu lado a Sombra e sentia o frio penetrante que, aos poucos, ia minando sua saúde e arruinando suas energias, fazendo dele um farrapo.

Vinha desde a noite fatídica que Mariana morrera; disso tinha plena consciência, mas até quando duraria esse tormento?

Jamais teve coragem de confessar a ninguém o crime que tão covardemente praticara.

O casal de velhos escravos morrera há muitos anos, e a única testemunha, Ignácio, desaparecera para sempre.

E o menino que ele conseguiu salvar, estaria vivo, ou teria morrido?

Essas interrogações dolorosas ficavam sempre sem resposta; mas, com o reaparecimento da Sombra, tornava ele a perguntar aflito: Por que ela não me abandona?

André adormeceu vestido. Quando a madrugada vinha surgindo foi que acordou assustado... Pelas janelas abertas, suave claridade envolvia o quarto.

Apressado, levantou-se e tirou a roupa pesada. Em seguida, aproximou-se da janela e respirou, sôfrego, o ar puro da manhã.

No horizonte longínquo, o Sol vinha despontando, manchando o céu azul com réstias vermelhas de sua luz.

A cidade também começava a acordar lentamente; novo dia surgia, marcando novos acontecimentos, novas esperanças e encaminhando a humanidade para novas e surpreendentes descobertas.

O país ainda não estava refeito das lutas que travara para alcançar a grande vitória que foi a abolição da escravatura.

Foi nessa clara manhã que André, pela primeira vez, fixou seu pensamento nesse fato tão marcante.

Ele, que prometeu batalhar contra esse empreendimento, quando assumiu a direção da fazenda, nada fez, assistindo com indiferença o desenrolar de todo movimento até a fase final.

Esses pensamentos vieram à sua mente, quando viu aparecer no jardim dois pretos que, conversando alegremente, traziam pesados cestos; eram ex-escravos de Maria Antonieta que quase não se aperceberam que a abolição fora proclamada.

E na sua fazenda? Os escravos jovens, apressados, abandonaram-no só, ficando os velhos quase inúteis.

Entretido com essas comparações, André deixou a janela e deitou-se outra vez; não conseguiu adormecer e, pacientemente, ficou entregue a múltiplos e confusos pensamentos, que bailavam no seu cérebro exausto.

***

André estava sentado num recanto do salão, conversando com uma das sobrinhas, quando ouviram barulho duma carruagem que se aproximava.

A jovem correu curiosa para a janela, enquanto ele mantinha-se sentado.

Todo o seu corpo estremeceu violentamente e forte palidez cobriu-lhe o rosto. O coração batia desordenadamente; ouviu, em seguida, a voz clara e suave de Maria Antonieta.

A sobrinha voltou-se e, sorrindo, disse:

– É o médico que chega com minha mãe – e, sem se aperceber da emoção de André, saiu do salão.

Foram instantes de verdadeira tortura para o pobre enfermo; fechou os olhos e recostou a cabeça grisalha sobre o alto espaldar da cadeira, tentando assim afugentar a Sombra que, ao seu lado, estava visível e ameaçadora.

Ouviu quando a irmã mandou que o médico entrasse, mas nem assim teve coragem de abrir os olhos.

Estava vencido pelo medo... e pelo seu cérebro exaltado, apavorava-se com a presença do desconhecido, que viria auscultá-lo e interrogá-lo, talvez sem um só lampejo de piedade pelo seu infortúnio.

Como seria esse médico que se encaminhava para ele?

Maria Antonieta aproximou-se e, passando as mãos pelos seus cabelos revoltos, chamou-o com ternura:

– André, aqui está o médico!...

Aos poucos, foi abrindo os olhos e, na sua frente, o vulto alto e elegante do jovem médico.

Quando pousou o olhar no rosto do jovem, estremeceu e quase de um salto se pôs em pé, procurando apoio no braço amigo da irmã.

Aquele rosto, aquele olhar... aqueles cabelos negros... aquela semelhança com outro rosto que ele, há tantos anos, tentava esquecer!

Era espantosa a semelhança daquela expressão do olhar que tinha fixo sobre ele. Com esforço, conseguiu dominar a emoção e não pronunciar um nome de mulher.

Tremia convulsivamente e foi preciso que o médico auxiliasse Maria Antonieta para fazê-lo sentar-se outra vez.

Ao sentir sobre sua mão a mão do médico, num gesto brusco e agressivo afastou-a.

Sentado novamente, tornou a fechar os olhos, procurando sufocar a recordação que lhe despertara a presença do desconhecido... Mas inútil esforço; via Mariana, Mariana adolescente, cantarolando alegre no casarão silencioso da fazenda.

Parecia que ainda sentia, em seu corpo, o mesmo frêmito violento; aos poucos, o rosto da jovem ia se aproximando do seu e tornando-se mais expressivo.

Não pôde então reter um grito de pavor.

Maria Antonieta, assustada, abraçou-o, enquanto o médico, tomando uma cadeira, sentou-se ao lado dele e com delicadeza falou baixo:

— Vamos, meu amigo, coragem, aqui estou para ouvi-lo e auxiliá-lo; confie em mim...

André abriu os olhos como que hipnotizado; queria falar, mas a voz estava presa.

Viu horrorizado quando a Sombra colocou-se entre os dois.

Maria Antonieta, discretamente, saiu do salão para dar mais liberdade a ambos...

Pesado silêncio envolvia-os...

O jovem médico não o interrogou logo; fazia antes um exame do homem enfermo para o qual fora chamado.

Conhecia o nome da família, sabia que era rica e fidalga. Quando Maria Antonieta o procurou no seu consultório, pedindo uma consulta especial na sua residência, para o único irmão, que chegara seriamente doente, sentiu imediatamente um forte interesse por esse chamado.

Algo estranho e incompreensível atraía-o àquela casa; nunca sentira isso e quando, ao entrar no luxuoso salão, deparou-se com o fidalgo enfermo, compreendeu logo que justas eram as suas intuições. Sentiu que aquele homem alquebrado, envelhecido e trêmulo, que tinha diante de si, ocultava uma dolorosa tragédia.

Na sua vida de médico, tinha aprendido a sondar a alma de seus clientes por um ligeiro exame.

Um rápido gesto, uma frase entrecortada, um soluço, uma lágrima, era o suficiente para que ele descobrisse dolorosos problemas pessoais, mas jamais encontrara um doente que nele despertasse maior piedade do que esse que tinha à sua frente...

– Mas por que essa profunda piedade? – dizia ele a si mesmo, enquanto fitava André.

Se ele está doente, é bastante rico para poder submeter-se a todos os tratamentos sem o menor sacrifício. Essa piedade seria justa e compreensível se o enfermo fosse humilde e pobre.

Francisco Ignácio tentava iniciar o necessário interrogatório para poder fazer o diagnóstico, mas sentia-se tolhido...

Se ele debatia-se nessas dúvidas, o mesmo sentia André, que não podia articular uma só palavra. A semelhança daquele médico com Mariana deixara-o aturdido.

Muito tempo ficaram os dois olhando-se fixamente, até que o médico começou a fazer, então, as primeiras perguntas, às quais André respondeu depois de pensar muito tempo.

O tremor desaparecera, assim como a palidez que tinha coberto o seu rosto. A voz ficou firme e, apoiado na bengala, pôde ficar numa posição mais ereta.

Se não fosse a Sombra que estava entre ambos, talvez a presença daquele bonito jovem lhe trouxesse calma e confiança.

Desde aquele instante, sentiu que ficaria ligado ao jovem médico, talvez pela extraordinária semelhança com aquela a quem tinha perseguido e causado a morte tão bárbara.

Se não tivesse destruído o filho, ele poderia hoje ser um belo jovem como esse que estava na sua presença.

Respondia às perguntas do médico, mas, pelo seu cérebro, perpassavam as cenas ocorridas há muitos anos.

Onde estaria Ignácio? E o seu filho? Doloroso enigma que jamais conseguiu desvendar.

Feito o meticuloso exame, Francisco Ignácio levantou-se e dirigiu-se para uma pequena mesa na qual estavam um antigo tinteiro e algumas folhas de papel.

André também se levantou e, ao lado dele, esperava pela receita e pela orientação que devia seguir.

Com letra clara e legível, Francisco Ignácio calmamente formulava a receita precisa e, quando assinou seu nome, novo e forte tremor sacudiu o corpo fraco de André.

Leu devagar: Francisco Ignácio; era o nome de seu pai e também o do médico...

Outra surpreendente coincidência, pensava ele.

Só ao entregar a receita foi que o médico notou que André estava outra vez muito pálido e trêmulo.

Amparando-o, levou-o à mesma cadeira junto à janela.

Nesse instante, entraram Maria Antonieta com o marido e Maria Leopoldina, que chegara apressada e apreensiva.

Todos reunidos em volta de André, atentos às explicações do médico, que recomendava sério e prolongado tratamento para o enfermo, que ouvia com indiferentismo as suas palavras, pois seu pensamento pairava muito distante, numa etapa dolorosa da sua atribulada vida.

Não conseguia afastar esses pensamentos, que agora viriam aumentar a sua angústia. E seria inútil tentar convencer as irmãs e cunhados para afastar esse médico em que todos depositavam absoluta confiança.

Seria para o infeliz Visconde mais uma tortura, pois, contemplando aquele rosto, seria impossível afastar a dolorosa lembrança de Mariana.

Agora que estava mais refeito do abalo que lhe causara essa espantosa semelhança é que podia também analisar melhor o jovem que tinha à sua frente, conversando animadamente. Até o timbre da voz era igual ao de Mariana.

Quando se voltou para André e viu que ele olhava-o com insistência, aproximou-se e, pousando a mão sobre seu ombro, falou amigavelmente, procurando captar a confiança do enfermo:

– Virei visitá-lo diariamente e espero, breve, vê-lo aliviado e pronto para regressar à sua fazenda.

André não respondeu, continuando calado.

As irmãs vieram também para junto dele; Maria Antonieta trazia a receita e tentava explicar ao irmão o tratamento que deveria iniciar.

Francisco Ignácio despediu-se e, acompanhado pelos cunhados de André, saiu do salão, deixando-o com Maria Antonieta e Maria Leopoldina.

Ouviram o barulho da carruagem que saía, levando o jovem especialista que, nessa manhã, começava a alicerçar amizade com a nobre família.

Cansado, depois de tantas emoções, André quis repousar; Maria Leopoldina deu-lhe o braço e, vagarosamente, levou-o para o quarto, enquanto Maria Antonieta ia ao encontro do marido, que subia a escadaria do terraço conversando com o marido de sua irmã.

***

Sentados os três, comentaram a visita do médico e a impressão causada a André.

Realmente, o jovem era de uma simpatia impressionante; todos que se aproximavam dele ficavam presos pela contagiante confiança que despertava.

Na Corte, seu nome projetava-se rapidamente, apesar da modesta vida que levava, vivendo num velho colégio em companhia de austeros religiosos.

Mais de uma vez, Maria Antonieta ouvira, em reuniões, falarem sobre o jovem especialista, comentários airosos sobre sua personalidade e o mistério que envolvia a sua vida.

Vinha de meio humilde, assim diziam, e fora educado pelos padres, que, depois, custearam o curso médico. Ouvira até comentar que ele era enjeitado e fora criado por um preto, escravo de um padre.

Maria Antonieta repetia isso, mas achava que André devia ignorar tais comentários, o mesmo pensando o marido e o cunhado, que também sabiam desses mesmos comentários, mas que recusavam dar crédito.

Mesmo que o jovem fosse enjeitado e criado pelo preto escravo, isso não poderia diminuir o seu talento e a dedicação com que tratava os seus doentes, angariando, em pouco tempo, a fama que já desfrutava, pois era o médico mais em evidência na Corte.

Quando Maria Leopoldina voltou, combinaram, então, entregar André unicamente ao médico, na esperança de vê-lo radicalmente curado.

– Acho que a impressão causada ao meu irmão foi ótima – dizia confiante a bondosa Maria Antonieta. – Notei que André gostou do médico, que o mesmo despertou-lhe profundo interesse; vi como meu irmão examinava-o enquanto conversávamos.

Considerando que nada lhe interessava, creio que foi bom início essa curiosidade. Talvez esse médico consiga fazer com que André volte a ser o mesmo. Não creio em grave moléstia; o que meu irmão necessita é sair dessa apatia em que vive imerso.

É natural, sozinho na fazenda, sem a companhia da esposa, e agora, com a debandada dos escravos, mais acentuou esse indiferentismo que, aos poucos, foi fazendo dele um vencido, um inválido, mas agora, na nossa companhia, cercado de conforto e afeto, espero vê-lo novamente integrado na vida.

Precisamos auxiliá-lo, ampará-lo, tratando da saúde e dando-lhe um pouco de nossa felicidade.

Precisamos pensar que é o nosso único irmão, o caçula, que não teve carinho de mãe e a quem nosso saudoso pai depositava todas as esperanças.

A fazenda, em ruínas, precisa ser recuperada; é um patrimônio sagrado que pertence a todos nós – assim falava Maria Antonieta, com lágrimas deslizando pelo rosto.

– Tenho a impressão de que André nos oculta qualquer coisa muito grave – disse Maria Leopoldina – e que talvez seja a causa dessa transformação.

Observei que ele, em dados momentos, transforma-se completamente e fica apavorado, como se visse diante dele terríveis fantasmas. No seu olhar, reflete pavor. Mas que poderia ter acontecido a ele? Seria a morte de Matilde?

Não creio, pois ela mesma nos escrevia contando o que se passava com o marido, sem poder encontrar explicação para tão brusca mudança. Talvez agora, com o tratamento do jovem médico, ele seja recuperado.

E, assim, ficaram conversando ainda muito tempo até que Maria Leopoldina despediu-se, prometendo vir no dia seguinte, para sair um pouco com André.

***

O tratamento foi iniciado imediatamente, submetendo-se André a todos os conselhos do médico, que, aos poucos, foi se firmando e aumentando sua autoridade junto ao enfermo.

Visitava-o, inicialmente, quase todos os dias e ficava conversando com ele demoradamente.

Nas primeiras visitas, o Visconde quase não falava; ficava imóvel, olhando e ouvindo com atenção o jovem; depois, começou a conversar e a trocar impressões...

Discutiram diversos assuntos, e André chegou quase a entusiasmar-se, o que trouxe imensa alegria a Maria Antonieta, que não deixava de observar o irmão durante as visitas do médico.

Os dias foram passando, e a amizade e confiança de André pelo jovem e dedicado médico ia também aumentando e firmando; chegou mesmo a fazer-lhe algumas confidências, falando sobre a fazenda e o estado em que ela se encontrava, principalmente agora que a escravatura fora extinta.

Nesse ponto, tiveram uma discussão mais acalorada, pois o Visconde manifestou o desagrado que lhe causara a vitória alcançada pelos pretos.

Francisco Ignácio, entusiasta defensor da abolição, combateu rigidamente as teorias de André e confessou-lhe, com lealdade, que trabalhara ardorosamente durante os últimos embates, lutando ao lado dos valentes defensores de tão grandiosa causa. Tinha, pelos pretos cativos, arraigada simpatia e verdadeira estima, pois, a um bondoso negro, tinha uma dívida de gratidão difícil de ser compensada.

André estremeceu ao ouvir essa revelação inesperada e, pela sua mente, passou o vulto de Ignácio, desaparecido há tão longos anos, mas que ele jamais pôde olvidar e descobrir o paradeiro.

Fitou o jovem médico parado diante dele e constatou, mais uma vez, a extraordinária semelhança com Mariana, principalmente nesse momento em que ele estava exaltado.

Recordou cenas passadas na fazenda e que só ele sabia... Sentiu a Sombra parada ao seu lado... Teve ímpetos de fazer Francisco Ignácio sentar-se ao seu lado e tudo lhe confessar, aliviando assim a sua consciência atrozmente torturada, porém lhe faltava coragem...

Como confessar o crime que praticara e que guardara, até então, à custa de sacrifícios e renúncias?

Como confessar a um estranho que conhecera há poucos dias, e que nem sequer conhecia a sua família?

Sabia somente que era inteligente e dedicado.

Tentara saber de Maria Antonieta algo sobre esse jovem médico, mas a irmã, cuidadosamente, desviou o assunto, deixando-o nas mesmas dúvidas. Explicou-lhe que nada sabia a respeito da família de Francisco Ignácio, que lhe parecia ser humilde e que ele viera de uma modesta e pequena cidade da Província de S. Paulo. E, sorrindo, disse-lhe:

– O principal é que é ótimo médico, dedicado e talentoso; predicados esses que lhe têm aberto os caminhos da fama.

Foi por isso que o escolhera para o tratamento do irmão e estava plenamente satisfeita, pois via que a sua escolha fora acertada.

André compreendia que seria inútil descobrir qualquer outra informação por intermédio da irmã; silenciou a sua curiosidade e continuou o tratamento, sentindo que ia também aumentando a simpatia que sentia pelo médico e a confiança que surgia entre ambos.

***

Curioso diante da pequena revelação que lhe fizera Francisco Ignácio, o Visconde tentou continuar o mesmo assunto na esperança de novos pormenores.

Falou que sempre combatera a ideia da libertação dos escravos porque achava que o país ainda não estava na altura de libertar-se do braço cativo, assumindo compromissos pesados com a vinda de colonos estrangeiros para as fazendas, sobrecarregando-se de enormes despesas que fatalmente as aniquilariam.

Ele era uma das vítimas. A sua fazenda jamais lhe facilitaria a possibilidade de arcar com despesas de tão alto custo; teria de fatalmente declinar...

Os próprios negros pouco lucrariam; acostumados à escravidão, jamais poderiam caminhar sem o auxílio do guia certo, que eram os donos das fazendas.

Ignorantes, não poderiam traçar planos e, sem recursos financeiros, como poderiam adquirir terras e iniciar plantações ou qualquer outra iniciativa?

– Recebendo ordenados como homens livres – opinou Francisco Ignácio – e, aos poucos, integrando-se no ritmo da vida, sem os temidos feitores, chicotes e troncos...

Seria difícil somente no princípio; depois de passados os primeiros momentos de confusão, eles seriam novos braços, prontos para o trabalho, lutando ao lado de seus irmãos brancos pela grandeza do Brasil.

André sacudia incrédulo a cabeça grisalha.

Muitos dias ainda abordaram o mesmo assunto, e a discussão fora mais acalorada, sem que nenhum dos dois cedesse às suas convicções.

André era teimoso, Francisco Ignácio também, e assim, aos poucos, iam se tornando mais interessantes as visitas do médico e a intimidade entre ambos aumentava.

Com dedicação observava o tratamento de seu cliente, notando que seria muito difícil o restabelecimento daquele organismo seriamente atingido, há tantos anos; mesmo assim lutava Francisco Ignácio, empregando todos os meios possíveis para obter êxito naquela dura batalha.

Compreendeu, nas muitas confidências que ele lhe fizera, que algo de terrível atormentava-o implacavelmente. Não eram só a decadência da velha fazenda e os revezes financeiros as causas principais daquele aniquilamento.

Ouvia sempre com atenção, tudo quanto lhe narrava o enfermo, na esperança de poder descobrir qualquer coisa que pudesse auxiliá-lo, mas os dias iam se passando sem que ele nada descobrisse, apesar da constante vigilância que mantinha.

As discussões sucediam-se, e Maria Antonieta e o marido, várias vezes, tomaram parte nas mesmas, reunidos no luxuoso salão ou no jardim florido, debaixo das árvores frondosas...

Francisco Ignácio desfrutava da estima de todos da família.

Foi depois de uma prolongada visita, numa tarde amena, quando o jovem médico retirou-se e Maria Antonieta ficou no jardim conversando com André, que, inesperadamente, ela disse-lhe:

– Sempre que fito o rosto desse jovem, parece-me que recordo de uma pessoa, mas que não posso saber o nome. Agora mesmo, enquanto ele conversava, eu tentava lembrar-me com quem ele se parece; o olhar, principalmente, impressiona-me – e permaneceu calada e pensativa.

André não a interrompeu, continuando a olhar os transeuntes que passavam apressados.

De repente, a irmã exclama:

– André, sabe com quem acho parecido Francisco Ignácio? Com a bondosa Josefa. É espantoso, mas o olhar é o mesmo...

Lembro-me, agora, perfeitamente dela quando, muito jovem, era a mucama de preferência de nossa mãe e, depois, quando ela encarregou-se de criá-lo, dedicando-lhe imenso afeto e ternura. Não sei explicar, mas é com ela que acho parecido esse jovem médico.

André sentia que todo o seu corpo tremia ao ouvir as palavras da irmã e pela sua mente passava o vulto de Josefa; ele a revia entrando no seu gabinete, de olhar alucinado... Sentia no seu rosto a bofetada que ela lhe dera; depois, presa no tronco e chicoteada impiedosamente pelo feitor cruel.

Maria Antonieta continuava falando e, André, sem poder deter as recordações dolorosas que surgiam umas após outras.

Revia agora Mariana, de cabelos soltos, vestes rasgadas e olhos muito abertos, as lágrimas deslizando pelo rosto. Tapou os ouvidos, pois parecia ouvir os gritos dela, abraçada ao corpo ensanguentado de Josefa, ainda preso ao tronco; em seguida, Ignácio à sua frente, exigindo que libertasse a velha escrava que substituíra sua mãe.

Horrorizado com essas recordações, bruscamente levantou-se e, sem ouvir os apelos da irmã, apressado deixou o jardim, subindo a escadaria do terraço, apoiado na grossa bengala, em direção ao seu quarto.

Empurrou a porta e, depois, bateu-a com força, fechando-a, deitando-se na cama e ocultando o rosto nas almofadas.

Chorava baixinho. Quando ergueu o rosto, viu, apavorado, junto dele, a Sombra, dessa vez mais nítida e mais alta, mais ameaçadora.

– Até quando ela me perseguirá? – perguntou soluçando. Sentiu que ela aproximou-se mais... Frio intenso invadiu seu corpo e um suor pegajoso o cobriu. As mãos tremiam...

Quis erguer-se do leito, mas não teve forças.

O fantasma negro veio parar na sua frente, num desafio macabro...

Voltou o ocultar o rosto nas almofadas, fechando os olhos, tentando assim afastar a Sombra sinistra.

Muito tempo manteve-se na mesma posição. O quarto estava envolto numa escuridão completa, e ele, mais calmo, afastou as almofadas, levantou-se e, cambaleando, foi acender o candelabro que tinha sobre uma pequena mesa ao lado da cama.

Suave claridade invadiu todo o grande aposento. Sobre a mesa, um espelho de cristal, com artística moldura dourada, refletia o rosto de um homem envelhecido, torturado, de olhar triste e cabelos quase todos brancos.

André examinou o seu próprio rosto e, voltando-se, viu no outro lado da parede um retrato seu, feito quando ainda jovem, residindo na França.

Que restava daquele homem? Nada... – constatou ele, desolado. Era agora simplesmente um farrapo...

Fitando novamente o espelho, viu ao seu lado a Sombra... Afastou-se depressa... Ouviu a voz amiga de Maria Antonieta junto à porta, chamando-o com insistência, alarmada com a demora dele no quarto.

Era hora do jantar, precisava disfarçar seu drama. Lavou o rosto, mudou de roupa, penteou os cabelos e, tomando a bengala, saiu devagar em direção ao salão.

***

Quando entrou, uma das sobrinhas executava ao piano linda melodia.

Numa poltrona ao lado, sentou-se e, atento, ouvia a interpretação magistral da jovem graciosa e linda.

Todos o cercaram de afeto e, no ambiente acolhedor da casa de Maria Antonieta, ele sentia atenuar um pouco a sua angústia.

– E quando regressasse à fazenda? – pensava ele horrorizado, ouvindo a sobrinha.

Como poderia viver sozinho naquele casarão sombrio, silencioso, repleto de reminiscências tristes, sem amigos, isolado e esquecido?

Como seria bom se tivesse, ao seu lado, Ignácio, que o acompanhara sempre, até a noite em que ele lhe arrebatara das mãos o filho, livrando-o da morte. E Josefa?... Se ela, também velhinha, estivesse na casa grande, com que ternura o trataria?... E Mariana, casada, com filhos, formariam a sua família...

Lembrava-se de seu velho pai quando viúvo, com as filhas casadas, residindo longe, porém feliz na companhia de Josefa, do feitor, dos escravos que o respeitavam, com a fazenda próspera... Mariana, linda criança, enchendo a casa com seu sorriso e suas peraltices...

Foi feliz seu velho pai; e ele?...

Tudo destruiu e, agora, só poderia viver nos escombros de suas próprias ruínas.

A sobrinha terminou a execução e, numa reviravolta graciosa, perguntou:

– Quer ouvir outra música, meu tio?

André pensou um pouco e pediu:

– Quero. Toque Rêve d'amour.

Prontamente, a sobrinha atendeu-o e a deliciosa melodia invadiu o salão bem iluminado.

Novas e torturantes recordações...

Agora, era Matilde que, na fazenda, no grande salão, no mesmo piano que sua mãe tocara, executava essa mesma música que ouvia nesse instante.

Foi também essa música que ela tocava na ocasião em que ele, trôpego, subiu os degraus da escadaria do terraço, vindo do casebre onde nasceram seus filhos e Mariana morrera... Estava exausto, enlameado, quando, não resistindo mais, tombou no último degrau.

Com o baque do seu corpo, Matilde, assustada, deixou o piano e correu em seu auxílio, chamando pelas mucamas.

Rêve d'amour – Sonho de amor!... Sonho!...

Examinando nesse instante sua consciência manchada e atribulada, não podia deixar de constatar que, na realidade, foi Mariana, a humilde mestiça, filha de escravos, que jamais saíra da fazenda, pobre e inculta, que, verdadeiramente, despertou, no seu coração de autêntico fidalgo, forte amor...

Jamais sentira, por outra mulher, tão intensa afeição. Tivera nos seus braços, desde adolescente, as mulheres que desejara, porém nenhuma quisera com tanto ardor, tanta volúpia, como desejara a pequenina e anônima mestiça.

Mas foi também essa humilde criaturinha que o desprezou e nunca aceitou seus afagos, nunca acreditou nas suas palavras, que só o aceitou pela violência, pelo medo...

Mesmo assim, ele amou-a com loucura, sendo que não pôde, nem com o decorrer dos anos, esquecê-la.

Praticou duplo crime, destruiu sua vida, seus ideais, ficou arruinado, mas perdurou sempre no seu coração o profundo amor que dedicou a Mariana.

Agora, com a presença de Francisco Ignácio, essa recordação ficou mais avivada. Olhando o jovem médico, tinha à sua frente o vulto de Mariana... Quantos anos de tortura... sofrimentos... Quando teria fim o seu calvário, quando?

Os últimos acordes da linda melodia, quase não os ouviu. Estava de olhos fechados e, com as mãos, comprimia os ouvidos.

Maria Antonieta aproximou-se e, chamando-o para o jantar, auxiliou--o a levantar-se e, de braços dados, saíram.

A sobrinha, cantarolando baixinho, acompanhou-os.

**

Excepcionalmente, foram surpreendidos, logo depois do jantar, com a visita de Francisco Ignácio. Ainda conversavam animadamente quando a mucama veio avisar que o médico chegara.

Apressados, todos se levantaram e encaminharam-se para o salão, onde Francisco Ignácio estava calmamente sentado.

Logo foi explicando o motivo da visita; veio ver um doente ali bem perto e resolveu então vir conversar um pouco.

Logo se formou o círculo, e Maria Antonieta, sempre alegre, começou a fazer inúmeras perguntas.

André, calado, ouvia com atenção. Apoiado na bengala, olhava com insistência o médico, que respondia uma das interrogações de sua irmã.

Dias antes, pedira e obtivera dele permissão para voltar à fazenda, donde estava afastado há muitos meses. Precisava tentar, embora tardiamente, salvar aquelas terras que herdara de seus antepassados e que deixara, por negligência sua, ficarem quase que totalmente aniquiladas. Pouco restava da riqueza passada, mas mesmo assim iria tentar.

Voltaria em breve e, naquele momento em que ouvia o jovem, resolveu, de repente, convidá-lo para uma temporada na fazenda distante.

Como seria agradável tê-lo na casa grande, sair em sua companhia através dos campos, subir os morros. Tentaria o convite.

Quando Maria Antonieta, a chamado de uma das filhas, saiu do salão, André, timidamente, fez o convite ao médico e, ansioso, ficou à espera da resposta.

Francisco Ignácio foi sentar-se numa cadeira ao seu lado e, pousando a mão sobre o seu ombro, disse:

– Muito agradeço o convite atencioso e tentador; logo possa, irei repousar um pouco na sua fazenda.

Pretendo ir visitar meu padrinho, que mora na Província de S. Paulo e, assim, será mais fácil aceitar o seu convite.

Pode esperar-me, estou ansioso por uma temporada no campo. A vida na Corte sufoca-me; fui criado na quietude gostosa do mato e, depois, no silêncio do velho convento onde até hoje resido.

Agora que sou forçado a viver no turbilhão da cidade, dispondo de poucas horas de tranquilidade, é que mais desejo poder afastar-me deste barulho. Muito grato pelo convite. Tenho certeza de que irei gostar da velha fazenda.

André sentiu imensa alegria quando ouviu que o seu convite foi aceito. Chegou a sorrir, porém, nesse momento, viu também se aproximar a Sombra e colocar-se entre ele e Francisco Ignácio, como que tentando afastá-los.

Frio intenso percorreu seu corpo; ninguém, porém, percebeu; ninguém via a Sombra... só ele. Fantasma que o perseguia implacavelmente.

Francisco Ignácio ainda conversou muito tempo; depois, levantou-se e se despediu.

André ficou sozinho no salão, enquanto o cunhado acompanhou o médico.

Quando voltou, combinou com André quando deveria ele seguir para a fazenda; teria ainda que esperar mais uns dias.

Maria Antonieta tentou convencê-lo que devia vender a fazenda e vir morar definitivamente em sua companhia.

André prometeu que tudo faria para que isso fosse realizado e, dias depois, deixou a Corte de volta à fazenda.

***

Foi uma viagem difícil e penosa.

Alheio à beleza da paisagem que se descortinava à sua frente, ao despontar da aurora – quando o Sol surgia por detrás dos montes, inundando os campos e a estrada de luz brilhante e quente, que fazia desaparecer o orvalho que cobria as árvores, os arbustos e enfim toda a vegetação –, pela pequena janela da carruagem, o Visconde respirava profundamente, sorvendo o ar puro, procurando aliviar a respiração ofegante e dolorosa.

O mesmo fazia quando, ao cair da tarde, depois de longas horas de viagem, sentindo-se exausto e com o corpo dolorido, aproximava-se da janela, contemplando a Lua que pairava sobranceira no céu cheio de estrelas.

Pensava nos mundos grandiosos e desconhecidos; quantos mistérios que os homens ainda não tinham podido nem sequer compreender.

Seriam os outros planetas iguais à Terra? Viveriam seus habitantes lutando, sofrendo, guerreando entre eles, como os daqui? Praticariam crimes? Conheceriam o amor? Teriam a mesma forma do homem da Terra? A mesma inteligência? Morreriam? Morte!!!

Quantas vezes, André pensou nesse momento; principalmente durante esses últimos anos, que sentia aproximar-se o seu fim.

Sem poder afastar os lúgubres pensamentos que o afligiam, meditava nesse instante supremo, a que todos estão sujeitos.

É com a morte que há verdadeira igualdade... Ela não diferencia o nobre do plebeu, pois entra do mesmo modo no palácio para levar o Rei, Príncipes e todos os fidalgos, como entra nas choupanas levando plebeus, miseráveis... aniquila os gênios e os idiotas...

A beleza que envaidece e a feiura que revolta; o branco orgulhoso e o preto humilde; o rico prepotente e o pobre pedinte; o forte que desafia e o fraco que pede; tudo ela leva no dia exato que determinou o seu único e verdadeiro Senhor... Deus...

Todos se curvam diante de sua presença e são forçados, no momento supremo, a reconhecerem seus erros e suas insignificâncias.

— Mas, depois da morte, qual será o fim das criaturas? — era essa a interrogação que mais o torturava.

Seriam recompensados de acordo com suas vidas aqui na Terra? Ou no Além existiriam também diferenças de raças e credos?

Se fossem os homens julgados de acordo com suas ações aqui praticadas, que poderia esperar ele, que fora tão beneficiado de bens materiais?...

Como empregara esses bens? — pensava ele.

Nada encontrava que pudesse enobrecê-lo diante de si mesmo.

Tivera sempre fortuna, e fora sempre avarento; jamais olhou ao seu redor para ver a miséria alheia; só pensava nele mesmo e na satisfação plena de seus desejos e caprichos.

Nunca recuou diante de um obstáculo que pudesse impedi-lo de satisfazer uma vontade sua.

Jamais prodigalizara ensejo de fazer feliz um pobre com uma insignificante partícula de sua riqueza.

Não tivera ensejo de ver sorrir uma criança em que pusera em suas mãozinhas o brinquedo sonhado.

Como, pois, seria ele julgado depois da morte, se realmente existisse esse julgamento?

Muitas vezes pensou, quando estava em casa de Maria Antonieta, que ainda seria possível reparar grande parte dos delitos que praticara.

Poderia, com sinceridade, reparar muitos erros, e talvez, quem sabe, alcançasse tranquilidade para sua alma torturada.

Mas como reparar todos esses erros?

Mariana estava morta, e era a sua maior vítima.

Josefa, só ao pronunciar esse nome, todo seu corpo era sacudido por violento tremor... Seus lábios ficavam ressequidos e tudo escurecia.

Ignácio, leal e bondoso, companheiro inseparável desde a infância, participara de sua vida até o instante que arrebatara de suas mãos o filho prestes a ser estrangulado. Se pudesse encontrá-lo, pediria humildemente perdão.

Só de pensar que poderia alcançar do preto velho algumas palavras de conforto, sentia agradável bem-estar.

Chegou a pensar que ele pudesse voltar para a fazenda e lá viver os últimos anos; porém, logo esses pensamentos eram dissipados e a realidade volvia implacável.

Outras vezes, pensava no filho desaparecido e, imediatamente, surgia à sua frente o vulto de Francisco Ignácio, com a semelhança espantosa com Mariana.

Durante toda a viagem, recordava a promessa que ele lhe fizera de vir visitar a fazenda.

Seria verdadeira essa promessa? Ou mero pretexto para animá-lo e confortá-lo?

E, assim, envolvido nas tramas várias de múltiplos pensamentos, a viagem ia decorrendo sem empecilhos e aproximando-se do fim.

André, sempre calado, sentado junto à pequena janela, quase não se apercebia que os quilômetros a serem percorridos estavam quase extintos.

Surpreendido ficou quando lhe anunciaram que, em poucas horas, estariam na cidade, vencendo assim a última etapa da longa travessia.

Maria Luíza esperava com a alegria de sempre e ficou radiante quando o viu saltar da carruagem, e, emocionada, abraçou-o, ansiosa por saber as novidades que trazia.

***

Durante todo o dia, conversou com a irmã, satisfazendo-lhe a curiosidade.

Descreveu minuciosamente o tratamento a que fora submetido.

A dedicação do jovem médico... E, finalmente, a promessa da próxima visita.

Não ocultou também a impressão causada pela semelhança com Mariana e Josefa, semelhança essa que deixou Maria Luíza impressionada.

Recordava com ternura a velha mucama de sua mãe e Mariana, que fora a grande consolação de seu pai, quando sozinho vivia na fazenda.

André passou poucos dias com a irmã, seguindo depois para a fazenda.

Fizera a viagem sozinho e, quando se aproximou da porteira, parou muito tempo, contemplando a velha casa quase escondida pelas palmeiras e pelo mato que crescera próximo ao parque.

Quantas vezes parou junto a essa mesma porteira, quando vinha de suas viagens.

A primeira vez que retornou à fazenda depois de longa estadia na Europa, que emoção quando divisou a casa grande... Depois, quando voltou casado, trazendo Matilde; era, nessa época, soberbo jovem, impetuoso, pensando poder dominar todos, implantar suas ideias, ser obedecido...

Agora, ali estava outra vez parado, contemplando a casa que nascera, velho, alquebrado, sozinho...

Ninguém estava à sua espera; abriu devagar a porteira e chicoteou o cavalo. Quando transpôs o parque e parou junto à escadaria, um preto velho chegou e, respeitoso, tomou-lhe as rédeas e o chicote.

André fixou o olhar no antigo escravo, curvado pelos anos, pelo trabalho e pelo sofrimento...

Profunda piedade sentiu ao olhar a cabeça alva do preto e, talvez, pela primeira vez na sua vida, pousou a mão fidalga no ombro do escravo e, com um sorriso, agradeceu as boas-vindas.

Subiu lentamente os degraus...

A casa estava fechada...

Sentou-se numa velha cadeira esburacada e ficou à espera que lhe abrissem a porta.

Demorou muito para que uma preta viesse recebê-lo.

André entrou e foi direto ao salão; abriu as janelas e uma lufada fresca de vento invadiu o salão abafado.

Era o salão que outrora fora reservado somente para as recepções. Seis amplas janelas para o comprido terraço, as pesadas cortinas de damasco, que estavam desbotadas e rotas; a mobília de jacarandá coberta de poeira, os consoles com bibelôs, alguns quebrados...

Os belíssimos espelhos de cristal com ricas molduras estavam manchados pelo mofo...

Nas paredes, os mesmos retratos de seus antepassados formavam um contraste com o abandono do salão.

Os tapetes rasgados, os lindos tapetes comprados na Pérsia.

No canto, o piano negro, fechado há longos anos. Como estaria o alvo teclado de marfim? André teve vontade de abri-lo, mas, ao se aproximar, recuou horrorizado; junto dele estava a Sombra.

Saiu quase correndo, indo esbarrar no corredor com a escrava que vinha chamá-lo para tomar café. Sem mesmo ir aos seus aposentos, acompanhou a dedicada servidora.

No salão de refeições, o aspecto era melhor, pois a preta abria sempre as janelas e cuidava dos móveis.

Este salão foi o orgulho de seu pai; com que vaidade ele mostrava as baixelas de prata portuguesa, os cristais vindos da Boêmia e as porcelanas de Limoges com os brasões feitos a ouro.

André tomou o café e depois foi para o seu quarto; cansado, deitou-se e adormeceu.

No dia seguinte, acordou muito cedo e logo desceu para conversar com os poucos pretos que ficaram na fazenda.

Quando teve todos reunidos, André constatou que nada poderia fazer com aquele punhado de homens envelhecidos e fracos, que só ficaram porque sabiam que nada poderiam fazer longe dali.

Mandar vir colonos, ou mesmo contratar ex-escravos, ele não podia, estava arruinado.

Os anos de negligência, os roubos do feitor ambicioso e desonesto, o aniquilamento total das plantações, as pastagens extintas, o gado desaparecido...

Como recuperar tudo isso sem dinheiro e sozinho?

Desalentado, voltou para seu quarto. Talvez a única solução fosse mesmo abandonar tudo e ir para a Corte ao lado de Maria Antonieta.

– Vendê-la?... Não!... Nunca a venderei... Deixarei estas terras para minhas irmãs; talvez elas possam dar novamente vida e vigor a este patrimônio deixado por nossos pais... Não a venderei jamais!... – meditou.

No silêncio da grande casa, André resolveu que, definitivamente, deixaria a fazenda após a visita de Francisco Ignácio.

**

Na Corte, Francisco Ignácio ultimava seus afazeres para satisfazer o grande desejo de ir passar uma curta temporada em companhia de Ignácio, que morava ainda com o velho sacerdote, inválido, na mesma casinha onde ele passara sua infância.

Viviam os dois velhinhos uma vida calma e feliz, nada lhes faltava, pois recebiam de Francisco Ignácio uma mesada certa que lhes permitia, não só manutenção farta, como segura tranquilidade.

Foi com imensa alegria que receberam a carta participando a vinda do filho querido.

Na modesta casa, pouca coisa tinha para ser arrumada; os mesmos móveis, pobres e velhos, mas cuidadosamente tratados.

Com o que lhes enviava Francisco Ignácio, podiam manter alguns trabalhadores para o cultivo da pequena área de terra, já também adquirida por eles.

Era um recanto encantador, visto de longe, na curva da estrada; assim como também era o ponto certo de parada de todos os viajantes que passavam por aqueles lados. Quer pobres ou ricos, encontravam, na velha casinha, descanso, dormida e farta mesa, recebidos pelo bondoso Ignácio, agora alquebrado pelos anos, mas de lúcida inteligência e fortes energias. O sacerdote estava inválido, porém conformado e feliz.

Tudo aí inspirava paz, tranquilidade, quietude.

Quando algum viajor batia à porta, era, para os dois velhinhos, motivo de imensa alegria. Conversa animada que eles faziam questão de entabular para poderem falar sobre Francisco Ignácio, único motivo de orgulho daqueles bondosos velhos.

Que diferença da casa grande da fazenda, outrora rica e fidalga...

Como são caprichosos e difíceis os desígnios de Deus, para serem compreendidos pelos homens...

Mais de uma vez, Ignácio conversou com o Padre a respeito do nascimento de Francisco Ignácio, achando que deviam contar-lhe tudo, pois, agora, ele saberia enfrentar com calma e coragem a dolorosa revelação.

Combinaram então que seria nessa visita, ocasião propícia para tudo contarem. Ambos estavam muito velhos, poderiam desaparecer subitamente e, então, seria mais terrível a revelação caso ele viesse a descobrir.

Apavorados, leram a carta em que ele lhes falava do novo cliente e da amizade que já lhe dedicava, assim como a promessa de visitá-lo também na mesma ocasião que ali fosse.

Não podiam, pois, retardar a confissão; desde o instante que receberam a carta, o assunto constante foi como deveriam revelar-lhe o segredo, guardado há tantos anos.

A carta escrita naquela época foi escondida por Ignácio num local que só ele sabia.

***

Os dias foram passando, e, finalmente, Francisco Ignácio deixou a Corte rumo à sua Província.

Viagem longa, cansativa, mas que ele enfrentou com muita alegria; era um prazer rever a terra querida e, quando ia já se aproximando o término da viagem, maior era a sua emoção.

Fitava as altas montanhas, os campos muito verdes, as densas matas, quase não sentindo o trepidar da carruagem sobre as pedras da estrada...

Quando avistou o casario da cidade, onde devia ficar para, então, tomar nova condução que o levaria à sua casinha, quase não podia respirar tomado de grande emoção.

Sacudiu a poeira vermelha que lhe cobria o guarda-pó, reuniu as pequenas malas e alguns embrulhos e, resoluto, desceu a pequena escada, indo à procura de outras malas que o cocheiro já providenciava a descida.

Nesse mesmo dia, partiria. Não queria perder um só momento. Ansiava por abraçar seus velhinhos queridos.

Quando avistou, na curva da estrada, a casinha branca coberta pelos raios prateados do luar, fustigou o animal que, amedrontado, foi parar junto à porta aberta, onde aparecia Ignácio trazendo um pequenino lampião.

Ele saltou do cavalo e caiu nos braços do preto, que não podia sufocar os soluços; depois, quase correndo, entrou e foi à procura do Sacerdote que, encostado à pobre cama, o esperou de braços abertos.

Que quadro maravilhoso formavam os três...

Um jovem forte, belo e elegante, no apogeu da mocidade, abraçado por um velho preto, alquebrado, com a cabeça muito alva e olhar muito suave; junto, o Padre, também com a cabeça muito branca, o rosto sulcado de rugas e terna expressão no olhar.

A luz amarelada do lampião envolvia o quarto e, pela janela aberta, entrava leve e perfumada aragem.

Pela porta aberta, via Francisco Ignácio e a tosca mesa coberta de branca toalha, preparada para a ceia.

Um preto entrou trazendo as malas. Ignácio recebeu-as e levou para o quarto de Francisco Ignácio, o mesmo quarto que ele ocupava quando menino.

Os mesmos móveis, conservados com infinita ternura... Recordação viva, quando ele estava ausente.

Sentado ao lado de Ignácio, comia com apetite e conversava com o Sacerdote, que também comia, deitado na modesta cama.

Até tarde ficaram os três conversando; Francisco Ignácio contou o projeto que tinha de ir, o mais breve possível, visitar o Visconde...

Contou como fora chamado e como o encontrara abatido, desanimado, sofredor... Profunda simpatia uniu-os... Queria auxiliá-lo...

Era digno de respeito e, apesar de muitas vezes discordarem sobre vários assuntos, terminavam sempre amigavelmente. Só um assunto era discutido com certa frieza, chegando mesmo à rudeza: a Abolição.

Ignácio estremeceu quando ouviu o jovem médico pronunciar as palavras abolição, escravos, pretos... Olhou aflito para o velho Padre, numa interrogação muda, que foi perfeitamente compreendida. Francisco Ignácio, alheio a essa atitude de Ignácio, pôs-se de pé e, chegando à janela, falou com mais entusiasmo:

– Apesar de fortes discussões com meu amigo e cliente, no íntimo compreendo a sua teimosia de atitude, pois ele nasceu fidalgo, rico, e sempre, desde a infância, fizeram-no sentir que os escravos nada mais eram do que animais, sem alma e sem coração.

Jamais sentiu o carinho de um escravo e o afeto de uma preta... Se tivesse a oportunidade de conhecer um preto como você, meu querido Ignácio, talvez não alimentasse tão absurdas ideias.

Ignácio, ao ouvir essas palavras, ergueu-se rapidamente do tosco banco e aproximou-se de Francisco Ignácio com uma expressão estranha no olhar; colocando a mão calejada sobre o ombro do jovem, com voz ríspida disse:

– Não creio que o teu novo amigo, dono de grande fazenda, senhor de muitos escravos, jamais tivesse encontrado um escravo amigo ou uma preta que lhe dedicasse afeto terno e maternal.

Naturalmente, teve vergonha de lhe fazer dolorosas revelações – e, ante a surpresa de Francisco Ignácio, saiu da sala, indo sentar-se debaixo da frondosa árvore perto da porta aberta.

O jovem ia segui-lo, quando o Padre o chamou. Imediatamente ele voltou, atendendo o chamado amigo.

O velho Padre, bondosamente, desculpou Ignácio, e aconselhou que ele devia ir repousar; era muito tarde da noite e depois de tão longa viagem...

Francisco Ignácio sentia-se realmente exausto.

***

Os dias foram se passando, rápidos e alegres para os dois bondosos velhinhos, até que uma noite, durante a ceia, Francisco Ignácio participou que pretendia, no dia seguinte, seguir para a fazenda do Visconde, cumprindo assim a promessa que lhe fizera na Corte.

Ignácio olhou para o Padre e, sem dizer uma só palavra, levantou-se, tomou a enxada e saiu devagar.

Só com o Padre ele demonstrou a surpresa que lhe causara, pela segunda vez, a atitude de Ignácio, quando se referia ao Visconde.

Foi preciso muita cautela para que o bondoso Padre desculpasse o velho preto.

Mesmo assim, o jovem médico não deixou de ficar preocupado e, enquanto arrumava a pequena mala, recordava a fisionomia de Ignácio, quando ele, pela primeira vez, referiu-se às discussões que tivera com o Visconde sobre a Abolição. Recordava que, pelo olhar sempre suave do preto querido, um lampejo de ódio passara célere...

– O que pensava meu pobre Ignácio? Por que essa aversão tão acintosa ao meu infeliz amigo? Reminiscências dos anos longínquos do cativeiro? Não... Ignácio, muito jovem, fora liberto como ele mesmo lhe contara. Mas – pensava Francisco Ignácio – quem foram os seus senhores, que tão bondosamente libertaram-no das garras terríveis da escravidão?

Jamais lhe fizera perguntas sobre o seu passado humilde, mas agora, com a atitude por ele tomada contra o Visconde, inesperada curiosidade assaltava-o.

Logo que voltasse da fazenda procuraria auscultar o preto velho e, assim, tentaria descobrir algo sobre sua vida.

Sem nada demonstrar, despediu-se dos dois velhos e seguiu para a fazenda, ansioso de rever o amigo.

Queria fazer-lhe uma surpresa. Não o avisou...

***

Quando, ao entardecer, Francisco Ignácio avistou a planície verdejante e fecunda, parou surpreso diante da majestosa beleza...

Planície de terras férteis, ensopadas pelas águas do Paraíba, planície que poderia oferecer lucros fabulosos ao seu proprietário e que, entretanto, estava abandonada... Quanta riqueza desprezada...

Podia ver ainda vestígios de épocas passadas, quando a valentia de audazes pioneiros tinha fincado o marco glorioso de suas passagens.

Francisco Ignácio fustigou o animal, que só parou diante da velha porteira.

Ao longe, a imensa casa branca, bem no alto, cercada de seculares palmeiras imperiais. Via nitidamente a larga alameda feita de pesadas lajes de pedras.

Abriu com dificuldade a porteira e encaminhou-se pela estrada que o levaria à fidalga residência.

A tarde morria lentamente.

No horizonte distante, o Sol estava quase oculto, inundando o céu de um manto purpúreo.

Os pássaros apressados procuravam os abrigos.

Aos transpor o pátio, notou que tudo estava no mais completo abandono. Nas lajes de pedras, nasciam ervas daninha.

A escadaria do terraço tinha um aspecto desagradável, pois estava coberta de grossa camada de limbo e terra.

A porta principal, feita de pesado jacarandá e com puxadores de bronze, estava entreaberta; o silêncio era completo.

Ele desceu do cavalo e subiu a escadaria.

Junto à porta bateu com força. Esperou... Tornou a bater. Ninguém o atendeu... Resoluto, entrou. Em vasto salão, envolto em completa escuridão, Francisco Ignácio procurou abrir uma das janelas e pesada camada de poeira desprendeu-se da rota cortina de damasco.

Ele viu, então, a velha mobília com os assentos de palhinha, algumas furadas... Nos dois consoles, os espelhos de molduras douradas e cristal manchado. Os bibelôs de Sèvres, ainda belos, porém sujos e com pequenas quebraduras. Vasos lindos, mas também sujos... Olhou para as paredes revestidas de fino papel, porém rasgados e desbotados.

Num contraste chocante, os retratos dos donos da fazenda, desafiando o tempo, mantinham-se majestosos no meio daquela desolação. Que fortes, soberbos, que maravilhosas condecorações. E as damas, com os complicados penteados e as joias soberbas...

No assoalho, rasgado tapete, mas que ainda deixava ver, em alguns lugares, os primorosos matizes.

Ele passou para outro salão e parou surpreso diante de uma magnífica biblioteca.

Os livros em desordem... Tomou um e abriu... escrito em francês... Tomou outro... escrito no mesmo idioma... Abriu o terceiro e deparou-se com um amarelado recorte de jornal.

Leu com sofreguidão...

Referências feitas sobre o suntuoso casamento do fidalgo brasileiro, Visconde de X.

Francisco Ignácio saiu do salão e tomou o corredor que dava para o salão de refeições. Bateu com força muitas vezes...

Finalmente, apareceu uma preta velha, trazendo nas mãos um candeeiro. Ao ver aquele desconhecido na sala, recuou amedrontada.

Francisco Ignácio chamou-a, tentando afastar o medo da bondosa preta. Perguntou pelo Visconde.

– Deve estar no terraço...

– Não – respondeu o jovem –, não está...

Nesse instante, ele ouviu o latir de um cão e passos vagarosos que se aproximavam.

No limiar da porta, apareceu André com um candelabro na mão e, ao vê-lo, não pôde conter a emoção; quase cambaleando, procurou uma cadeira, depositando sobre a mesa o candelabro.

Luz suave clareou o grande salão.

Francisco Ignácio aproximou-se dele. Queria falar-lhe, mas a voz estava presa... Fitou demoradamente aquele homem alquebrado e de olhar vago e triste, vencido...

Só depois de passado o primeiro instante de surpresa, que André ergueu os olhos e fitou o rosto expressivo de Francisco Ignácio parado junto dele...

Quis também falar, mas não conseguiu...

Finalmente, o jovem médico pôde coordenar os vários pensamentos que cruzavam o seu cérebro e com delicadeza falou:

— Aqui estou, meu bom amigo, cumprindo a promessa feita. Vim passar uns dias nesta fazenda, certo que serei um hóspede bem-vindo.

André ergueu-se devagar e, abraçando-o comovido, agradeceu a gentileza, dizendo-lhe:

— Nada tenho para lhe ofertar, nada, meu dileto amigo. Minha casa, vazia e silenciosa, em ruínas, guarda somente vestígios do fausto passado, reminiscências que eu só compreendo e sinto. Creio mesmo que lhe será penoso passar estes dias em tão triste lugar.

Francisco Ignácio viu lágrimas indiscretas umedecerem os olhos de André; procurou disfarçar a emoção e a piedade que lhe despertava aquele homem que tivera em suas mãos todas as possibilidades de ser imensamente feliz.

André foi à procura da velha escrava, dando ordens para preparar um quarto para o jovem; em seguida, voltou para junto de seu hóspede, convidando-o para ir ao terraço enquanto a preta, apressada, preparava o aposento designado.

Ao se aproximarem, já vinha subindo a escadaria um dos poucos escravos que ainda prestava serviços a André, trazendo a pequena bagagem do inesperado hóspede.

Sentados nas antigas cadeiras, conversando animados, observavam também a noite que caíra completamente.

O céu estrelado, a Lua que surgia devagar, os pirilampos acendendo e apagando ritmadamente o pequeno foco de luz esverdeada...

Dos pântanos vizinhos, a música desarmônica dos sapos; e dos campos, o perfume suave das flores que desabrochavam.

Profunda quietude que inspirava nostalgia...

Que diferença do barulho da Corte, do trepidar das carruagens, da iluminação clara vinda dos aristocráticos salões.

A grande casa outrora alegre e clara, tão diferente da atual, escura e triste, mas ainda bela, qual formosa mulher que, no outono da vida, ainda apresenta traços impressionantes da passada formosura.

Francisco Ignácio contou que viera visitar seus protetores, o bondoso Padre e o preto velho.

André estremeceu quando ouviu o médico pronunciar preto velho; ia interrogá-lo, quando a preta veio avisar que o quarto estava preparado.

Os dois ergueram-se e encaminharam-se novamente para o salão, onde estava preparada modesta ceia.

Servidos pela dedicada escrava, pôde Francisco Ignácio observar com atenção, não só o salão, como a mobília e as louças... O aparelho de prata portuguesa, orgulho do velho Conde, as finas porcelanas, agora desfalcadas, porém lindíssimas...

O jovem pensava como deveria ter sido imponente aquele salão anos passados, quando, ao redor daquela mesma mesa, sentava-se o nobre Conde, tendo ao lado o filho e a esposa. A fazenda prosperava, dezenas de escravos, colheitas abundantes, fartura...

Terminada a ceia, André foi levar o amigo até a porta do quarto; entregou-lhe o candelabro e, depois de desejar-lhe boa noite, afastou-se acompanhado do cão.

André ouviu o ranger da porta, e, depois, quando ela foi fechada.

Francisco Ignácio entrou e, colocando o candelabro sobre a cômoda, examinou o largo aposento.

Depois, cansado, deitou-se, apagando a luz.

O quarto ficou envolto em profunda escuridão. Tudo era silêncio no velho casarão. Só a música dos sapos quebrava o impressionante silêncio.

Cansado, ele adormeceu logo.

***

Na manhã seguinte, acordou ouvindo o mugido do gado e as vozes dos escravos junto à sua janela.

Saltou da cama e abriu a janela.

Forte lufada de vento invadiu o quarto e a luz quente do Sol o clareou...

Francisco Ignácio viu André descer devagar os velhos degraus da escadaria do terraço e dirigir-se para o pátio, onde um pequeno grupo de pretos conversava animadamente.

Ao longe, nos pastos verdes, alguns bois pastavam. Que maravilhosa paisagem descortinava-se diante do olhar deslumbrado do jovem médico que, debruçado à janela, sentia, com profunda emoção, a magia daquele pedaço de terra.

Algo desconhecido prendia-o ali. Parecia que era velho conhecedor daquele recanto.

Desde que transpôs, na noite passada, a porteira e divisou o branco casarão, sua alma foi sacudida de misteriosa curiosidade.

Sempre sentiu atração pela vida pacata e simples das fazendas, sempre sentiu vibrar, em seu coração, profunda piedade e respeito pelos infelizes escravos...

Quantas vezes, ainda adolescente, sozinho, estudando no antigo Convento, deixava os livros e ficava pensando nos horrores da escravidão; vinha-lhe, então, brusca revolta, que, aos poucos, foi se infiltrando, até que se tornou fervoroso abolicionista.

Ainda no início do curso médico, foi uma das suas primeiras ambições comprar uma fazenda e dedicar parte de sua vida na formação técnica e perfeita da mesma. E agora ali, naquela manhã esplendorosa, surgiu também rapidamente a possibilidade de adquirir aquela velha fazenda quase em ruínas, mas que, com um pouco de esforço, poderia fazê-la retornar ao antigo fausto e ao nome que a fizera conhecida anos atrás.

Francisco Ignácio voltou ao leito e ficou arquitetando planos, caso visse concretizar a resolução que tomara naquele instante.

Via a fazenda progredir, não com o trabalho mísero e estafante de escravos, mas com a cooperação de homens livres.

Se comprasse a fazenda, procuraria conservar os velhos pretos e tentaria trazer o Padre e Ignácio para a casa grande, que seria restaurada, e onde eles poderiam viver os últimos anos.

Já antevia a satisfação dos dois velhinhos, que adoravam a vida dos campos...

Já antevia Ignácio, amigo dos pretos, conversando com eles e, talvez, recordando o passado...

Mandaria construir uma Capelinha, que seria a sua primeira iniciativa. Com que emoção ouviria o badalar do sino ecoando pela vastidão da campina...

Com que emoção veria o seu protetor paramentado, abençoando a fazenda e celebrando a primeira missa no pequenino templo, assistida por todos os novos colonos.

– Sim, tentarei comprar esta fazenda. Hoje mesmo, procurarei auscultar meu amigo e quem sabe, quando retornar, já serei o proprietário desta tão bela fazenda – pensava o jovem médico.

Estava profundamente entregue aos seus projetos, quando ouviu bater de leve.

Imediatamente, abriu a porta e deparou-se com André em traje de montaria.

– Vamos, meu amigo, quero mostrar-lhe minha fazenda; a manhã está agradável e os animais prontos.

– Irei logo – e, fechando novamente a porta, foi vestir-se, saindo imediatamente.

No salão de refeições, André esperava-o para o café, que foi servido pela preta com toda atenção e respeito.

Em seguida, saíram os dois...

No corredor, André tomou um chicote e depositou nas mãos do jovem, que não pôde deixar de admirar o belíssimo trabalho feito em prata no cabo do mesmo. E André explicou-lhe que o mesmo pertencera ao seu pai.

Conversando, desceram a escadaria e foram para o pátio, onde estavam os animais.

André montou com facilidade o irrequieto cavalo, demonstrando ainda ser exímio cavaleiro. Francisco Ignácio imitou-o, e, esporeando os animais, saíram a galope pela larga estrada.

No pátio, os pretos reunidos admiravam, surpresos, o hóspede desconhecido, que lhes fazia recordar uma pessoa amiga.

Foi quando um preto muito velho, batendo na testa, murmurou bruscamente um nome:

– Mariana!!!

Sim, o jovem hóspede era o retrato de Mariana, os mesmos olhos, o sorriso, os cabelos, tudo recordava a infeliz filha de Josefa...

Mas como explicar tão estranha semelhança? Como?

Olhando a estrada, ainda divisaram os vultos dos dois cavaleiros quase encobertos por uma camada dourada de poeira. Ainda conversaram alguns instantes e, depois, tomando as enxadas, rumaram para o trabalho.

Enquanto se desenrolava essa cena no pátio, André e Francisco Ignácio galopavam, conversando animadamente.

O Visconde mostrava os velhos cafezais quase extintos e explicava o motivo da decadência de tão rica propriedade: a morte do Conde, sustentáculo vigoroso e perda irreparável... Em seguida, a esposa, que ainda em plena mocidade, também o deixara... vieram depois as lutas pela abolição... a saída do feitor desonesto...

Sozinho, doente, sem estímulo, deixou que tudo desmoronasse.

Agora, não suportaria mais ali viver; breve abandonaria para sempre aquela fazenda, onde nascera e onde vivera quase toda sua vida. Mais tarde, as irmãs talvez pudessem aproveitar ainda aquelas terras férteis.

Foi quando o médico fez a pergunta formulada desde o instante que, da janela, contemplara a belíssima paisagem dos campos e montanhas que circundavam a fazenda:

– Meu amigo, por que não vende a fazenda?

André parou o animal e, fitando o jovem, respondeu:

– Vendê-la?!... Nunca!!!...

Francisco Ignácio sorriu tristemente, desanimado com a reação brusca do Visconde.

Completo silêncio fez-se entre os dois...

Deixaram que os cavalos andassem livremente.

Quando desciam uma encosta e retornavam pela estrada rumo à casa grande, foi que André falou:

– Meu amigo, será muito difícil vender esta fazenda, que quase nada mais produz. Quem poderia comprá-la?

– Eu – respondeu imediatamente.

André fitou outra vez com insistência o jovem, que caminhava ao seu lado; brusco arrepio perpassou pelo seu corpo, pois uma lufada de vento desfez o cabelo de Francisco Ignácio e, nesse instante, a semelhança com Mariana foi impressionante, e ele viu surgir, na sua recordação, uma cena longínqua do passado distante.

Parecia que ouvia os seus passos abafados no longo corredor, rumo ao quarto de Mariana; a porta entreaberta, Mariana bordava cantando baixinho, que suavidade de voz; cantava alheia ao perigo que se aproximava; não ergueu os olhos quando sentiu que alguém chegava, pensou que era Josefa...

Pobrezinha... a porta fechou-se, e, quando ela olhou, André estava à sua frente; deixou cair o bordado, quis correr, mas sentiu que braços fortes prendiam-na e que dedos aduncos feriam-na... Tentou gritar, mas sua voz foi sufocada e, em seguida, foi atirada sobre a cama...

A janela fechada... o quarto escuro... e, naquela tarde cinzenta e fria, enquanto soprava cortante vento, a infeliz adolescente foi sacrificada no mesmo quarto em que nascera.

André recordava tudo; depois, quando abriu a janela, viu sobre o leito, ainda quase desacordada, a meiga Mariana, com as vestes rasgadas e os cabelos revoltos caindo sobre a testa em pequeninas mechas.

Olhou para Francisco Ignácio; era o mesmo rosto; soltou um gemido e, esporeando o cavalo, disparou, deixando o jovem médico sozinho.

Francisco Ignácio continuou devagar, pensando qual seria o drama daquele homem atormentado.

Por que ele lhe causara tão profunda piedade? Talvez, com o decorrer dos dias, viesse a descobrir algo sobre tão estranha personalidade.

***

Quando chegou, encontrou André sentado no terraço, à sua espera.

O Sol muito forte infiltrava-se por todo o terraço, inundando-o de luz e aquecendo-o.

A passarada continuava gorjeando alegremente, pousando nos galhos verdes das grandes árvores.

No casarão, tudo era silencioso...

Os dois homens mantinham-se calados.

Pela porta aberta do salão, André via perfeitamente o retrato do Conde...

Tornou a examinar o jovem que, apesar da semelhança com Mariana, tinha também traços parecidos com os de seu pai; notou quando ele montou no arisco animal e com o velho chicote de cabo prata o fustigou.

O mesmo porte, a mesma maneira fidalga; recordou assustado que ele tinha também o mesmo nome – Francisco Ignácio.

Nas longas conversas que tivera com ele, nada soubera sobre sua família. Só através de Maria Antonieta, que lhe dissera ser ele de origem humilde e que viera de uma modesta e pequena cidade da Província de S. Paulo.

Ouviram o bater forte do relógio ecoando por toda a casa; ouviram passos e, no limiar da porta, a velha preta avisou-os que o almoço estava servido.

Levantaram-se e foram para o grande salão.

Depois, Francisco Ignácio, exausto da longa caminhada, foi para o quarto e adormeceu imediatamente; enquanto André, que também fora para seus aposentos, debalde tentou adormecer, pois sentia um frio cortante envolver seu corpo, pois, junto dele, bem nítida e ameaçadora, a Sombra, companheira impiedosa, sempre, sempre o atormentando implacavelmente.

Com as mãos comprimindo a cabeça, deixou que as lágrimas deslizassem pelo seu rosto.

Só à tarde foi que Francisco Ignácio acordou. Levantou-se devagar, sentindo agradável bem-estar; espiou pela janela e viu André andando pelo parque, acompanhado pelo cão.

Sem que este percebesse, ficou a observá-lo por muito tempo; parecia-lhe, de longe, que ele conversava com alguém que estava oculto.

Não podia dominar a curiosidade que lhe despertava aquele estranho homem; queria afastar a impaciência que o torturava, mas ela era mais forte.

– Tentarei com cuidado e habilidade, auscultando-o melhor, e talvez, quem sabe, descobrir o que tanto o atormenta – meditou e, resoluto, saiu para encontrá-lo.

Em seguida, procuraram o velho banco debaixo da frondosa árvore e aí se sentaram, admirando a tarde que findava.

CONFISSÕES

X - CONFISSÕES

Os dias foram se passando rapidamente, e Francisco Ignácio pretendia partir logo, pois ainda teria que passar algum tempo em companhia de Ignácio e do Padre.

Tinham acabado de jantar, quando ele participou a André que partiria no dia seguinte.

Sem pronunciar uma só palavra, o Visconde levantou-se e foi para o seu gabinete.

Sentado junto à mesa, na qual brilhavam peças de belíssima baixela de prata, finos cristais e maravilhosas porcelanas, Francisco Ignácio sentiu novamente um desejo imenso de adquirir aquela fazenda, aquela casa que lhe evocava tão estranhas simpatias. Precisava falar seriamente com André...

Empurrou a cadeira e saiu apressado rumo ao gabinete.

A porta estava aberta.

Entrou...

A janela também estava aberta, mostrando um pedaço de céu escuro.

Vento forte sacudia com violência as árvores, fazendo um barulho ensurdecedor, prenúncio de temporal...

Quando o jovem sentou-se ao lado de André, começou a chover e um forte cheiro de terra molhada invadiu o gabinete.

André olhou fixamente para o jovem que estava perto dele e, com a mão nervosa, batia sobre a rica escrivaninha em movimentos ligeiros.

Calados, os dois homens temiam as primeiras palavras.

A chuva aumentava e o vento sibilava furiosamente.

O Visconde levantou-se e foi descer a larga janela; depois, acendeu o pequeno lampião pendente de uma corrente de prata.

A luz amarelada dava ao rosto de André uma expressão ainda mais estranha.

Aproximando-se de Francisco Ignácio, bruscamente falou:

– Pensei muito durante todos esses dias e resolvi vender-lhe a fazenda. Creio que, em suas mãos, ela poderá voltar ao seu antigo esplendor.

Vendo-a com uma única condição; que tudo que pertence a esta casa seja incorporado à venda da mesma, com exceção de alguns objetos que desejo oferecer às minhas irmãs.

Peço que conserve com amor tudo isto, como se realmente fosse membro de minha família, guardando com respeito e dignidade tudo que aqui está, marcando épocas gloriosas, revivendo vidas e positivando algo de nobre e justo.

Nas suas mãos generosas e puras, esta fazenda e tudo que ela contém ficará resguardada do contato impuro que vem de mim; indigno... miserável... assassino...

Ao ouvir as últimas e terríveis palavras pronunciadas por André, no instante que reboava o estrondo de um raio, Francisco Ignácio deu um salto da cadeira e, colocando as mãos sobre o ombro do amigo, gritou:

– Como ousa dizer tão horrível blasfêmia? Deixe-me auscultá-lo! – e, num movimento brusco, forçou-o a sentar-se, tentando tomar-lhe as pulsações.

Mas foi inútil a tentativa, pois André, com um gesto violento, afastou-o.

A tempestade continuava cada vez mais ameaçadora. Trovões sucediam e, pelo céu negro, passavam faíscas avermelhadas.

Vendo que seria difícil convencer aquele homem alucinado, resolveu deixar o gabinete, e, quando ia transpor a porta, foi agarrado por André, que o fez voltar e sentar-se novamente ao seu lado.

– Quero e preciso, meu amigo, contar-lhe todo meu drama, pois só assim, talvez, consiga ter um pouco de tranquilidade, de paz que não tenho há tão longos anos.

Quero fazer-lhe uma confissão!... Preciso fazê-la!...

Ouça!... Não estava alucinado quando disse que era indigno... miserável... assassino...

O vento continuava, incessantemente, sacudindo com fúria as árvores, arrancando arbustos, quebrando galhos...

E no gabinete, iluminado pela luz pálida do lampião, Francisco Ignácio ouvia a história longa, penosa, horrível, daquele homem alquebrado pelo remorso e pela dor. Ouvia atento, sem perder uma só palavra.

Ouvia tudo, desde o nascimento das três lindas fidalguinhas, depois, passados muitos anos, a vinda do único e tão esperado filho, justamente no dia 9 de janeiro de 1822.

Nessa época, o país vivia dias de intenso entusiasmo, e no vulto nobre de José Bonifácio convergiam as esperanças dos brasileiros.

André descreveu para o amigo tudo que ouvira de seu pai, que tivera a ventura de compartilhar do punhado de brasileiros que formava a comitiva do jovem Príncipe português quando, de viagem pela Província de S. Paulo, recebendo cartas da Corte, bradara junto ao pequeno córrego:

– Laços fora, soldados!!! Independência ou Morte!!!

Quando contou a morte de sua mãe, deixando-o com poucos dias, os seus olhos ficaram nublados de lágrimas.

Fora entregue a Josefa, mucama bondosa que o criara com desvelos maternais...

Pronunciando o nome da infeliz escrava, naquele mesmo gabinete onde se passara um dos mais dolorosos momentos de sua vida, André emudeceu durante alguns minutos, olhando fixamente pela porta entreaberta.

Debalde tentava afastar a visão perfeita que teimava em surgir na sua recordação...

Ouvia Josefa bater na porta... estremeceu... as batidas sucediam... resoluto, resolveu abrir a porta... Josefa quase caiu nos seus braços, que se desviaram... depois, com voz rouca, junto dele perguntou: – Que fizeste, miserável, com minha pobre filha?

Francisco Ignácio conservava-se calado, observando as transformações que se sucediam no rosto do Visconde.

Pois as lembranças bailavam na sua mente exausta... recordou-se quando começou a assobiar... sentiu a mão áspera e calosa de Josefa bater com força no seu rosto cínico... torcendo-lhe brutalmente o braço, Josefa soltou um grito estridente de dor...

Vendo que André continuava calado, o jovem disse:

– Meu amigo, paremos, não é preciso continuar a história iniciada, não é necessário revolver fatos passados que o fizeram sofrer. Está resolvido, comprarei a fazenda respeitando as suas determinações.

– Não! – respondeu resoluto. – Quero e preciso contar-lhe a minha história, pois só assim, talvez, encontre um bálsamo para a minha desdita.

– Continue, então.

– Entregue à mucama e sob a vigilância de meu pai, passei minha infância cercado de carinhos, muito mimado. Jamais fui contrariado. Todos os meus caprichos eram satisfeitos prontamente.

Com oito anos, segui para o Colégio, acompanhado de meu pai e de meu pajem, um pretinho liberto que se tornou meu companheiro durante muitos anos, compartilhando de minha vida, servindo-me com fidelidade até a noite trágica em que me tornei um assassino.

Francisco Ignácio estremeceu... André não se apercebeu e continuou...

– Ao completar dezesseis anos, segui com meu pajem para a Europa. Lá, em pouco tempo, formei um grupo numeroso de amigos.

Estudava com dedicação, mas passei também a viver intensamente a vida boêmia de um jovem fidalgo e rico.

Quase esqueci minha pátria, meu lar, meu pai.

Engolfado nos prazeres mundanos, no turbilhão da bela capital, conhecendo formosas damas que disputavam minha amizade, vitorioso nos estudos, completei, então, vinte e um anos.

Resolvi, por mero capricho, volver à minha Província; participei aos amigos, recebi homenagens e, em seguida, acompanhado de meu inseparável pajem, embarquei para o Brasil.

Estava exausto e esperava, na quietude de minha fazenda, recuperar as forças perdidas durante os cinco anos em que eu estivera ausente.

Durante a viagem, nos longos períodos de repouso, volvia meu pensamento para meu pai.

Como iria encontrá-lo?

Lembrava-me também de Josefa, mucama que me criara com muito afeto e dedicação. Por carta de meu pai, soubera que estava casada pela segunda vez; pouca importância dei, bem como pela vinda de sua filha Mariana, que ainda não tinha dois anos.

Não pretendia fixar residência na fazenda; jovem e rico, queria viajar.

Finalmente chegamos.

Recepção festiva de minhas irmãs, cunhados e sobrinhas. Dias intensos passei na Corte.

Sempre fui contra a abolição e foi com amarga decepção que constatei que meus cunhados e irmãs aceitavam com ardor a causa redentora dos escravos.

Segui para a fazenda; na cidade, não encontrei meu pai.

A sua ausência foi explicada por minha irmã Maria Luíza, que disse: – Nosso pai está velho e adoentado.

Na companhia de meu cunhado, tive nova oportunidade de constatar que ali também estava bem viva a semente da nova ideia. Senti funda revolta, só ao pensar na possibilidade de que essa causa triunfasse. Não podia compreender o Brasil sem escravos...

Enfim, parti para a fazenda.

Chegando, divisei a porteira, a casa grande e, junto à escadaria, o vulto de meu pai, que me esperava sozinho.

Soltei o cavalo e corri para os seus braços.

Ouvi um soluço, era de Josefa. Fitei a escrava que me criara, depois senti seus braços me apertarem com ternura...

Entrei...

No corredor, uma criança que, vendo meu pai, correu para ele com os bracinhos abertos...

Meu pai ergueu-a e voltando-se para mim, disse:

– André, meu filho, esta é Mariana, filhinha de Josefa.

Era linda a pequenina escrava, e meu pai explicou:

– Mariana é a alegria desta casa, é a minha companheira inseparável; sem ela, como poderia suportar esta solidão?

No salão, esperando o café, Mariana, no colo de meu pai, brincava com seus cabelos brancos.

Servindo o café, a pequenina pediu com ternura; colocando-a em pé, à sua frente, pôs no pires um pouco de café pedido e lhe deu aos goles.

Mariana tomava gulosamente e, quando terminou, meu pai mostrava-me, rindo, o bigodinho de café que dava ao rostinho da menina uma graça encantadora.

Fui para meu quarto e, da janela, fiquei a contemplar a paisagem belíssima.

No dia seguinte, conversamos animadamente. Perguntas sobre minhas irmãs, minha estadia na Europa, estudos e, finalmente, os murmúrios que chegavam à fazenda.

Contei tudo que observara na Corte e surpreso ouvi meu pai dizer:

– Não me admiro com o que me revela, pois, se fosse mais moço, seria também colaborador dessa causa.

Estremeci...

Aqui passei dois anos, sempre acompanhando meu pai e tentando modificar velhos planos traçados; porém compreendi que seria inútil travar lutas e resolvi então ir viajar.

Procurei meu pai e, nesse salão ao lado, expus meus planos. Pretendia voltar para a Europa, sozinho, deixando meu pajem e lá, então, organizar o roteiro de minhas viagens.

Papai consentiu, mas revelou grande mágoa com a minha decisão. Parti indiferente à dor e ao abatimento profundo de meu velho e bondoso pai.

Na Europa, passei mais sete anos, pouco escrevendo e completamente alheio a tudo que se referia à minha pátria.

Vivi intensamente, tive inúmeras aventuras amorosas. Quase cheguei a me esquecer desta fazenda, as cartas que enviava eram pequenas e lacônicas.

Até que conheci uma brasileirinha lá em Paris. Uma linda jovem que adorava o Brasil e a vida dos campos. Tinha Matilde dezessete anos; era filha única e rica. Resolvi inesperadamente casar-me.

Foi um casamento suntuoso e, dias depois, embarcávamos para a nossa pátria.

Aqui na fazenda, minha resolução foi recebida com intensa alegria por meu pai, que logo começou a dar ordens para os preparativos pedidos por mim.

Josefa, consultada, auxiliava com dedicação as iniciativas tomadas.

Mariana estava com onze anos, era inteligente e compreendeu imediatamente a transformação que iria passar a casa, até então, orientada por sua mãe.

Josefa adorava-me e, assim, procurou tudo fazer para que eu, ao chegar com minha esposa, encontrasse tudo na mais perfeita ordem.

Depois de longa viagem, chegamos finalmente.

A recepção foi acolhedora, desde os escravos que, reunidos no pátio, esperavam pela nova senhora.

Os primeiros instantes foram de profunda emoção, pois meu pai não podia conter as lágrimas, abraçado à minha esposa. Josefa também chorava.

Mariana, calada, estava distante observando a cena, e, quando me voltei, deparei-me com o olhar curioso dela, fixo em mim; foi, então, que perguntei: – Como se chama esta escrava? – e apontei para ela.

– Mariana é filha de Josefa...

Em poucos dias, Matilde conquistou a amizade de todos, principalmente de Josefa, enquanto eu passei a dar ordens.

Iniciei novos planos e comecei a traçar imediatas transformações; tão empolgado fiquei que quase não observava meu pai.

Em pouco tempo, Matilde reconheceu que sonhara demasiadamente, a realidade estava bem clara...

A decepção era dolorosa, não só dela, como de meu pai, que via também, entristecido, o desmoronar das suas ilusões; desejava ver-me administrando a velha fazenda, cercado pelos escravos, respeitado e estimado como fora meu avô e ele.

***

André parou cansado, enquanto Francisco Ignácio mantinha-se calado e curioso, ouvindo daquele homem a história pormenorizada de sua vida.

O temporal continuava violento e o reboar dos trovões sucedia.

O grande e sonoro carrilhão badalou onze vagarosas batidas; só a luz bruxuleante do pequeno lampião iluminava a casa grande envolta em silêncio...

O jovem pensava no drama que marcava a existência do Visconde.

Como teria ele se tornado um assassino?

Com dificuldade continha a curiosidade que o atormentava, mas não interrompeu o silêncio do amigo e, pacientemente, esperou que ele reiniciasse a história começada.

André continuava com a cabeça pendida e os olhos fechados.

Quando um trovão reboou ao longe, foi que ele, estremecendo, abriu os olhos e fixou o rosto calmo do jovem sentado ao seu lado.

Começou, então, a falar outra vez:

***

— Desde que voltara para esta fazenda, ao fitar Mariana afastada no terraço, senti, sem que ela se apercebesse, um forte e estranho sentimento, já difícil de ser dominado por um homem de meu temperamento violento e acostumado a ser satisfeito em tudo quanto desejava.

Poderia disfarçar por algum tempo esse sentimento, mas, com o decorrer dos dias e meses, seria árdua tarefa, tinha certeza.

Meu pai, velho e doente, aos poucos, ia definhando, até que, certa manhã, não se levantou para o café. Estava muito mal.

Vindo o médico, este revelou-me francamente que poucos dias ele teria.

Vem, desde esse instante, o meu primeiro crime; pois, sozinho com meu pai, prometi a ele que libertaria Mariana do cativeiro, que seria o meu primeiro gesto dar-lhe a liberdade, e meu pai, tranquilo, quase feliz, certo que eu obedeceria a sua vontade, pediu que mandasse vir Mariana para junto dele.

Eu estava ainda no quarto quando ela chegou, aproximou-se e, calada, chorava baixinho.

– Sente-se aqui...

Desde a minha vinda para a fazenda, era a primeira vez que meu pai pedia para a menina Mariana sentar-se ao seu lado...

Ia falar, quando um forte acesso de tosse o impediu.

Pela madrugada, ele morreu lentamente.

***

– Estava Mariana com quinze anos quando meu pai morreu. Era uma encantadora adolescente, alta, cintura muito fina, pés pequenos, cabeleira negra ligeiramente ondulada e longa. Olhos negros, profundos, sombreados por longos e sedosos cílios.

A pele morena e macia, os lábios polpudos e rubros, dentes alvos e, para acentuar mais seus encantos, duas provocantes covinhas...

Delicada, meiga, voz suave, cantava com graça e harmonia... Os dedos longos, mãos fidalgas, enfim, Mariana era linda... linda...

André novamente ficou calado, olhando para o teto como se estivesse vendo algo que o magoasse.

Francisco Ignácio, recostado na cômoda cadeira, observava com atenção.

Sem baixar o olhar, ele continuou depois de alguns instantes:

Minha esposa, astuta observadora, notou logo que Mariana despertara em mim lampejos de ardentes desejos...

Não só ela notara isso; o meu velho pajem, companheiro desde a infância, também desconfiara dos meus sentimentos para com a indefesa escrava.

Mariana jamais simpatizara comigo e essa aversão, vinda de longo tempo, fazia aumentar a paixão que já avassalava meu coração.

Quando senti que nunca a conquistaria, funda revolta tomou-me, pois eu, que sempre tivera ao meu alcance todas as mulheres que desejara, não podia me conformar com o desprezo de uma mísera escrava.

Queria Mariana, e ela pertencer-me-ia de qualquer modo, mesmo que para isso tivesse de praticar, no recesso de meu lar, um ato indigno e covarde.

Passei, então, a espreitar Mariana com persistência, mas meu pajem e minha esposa também estavam atentos...

Tornei-me nervoso, irritado, quando tive certeza da minha derrota.

Senti que nunca conquistaria Mariana. Ela, amedrontada, evitava-me, e Matilde auxiliava, trazendo-a sempre ao seu lado.

À noite, ficava com Josefa, que era a única que nada compreendera.

Impaciente, eu percorria a fazenda, estalando o chicote, dando ordens severas, castigando sob qualquer pretexto.

Sentia prazer em castigar.

Tomei Joaquim, o filho do feitor, para meu confidente e amigo inseparável, sempre pronto para obedecer cegamente minhas ordens...

Matilde detestava-o, nunca permitiu a entrada dele nesta casa e, quando eu precisava recebê-lo, ele entrava no meu gabinete particular, que tinha entrada independente pelo terraço, este em que agora estamos conversando.

Até que certa tarde, inesperadamente, chegou um portador trazendo uma carta do pai de Matilde, pedindo a sua ida imediata devido ao grave estado de saúde em que se encontrava sua mãe.

Concordei que ela devia seguir imediatamente.

Matilde quis levar Mariana, porém me opus, alegando que Josefa não podia ficar sozinha.

Minha esposa, desorientada com a notícia que recebera, não teve coragem de discutir comigo e, no dia seguinte, partimos.

Realmente, encontramos minha sogra gravemente enferma, e, passados alguns dias, retornei, deixando Matilde em companhia dos pais.

Estava afastada a mais sólida barreira que impossibilitava a minha conquista.

Cavalgando, silencioso, arquitetava o meu plano sinistro.

Foi numa tarde cinzenta, muito fria, quando conversando com Joaquim no pátio, vi Josefa e meu pajem saírem da casa grande e se dirigirem para a senzala.

Mariana ficara sozinha, tinha a certeza...

Sem dizer uma só palavra, deixei o feitor; resoluto, entrei e fui direto para o quarto de Josefa.

A porta estava aberta e Mariana bordava despreocupada, cantando baixinho, sem se aperceber do perigo que se avizinhava.

Quando ouviu fechar a porta, não se sobressaltou, pois julgou que era Josefa, mas, ao erguer os olhos, vendo-me parado à sua frente, deixou cair o bordado e, de um salto, tentou sair; mas meus fortes dedos, qual garras de uma ave de rapina, agarraram seus braços frágeis.

Tentou gritar, mas eu tapei-lhe a boca, arrastando-a e atirando-a em seguida sobre o modesto leito.

Depois, fechei a janela; o quarto ficou escuro, ela ainda gritou, mas a sua débil voz não foi ouvida.

Subjugada pela minha força brutal de homem alucinado por uma paixão indomável, Mariana foi facilmente vencida e sacrificada pelo homem que sua mãe ajudara a criar. Mas, meu amigo, não pararam aí, com este atentado, os meus crimes, não; outro eu ainda pratiquei com frieza e meditação.

Francisco Ignácio agora ouvia com mais atenção e ficou atordoado diante do que ainda poderia ouvir daquele homem, que tudo tivera na vida.

Mas qual poderia ser o crime que o aniquilara para sempre?

***

André, depois de uma prolongada pausa, continuou:

– Quando Josefa voltou da senzala e encontrou a filha deitada, cabelos em desalinho, vestes rasgadas, chorando convulsivamente, abriu a janela e, num relance, compreendeu tudo.

Correndo, saiu pelo corredor em direção a este gabinete. A porta estava fechada, ouvi as batidas e tive certeza que a terrível verdade tinha sido descoberta; precisava, pois, manter atitude enérgica.

Abri a porta e Josefa quase caiu nos meus braços. Afastei-me.

Ela conseguiu firmar-se e, parada diante de mim, como um juiz implacável, perguntou com voz trêmula:

– Que fizeste, miserável, com minha filha?

Dei de ombros e fui sentar-me ali perto da janela.

Josefa formulou, pela segunda vez, a mesma pergunta, e eu continuei calado, olhando o céu, e comecei, então, a assobiar alegre música.

Ao ouvir o assobio provocador e, talvez, lembrando a filha sacrificada, num gesto brusco ela esbofeteou-me com a mão áspera pelos longos anos de trabalho.

Senti meu rosto arder e, num salto, tomei-lhe o braço, torcendo-o sem piedade.

Um grito de dor escapou de seus lábios quando a atirei ali naquele canto.

Sem olhá-la, saí apressado, voltando em seguida com Joaquim.

No mesmo lugar, desacordada, estava a escrava.

– Leve-a e coloque-a no tronco, aplicando-lhe algumas chicotadas.

Foi esta a minha ordem ríspida e rápida, e, ainda desmaiada, foi colocada no instrumento de tortura.

Com poucas chicotadas, o sangue brotou vermelho vivo dos seus lábios descorados, dos lábios que tantas vezes me beijaram enquanto eu sugava-lhe o seio farto.

Os escravos, espavoridos diante da cena, correram para as senzalas.

Terminado o castigo, Joaquim afastou-se, deixando-a moribunda, presa ao tronco.

No quarto, Mariana, alheia ao suplício de sua mãe, continuava caída no leito.

A noite descera negra, sombria...

Os escravos, ao redor do tronco, assistiam a agonia da velha escrava, sem coragem de virem pedir minha clemência.

De repente, apareceu meu pajem, que voltava da cidade, e, ao ver o agrupamento, compreendeu que algo de terrível tinha se passado.

Correu, afastou uns pretos e surgiu o quadro horripilante...

Muito tempo ficou ele parado sem poder articular uma só palavra; afinal, trôpego, afastou-se e dirigiu-se para esta casa.

Entrou... Foi para o quarto de Mariana, e assim como Josefa, ao ver o estado da infeliz vítima, tudo compreendeu. Com brandura e afagos, interrogou-a, e a verdade lhe foi revelada.

Mariana perguntou pela mãe, e com franqueza meu pajem contou-lhe tudo. Como louca, ela saiu correndo, só parando diante do tronco.

Enquanto isso, o velho preto, que sempre me acompanhara, veio ao meu encontro e, pela primeira vez, aqui entrou sem bater.

O gabinete estava bem iluminado, e eu sentado nesta mesma cadeira.

Não dei importância quando o vi diante de mim.

Ele fixou o olhar neste retrato de meu pai que temos à nossa frente e começou a recordar todo o passado, citando fatos e datas, e depois perguntou:

– O que fizeste de todas essas tradições traçadas por teus antepassados? Como chegaste a profanar esta casa que fora de teus avós e de teus pais e por eles mantida com dignidade e respeito? Como pudeste violentar uma criança que teu pai carregara nos braços e que, moribundo, te confiara? Como?

E, aproximando-se mais, disse autoritário:

– Manda retirar imediatamente Josefa do tronco... Manda, covar... – e um soluço estrangulado embargou-lhe a voz.

***

Josefa, retirada do tronco, poucas horas teve de vida.

Cinco meses passaram-se e precisava ir buscar minha esposa. Durante esse período, forcei ainda Mariana muitas vezes, que, compreendendo a inutilidade da sua revolta, passou a ceder, temendo o inimigo poderoso.

Foi apavorada que sentiu palpitar dentro dela uma vida.

Quando eu soube da verdade, fiquei horrorizado. E se minha esposa viesse a saber de tudo?

Não... Precisava ocultar tudo custasse o que custasse.

Pensei em mandar matar Mariana, seria fácil... Depois, surgiu-me outra ideia: fazê-la casar-se, mas tinha a certeza que ela não concordaria e poderia denunciar-me.

Certa noite, pensando como poderia livrar-me de tão angustiosa situação, resolvi que a única solução seria eliminar esse filho.

Afastaria Mariana da fazenda, mandando-a para um lugar seguro, com uns pretos de confiança, e, logo nascida a criança, fá-la-ia desaparecer sem deixar vestígios. E, passado o perigo, faria com que Mariana se casasse.

Vagarosamente, arquitetei tudo.

Foi, pois, fácil explicar à Matilde a morte repentina de Josefa e o necessário afastamento de Mariana, que fora tratar de velhos escravos.

Quatro meses depois, numa tarde, Joaquim procurou-me, avisando que o momento chegara... Pretextei um negócio repentino e parti apressado rumo à choupana do casal de velhos escravos, onde Mariana esperava o nascimento do filho.

O céu estava escuro, denunciando forte temporal; era uma noite parecida com esta...

Depois de vencida a terrível caminhada, amarrei o cavalo e, empurrando a porta, entrei...

Ouvi gemidos e a preta apareceu, avisando-me que dois meninos acabavam de nascer...

Pedi as duas crianças...

A velha escrava foi ao quarto e voltou com os pequeninos...

Deixei a choupana rumo ao matagal espesso; relâmpagos cruzavam o céu; vento forte sacudia as árvores...

Num ponto, onde o mato era mais denso, depositei uma criança no solo encharcado, e a outra, que chorava alto, estrangulei com estas mãos fortes... criminosas...

Coloquei o corpo inerte de meu filho sobre galhos e abaixei-me para tomar o outro e trucidá-lo do mesmo modo.

Ouvi estranho barulho; um relâmpago cruzou o céu, iluminando por segundos aquele lúgubre lugar.

Vi, então, o meu pajem segurando a criança e, com uma afiada faca, aproximando-se...

Recuei surpreso. Passado o susto, procurei meu pajem, mas ele desaparecera levando o pequenino.

Voltei para a choupana...

Entrei exausto. Mariana agora gemia debilmente. Aproximei-me do quarto e vi minha vítima deitada num miserável leito, envolta em trapos sujos de sangue.

A preta velha veio para perto de mim e disse: – Ela está morrendo, que faremos depois?

Não respondi.

Ouvi que os gemidos iam se extinguindo, e Mariana, quando despontou o dia, deixou de viver.

Momentos depois, com o auxílio da velha escrava, sepultei-a em plena mata.

Ameacei os pobres escravos e montei a cavalo, desaparecendo rumo a esta fazenda.

***

Passei o dia deitado e, à noite, fui assaltado por horríveis pesadelos.

No dia seguinte, pela primeira vez, vi, ao meu lado, uma Sombra negra.

Sempre fui corajoso, destemido, mas, naquele instante, estava acovardado diante do que via.

Quando tornei a encontrar o feitor, este me participou o desaparecimento de meu pajem.

Jamais consegui descobrir o seu paradeiro, inúteis todas as tentativas feitas...

***

Durante muitos anos, esta fazenda passou por muitas modificações.

Matilde, envelhecida e decepcionada, raramente saía. Não tivemos filhos, e ela jamais se afeiçoou a nada, nem criança, nem animais; vivia completamente isolada com seus livros e jornais.

Eu também envelhecera e nada restava do belo homem que fui.

Vencido, entreguei a administração da fazenda ao meu feitor Joaquim.

Pouco conversava com minha esposa; éramos dois estranhos vivendo na mesma casa.

Eu tinha sonhos horríveis, torturantes, e os anos foram se passando.

Matilde acostumou-se com minhas crises, pois, durante muitos anos, teve oportunidade de assistir inúmeras delas; muitas noites, acordava com meus gritos alucinantes...

Estremeci quando ela, certo dia, confiou-me que, há muito, vinha sentindo fortes dores no coração.

Engolfado nos meus pensamentos, abatido, amedrontado, não me apercebi da gravidade do estado de minha esposa, que vivia isolada ao meu lado.

Matilde estava morta.

A fazenda declinava, o feitor ambicioso e desonesto tomava fartos proveitos, as colheitas diminuíam e as plantações desapareciam.

Não tinha mais forças para lutar, e a Sombra, sempre nítida a meu lado; creio que ficará até o meu fim.

Vivi muito tempo nesta casa, alheio a tudo, sem me aperceber de nada, e, enquanto isso, meu organismo, aos poucos, ia também se enfraquecendo.

O relógio badalou duas horas, a chuva continuava forte e o vento sibilando.

André ficou calado...

Francisco Ignácio, então, resolveu interrogá-lo, depois de ter ouvido a confissão.

– Meu amigo, permita que lhe faça uma só pergunta? Como se chamava o seu pajem? Responda!

André ergueu a cabeça e fitou demoradamente o rosto do jovem médico, tão parecido com Mariana, e ia responder-lhe quando, junto dele, surgiu a Sombra.

André deu um grito, que foi abafado pelo estrondo de um trovão e pelo baque da cadeira; correndo, saiu pelo corredor em direção ao quarto.

Francisco Ignácio ouviu a batida da porta que se fechava.

Depois, o silêncio tornou a invadir o casarão.

No gabinete iluminado pela luz bruxuleante do lampião, o jovem ficou ainda sentado, olhando para o retrato do velho Conde, testemunha muda de tudo que se passara.

Pelo seu cérebro, pensamentos confusos entrelaçavam-se.

– Talvez fosse coincidência... Ignácio... preto inteligente, viajado, vivendo sempre oculto; ele, desconhecendo todo o seu passado...

Não... preciso afastar essas tolas ideias... seguirei hoje à tarde e, então, com vagar, procurarei auscultar meus protetores.

Apagou o lampião e saiu do gabinete.

***

Quando se levantou e foi para o salão de refeições, não encontrou o Visconde.

Desceu depois, à procura do preto que o acompanharia até a cidade.

Voltou para o quarto, preparou as malas e, junto à janela, ficou contemplando o horizonte distante.

Na hora do almoço, deparou-se com André sentado junto à mesa, à sua espera; estava pálido e profundamente abatido.

O almoço foi servido, e Francisco Ignácio partiria logo depois.

Pouco conversaram e, ao terminarem, dirigiram-se ao terraço, à espera do café. No pátio, os animais preparados esperavam. Foi quando André, pausadamente, falou:

– Estou resolvido a vender-lhe a fazenda, desde já lhe pertence, mas com as condições estipuladas...

Francisco Ignácio ia fazer comentários a respeito, quando ele, brusco, levantou-se e, junto à escada, mandou que o preto trouxesse o animal.

A despedida foi rápida e fria...

Quando Francisco Ignácio transpôs a porteira, voltou a olhar o branco casarão, cercado de altas palmeiras, divisando André, em pé, apoiado na bengala e parado no mesmo lugar.

***

Francisco Ignácio fez toda a viagem entregue aos mais dolorosos pensamentos. Ansiava por ouvir algo de Ignácio e do Padre.

Poucos dias poderia ficar na companhia deles.

Na Corte, a sua presença era necessária e a viagem longa e difícil que ainda teria de enfrentar fazia-o mais ansioso para tentar interrogar o seu boníssimo protetor. Mas, ao chegar, uma dolorosa surpresa esperava-o.

Ignácio adoecera repentinamente e, numa modesta cama no quarto do Padre, André foi encontrá-lo em estado desesperador.

Foram horas angustiosas para o jovem médico; horas de lutas e desenganos, porém, depois de renhida batalha, Ignácio começou a experimentar sensível melhora, mas o médico, sagaz que era, compreendera que Ignácio jamais se levantaria.

Precisava não perder tempo.

Tinha saído um pouco para descansar debaixo da grande árvore, vencido pelo cansaço. Adormeceu alguns minutos e, quando, sobressaltado, acordou, correu para o quarto do enfermo.

O Padre dormia calmamente. Francisco Ignácio trouxe uma velha cadeira para junto de Ignácio e sentou-se.

Colocou a mão branca fidalga, de dedos longos, sobre a mão preta e calosa do bondoso escravo, depois, muito calmo, contou que comprara a fazenda do Visconde e pretendia levá-lo, assim como o Padre, para lá, depois da reforma que mandaria fazer.

Ignácio estremeceu violentamente e tentou erguer-se, o que foi impedido pelo jovem.

No olhar meigo do preto, um vislumbre de ódio perpassou; fitou Francisco Ignácio e lágrimas indiscretas brotaram dos seus olhos...

Foi, então, que o médico confessou-lhe tudo quanto ouvira de André na noite anterior, até o ponto em que perguntara pelo nome do pajem.

Ignácio ouviu tudo sem interrompê-lo e Francisco Ignácio pôde observar as transformações do seu rosto.

Quando terminou, pediu:

– Conte-me agora tudo o que sabe, peço pelo muito que me quer; sou um homem e preciso conhecer o meu passado. Tire-me desta dúvida, desta terrível incerteza.

***

O Padre continuava dormindo, e Ignácio, compreendendo que seu fim estava próximo, resolveu confiar ao médico o grande segredo guardado há tantos anos.

Confessou que, realmente, ele era o pajem do Visconde... Confirmou tudo quanto ele contara até o momento em que lhe arrancara das mãos o outro pequenino filho de Mariana.

A seguir, narrou-lhe toda a sua luta para chegar até a choupana onde estava Mariana, após ouvir, escondido na senzala, a conversa do Visconde com seu feitor.

Mas uma luta maior aguardava-o: a longa caminhada durante toda a noite, com o corpinho gelado do recém-nascido em seus braços, em busca da estrada.

– No meu cérebro, as ideias emaranhavam-se – contou –, num complicado labirinto; tentava coordená-las, mas impossível... impossível... Porém o choro da criança e a certeza de que ela estava faminta deram-me novos alentos.

Lembrei-me do velho e santo Padre, que morava num sítio próximo onde estava... Foi como um jato de luz, foi um rastilho de esperança e fé...

Sim, levaria para a casa do bondoso Padre, sabia que ele ia afastar-se dali para muito longe e eu desapareceria com ele, levando o filhinho de Mariana, criando-o com amor e carinho... Pensava e caminhava rápido.

Avistei a casinha pequenina e modesta... bati com força... a porta abriu-se e o Padre recuou assustado ao ver-me esfarrapado, ensanguentado, trazendo nos braços um recém-nascido.

Depositei o pequenino fardo em suas mãos e caí exausto.

Com a criança nos braços, o bondoso sacerdote sentiu profunda emoção; fechou rapidamente a porta e foi agasalhar o pequenino na sua cama ainda quente.

Em seguida, foi despertar a velha preta que o servia.

Logo depois, a velha servidora tinha aconchegado a ela a criança, tentando dar-lhe a primeira refeição.

Quando horas depois despertei, pedi ao Padre para me ouvir em confissão... Tudo lhe confessei, tudo lhe confiei, o drama tremendo de que fui a única testemunha.

Pedi para batizar a criança e dei-lhe o nome do avô – Francisco Ignácio. Em seguida, ele escreveu uma carta que deveria servir de documento, anos depois, para identificar o filho de Mariana e do Visconde de X...

A carta esclarece o dia, hora, mês, local do nascimento, nome, enfim, tudo quanto é necessário para provar a sua origem. Assinada e datada por mim e pelo Padre, essa carta está depositada num pequeno cofre e enterrada junto ao tronco da velha árvore, defronte a esta casa.

Semanas depois, deixamos o lugarejo e para aqui viemos; vivi muito tempo escondido, temeroso de ser descoberto pelos espiões de André. Eu era livre e, aos poucos, fui sendo esquecido.

Você, meu filho, agora sabe de tudo, pode ir procurar o cofre e retirar a carta.

Minha missão está cumprida; fiz por você, pelo filho de Mariana, tudo quanto poderia fazer.

Tenho a consciência tranquila e posso morrer sem temor. Cabe somente a você resolver se deve perdoar seu pai ou, então, odiá-lo.

***

Francisco Ignácio, sem dizer uma só palavra, levantou-se e devagar saiu do quarto.

Na sala, parou um instante e ficou olhando pela porta entreaberta a frondosa e velha árvore, depositária muda do segredo de sua vida.

Em seguida, foi à procura de uma enxada.

Num depósito ao lado da casa, encontrou diversos instrumentos agrícolas e, entre eles, a enferrujada enxada de Ignácio, a mesma com que, por muitos anos, cavara aquelas terras, revolvendo-as com tenacidade para, em seguida, atirar as pequeninas sementes.

Com profunda emoção, apertando com força o seu cabo luzidio, ele foi cumprir a missão que lhe destinara o preto velho.

Junto à árvore, olhando o nodoso tronco de profundas raízes, sentia o jovem médico que o seu corpo estava tremendo e que seu coração tinha um ritmo descontrolado.

Sentou-se no rústico banco e ficou pensando na dedicação e no amor que lhe dedicara o bondoso Ignácio.

Fez o confronto dos dois homens: um, seu verdadeiro pai, nobre, rico, instruído, orgulhoso, um assassino cruel e frio; o outro, humilde, pobre escravo, mas de alma boníssima e nobre de sentimentos.

Que espantosa diferença: um de pele branca e alma negra... o outro de pele negra e alma branca como o arminho.

Sentia que seu coração transbordava de ternura; só em olhá-lo, que infinita bondade transparecia no olhar do velho preto que o criara; enquanto que, no olhar de seu pai, viam-se terror e lampejos de ódio.

Francisco Ignácio, com as mãos trêmulas, enxugava o suor que molhava seu rosto; finalmente, resoluto, ergueu-se e corajosamente começou a cavar junto ao tronco da secular árvore.

Cavava com força, na ânsia de descobrir o cofre que encerrava a carta...

Cavava... cavava sem parar; finalmente, a enxada bateu sobre um objeto, produzindo estranho som.

Era o cofre...

Ele cambaleou, mas conseguiu apoiar-se no tronco até que a vertigem passou; depois, afastando a terra úmida, pegou o pequeno cofre e cuidadosamente o limpou.

Constatou que ele abria com facilidade.

Aberto, deparou-se com o amarelado papel; abriu-o e leu com atenção. Tudo exato como lhe explicara Ignácio.

Ali estava escrito, com a letra pequenina e nítida do Padre, a data de seu nascimento, hora, dia e ano; nome de seus pais e de seus avós.

Estranho entrelaçamento de duas famílias; uma fidalga, de antepassados ilustres, aureolados nas páginas da história de sua Província; outra desconhecida, anônima, vinda da misteriosa África, selvagem e bárbara. E foi desse amálgama dessas duas raças que ele herdara o sangue, pois o nome seria agora iniciado por ele...

Seria a primeira vergôntea de uma família Paulista, família que não teria nem os brasões de seu pai, nem o estigma da raça de sua mãe...

Não...

Essa família seria ele, que tinha no sangue partículas das duas...

Casaria e seus filhos iriam usar um só nome, começado por ele e enaltecido por ele mesmo.

Colocou o cofre sobre o banco e atirou novamente a terra no buraco.

Estava exausto.

Entrou e foi direto para o seu quarto, levando o cofre.

Ignácio viu quando ele passou; não o chamou.

No quarto, Francisco Ignácio guardou cuidadosamente, em sua mala, o precioso achado.

Deitou-se, mas não dormiu.

Foi uma noite de vigília e, sem querer, repetia um nome: Mariana... Mariana, mãe querida.

***

Mais uns dias se passaram, e Ignácio, cada vez pior.

Francisco Ignácio compreendia que o seu fim estava próximo, por isso resolveu adiar a viagem e ficar ao lado de seu grande amigo.

O Padre, embora inválido, ainda era muito lúcido e, assim como o médico, sabia que, em breve, ficaria sozinho.

Foi, pois, ao amanhecer de um lindo dia que o jovem ouviu chamá-lo com insistência; deu um salto, pôs-se em pé e correu para o quarto dos dois velhinhos; olhou para Ignácio e teve certeza de que o instante doloroso tinha chegado.

O Padre pediu para que aproximasse a sua cama para mais perto do amigo.

Francisco Ignácio obedeceu e sentou-se também ao lado de Ignácio, tomando-lhe as mãos muito pretas, cheias de calos; afagou-as demoradamente e, quando ergueu a cabeça, viu que duas límpidas lágrimas rolavam pelo rosto do boníssimo preto...

Abaixou-se mais e chamou-o: – Ignácio... Ignácio...

O velho escravo sorriu e ainda quis responder, mas, nesse instante, sua alma pura e boa desprendeu-se do invólucro carnal, desprendeu-se suavemente... mansamente... E enquanto o Sacerdote rezava contrito, Francisco Ignácio encostou a cabeça junto ao corpo inerte do preto velho e chorou convulsivamente.

Tinha perdido seu verdadeiro pai...

O Sol rubro acabava de despontar... Uma claridade maravilhosa cobria a Terra, as montanhas, os campos...

Em bandos alegres, os pássaros gorjeavam, pousando nas árvores.

Vinha das matas o suave perfume das flores ainda úmidas do orvalho da noite.

Dia esplêndido em que toda a natureza revestia-se de encanto como que desejando homenagear o humilde preto que partia para a verdadeira morada.

***

Ignácio foi sepultado na vizinha cidade.

Francisco Ignácio tudo fez, testemunhando a sua imorredoura gratidão. Depois providenciou a vinda do Padre para a mesma cidade, onde ficaria aos cuidados de uma conhecida família, recebendo do afilhado todo o auxílio financeiro necessário à sua manutenção farta e cuidadosa.

A casinha, onde vivera longos anos com o preto amigo, fora entregue a um casal de ex-escravos, que tratariam dela assim como das plantações iniciadas com tanto trabalho e dedicação por Ignácio.

Tudo resolvido, ele voltou à Corte, onde a sua presença era reclamada com insistência.

Na mala, levava o precioso cofre que encerrava a carta reveladora.

***

Na fazenda, André vivia dias horríveis, principalmente depois da partida de Francisco Ignácio.

Terrível incerteza martirizava-o: a extraordinária e impressionante semelhança do jovem médico com Mariana deixava-o desesperado.

Seria ele o seu filho milagrosamente salvo por Ignácio, naquela noite fatídica?

Tudo fazia crer que era uma verdade clara e positiva, pois, além da semelhança, existia o mistério de seu nascimento.

Jamais tivera notícias de Ignácio e, com o decorrer dos anos, procurou mesmo esquecê-lo; mas, agora, velho, doente, vendo aproximar-se o fim, voltava a recordação torturante...

A ânsia de desvendar o mistério que cercava o desaparecimento do preto e da criança que ele levara...

Sozinho, vagando pela casa grande, André vivia dias torturantes.

A Sombra tornou-se mais nítida e mais constante ao seu lado; perseguia-o implacavelmente, quer de noite, quer de dia, ela estava sempre ao seu lado... O frio era mais intenso... Os arrepios sucediam-se quase que ininterruptamente... E, assim, as forças de André iam também se enfraquecendo, até que ele prostrou-se definitivamente...

Tinha pesadelos e acordava gritando... começou a ter medo do escuro...

No oratório abandonado, voltou a arder a pequenina lâmpada de azeite que iluminava o doce sorriso da Virgem; mas mesmo assim a Sombra não desaparecia e os sonhos eram mais constantes, sonhos onde bailavam os vultos do Conde, de sua mãe que não conhecera, de Matilde, Josefa, Mariana...

Quando sonhou, dias depois que Francisco Ignácio deixou a fazenda, viu então, pela primeira vez, o preto ao lado dos seus mortos...

Sentou-se desesperado no leito e fez angustiosa interrogação: Teria ele morrido?

E os dias foram se passando, os meses, e André lentamente definhando.

Resolveu escrever para a Corte, confessando às irmãs o seu verdadeiro estado e pedindo a vinda imediata de Francisco Ignácio.

Sabia que os seus dias estavam contados e precisava, ainda uma vez, conversar com o jovem médico.

Precisava arrancar-lhe a confissão desejada, pois, só assim, poderia encontrar paz e tranquilidade para a sua alma sofredora.

Escreveu para Maria Antonieta uma longa carta explicando o motivo do pedido, para que Francisco Ignácio volvesse à fazenda.

Confessou à irmã a sua história e as dúvidas que o martirizavam. Sabia que encontraria na irmã, agora já envelhecida, a compreensão e o perdão para seu crime.

Se realmente Francisco Ignácio fosse seu filho, ele morreria feliz, pois sabia que o seu nome e os seus brasões seriam conservados e enaltecidos por aquele jovem digno e culto. A fazenda de seus pais ficaria nas mãos de um legítimo herdeiro.

Enviada a carta, André passou a esperar com sofreguidão a vinda do médico.

Cada dia que se passava, mais ele enfraquecia.

Já não se erguia do leito; tinha, para servi-lo, duas pretas velhas.

Durante o dia, pedia para que a janela ficasse aberta e, recostado nas almofadas, olhava o céu e fazia um retrospecto de sua vida para, em seguida, pensar como seria depois.

Quase incrédulo, jamais procurou seguir os ensinamentos de seu pai, que era religioso, assim como de Josefa que, desde pequenino, ensinara-o a rezar e a pedir a proteção de Deus.

No Colégio, esses ensinamentos continuaram, mas, ao deixá-lo, seguindo para a Europa, esquecera-os rapidamente ao se engolfar no turbilhão da vida boêmia.

Casado, continuou vivendo afastado da Igreja e chegou mesmo a criticar Matilde, que era profundamente religiosa.

Veio depois a paixão por Mariana, o crime; foi, então, que esqueceu definitivamente tudo quanto aprendera na infância e na adolescência.

Só agora que se aproximava o fim e que teria de partir para sempre, foi que começou a recordar os ensinamentos de Josefa e dos velhos mestres.

Lembrava-se das palavras de um dos padres quando dizia no púlpito: "Na casa de meu Pai, há muitas moradas"...

Para onde irei?... Eu, um criminoso, perverso!! Para onde?...

André fitava o céu e continuava ouvindo a voz vinda do passado...

"Bem-aventurados os que têm o coração puro."

"Bem-aventurados os que são mansos e pacíficos."

"Bem-aventurados os que são misericordiosos."

"Honra a teu pai e a tua mãe."

"Muitos os chamados, poucos os escolhidos."

Infeliz André que, examinando a si mesmo, reconhecia que jamais tivera o coração puro, pois, para haver pureza de coração, são necessárias a simplicidade e a humildade, e ele foi orgulhoso e arrogante...

Mansos e pacíficos... e ele foi cruel, mau e impiedoso...

Bem-aventurados os misericordiosos... e ele, infeliz, nunca soube o que significava ser misericordioso...

Desconhecia a benevolência para com seus semelhantes, que é o fruto do amor ao próximo.

Desconhecia a paciência, a obediência e a resignação...

Não compreendia que a dor e o sofrimento são dádivas de Deus aos seus filhos...

Não sabia sofrer, porque não sabia que precisava perdoar para ser perdoado...

"Honra teu pai e tua mãe", dizia o seu mestre, repetindo devagar as palavras...

"Honrar pai e mãe não é somente respeitá-los, mas também seguir os seus exemplos, não esquecendo o que deles recebeu. É preciso ter sempre bem nítido as noites de vigília, quando embalavam o pequenino berço.

O leito aquecido, as ternuras, os cuidados...

Infeliz daquele que tudo isso esquece; que esquece o que deve aos que o sustentaram na fraqueza e na hora difícil; que muitas vezes passaram privações para assegurar o seu bem-estar.

Infeliz do ingrato, pois será um dia punido com a ingratidão e o abandono."

André, recordando esses pequenos trechos dos sermões ouvidos na infância, reconhecia que eram justos os seus sofrimentos...

"Um dia será punido com a ingratidão e o abandono."

Sim, era uma clara verdade. Lembrava-se de Joaquim, a quem cumulara de tantos benefícios, para que, depois, ele o roubasse, o arruinasse, e viesse a fugir covardemente...

E o abandono?... Dolorosa verdade...

"Muitos os chamados e poucos os escolhidos", recordava André, fitando o céu; assim deve ser... e eu tenho certeza de que não serei dos eleitos, que não estarei nas moradas do Pai... Tenho as mãos e o coração muito sujos.

Enquanto pensava e procurava compreender os ensinamentos dos velhos mestres, viu horrorizado que a Sombra fixava-se mais ao seu lado.

Será que ela nunca me abandonará?

Que precisarei fazer para que os meus últimos dias sejam mais tranquilos?

E com essas angustiosas interrogações, André via passar os dias e sentia que as suas forças o estavam abandonando rapidamente.

Quase não podia erguer-se do leito para dar alguns passos e, mesmo assim, apoiado nas duas pretas.

Da Corte, não lhe chegava nenhuma carta. A expectativa enlouquecia-o...

E se Francisco Ignácio não atendesse o seu pedido?

Morreria sozinho sem que pudesse elucidar todo o mistério que envolvia o jovem médico e que, desvendado, talvez lhe trouxesse a paz tão almejada.

***

Dias longos, semanas, mas, uma tarde, inesperadamente, uma das pretas entrou ofegante no quarto, avisando que, ao longe, vinha um cavaleiro.

André estremeceu e, num esforço tremendo, conseguiu deixar o leito, e, aproximando-se da janela, divisou junto à porteira o vulto anunciado pela bondosa servidora.

– Será Francisco Ignácio? – exclamou e cambaleou, caindo inanimado sobre o leito.

A preta gritou pedindo socorro; em seu auxílio, correu a sua companheira e mais um velho preto.

Nesse instante, ouviram passos e, logo depois, surgia na porta Francisco Ignácio.

O quarto estava envolto em penumbra, mas, mesmo assim, ele constatou que estava perto de um moribundo; mais uns dias, seria tarde a sua vinda.

Cena triste a que tinha diante de seus olhos; via aquele homem que fora imensamente rico, fidalgo, agora no fim da vida, sozinho naquele lúgubre casarão, tendo somente para assisti-lo e auxiliá-lo as pretas velhas, ex-escravas, que ele tanto perseguiu e desprezou...

Ironia do destino...

Passado o momento de emoção, resoluto, aproximou-se de André, chamando-o baixinho, e, depois, sentou-se ao seu lado.

As pretas retiraram-se respeitosamente.

Com as roupas sujas de pó e o cansaço estampado no rosto, nem mesmo assim saiu de perto do enfermo.

Tomou as mãos geladas do Visconde e procurou sondar-lhe as pulsações.

Cabisbaixo, observava atentamente; sacudia a cabeça... Quase nada mais poderia fazer, a ciência seria impotente e os seus conhecimentos limitados para socorrer aquele homem que ele sabia ser o seu verdadeiro pai.

Apertando as mãos frias do moribundo, ele recordava que aquelas mesmas mãos haviam estrangulado seu irmão e quase o matara também.

Mãos fidalgas, de dedos tão longos e unhas tão brilhantes; ninguém, ao olhá-las, poderia pensar que eram mãos de um criminoso frio e covarde.

Francisco Ignácio afastou-as com horror, mas, nesse instante, André abriu os olhos e fitou com um triste sorriso o rosto bonito do médico.

***

Quando, na Corte, Francisco Ignácio recebeu o chamado de Maria Antonieta, compreendeu imediatamente que algo de grave estava se passando na fazenda.

Relutou muito antes de atender ao apelo; sentia profunda repulsa pelo homem que tanto mal fizera à sua mãe, infeliz e indefesa, que matara seu irmão, sua avó, que perseguira impiedosamente Ignácio; carrasco de míseros cativos, filho impiedoso, esposo desumano, nada encontrava nele que lhe causasse piedade...

Era justo o sofrimento. Ele precisava mesmo desse castigo.

Na tarde em que recebera o chamado de Maria Antonieta, ao voltar à noite para seu quarto, depois de um dia de intensa luta, não conseguiu nem mesmo assim repousar.

No seu cérebro cansado, os pensamentos emaranhavam-se num difícil labirinto.

No seu coração, existiam lampejos de ódio, mas, examinando melhor todos os pormenores desse doloroso drama, veio, então, a recordação dos velhos mestres; e como para André, eles falaram bem alto, mudando o rumo das decisões violentas e impiedosas.

Para Francisco Ignácio, que possuía alma boníssima e caráter reto, as lições dos padres eram como páginas de um evangelho. Diziam sempre assim:

"Perdoai para que Deus os perdoe"; "Bem-aventurados os misericordiosos porque eles alcançarão a misericórdia".

E Francisco Ignácio sentia que, sem a misericórdia e o esquecimento, o Perdão não seria completo.

"O ódio, o rancor, a cólera derrotam uma alma impura, sem elevação, sem grandeza, enquanto o perdão, o esquecimento das ofensas, é próprio dos bons e traz paz e tranquilidade.

Pobre daquele que proclama que não perdoa, porque, se não for condenado pelos homens, fatalmente será julgado por Deus."

Outras palavras do Padre mestre eram relembradas por Francisco Ignácio nessa noite em que ele se debatia em difícil dilema...

"Não julgueis para não serdes julgado – Aquele que estiver sem pecado, atire a primeira pedra – Perdoar aos inimigos é pedir perdão para si mesmo – Perdoar aos amigos é dar-lhes provas de amizade – Perdoar as ofensas é demonstrar progresso."

– Quanta beleza nesses ensinamentos... – dizia baixinho Francisco Ignácio.

Esses mesmos ensinamentos sempre ouvira do Padre, seu padrinho, quando ainda menino, ao iniciar seus primeiros estudos... Depois, continuou ouvindo dos mestres; como pois, então, olvidá-los nesta ocasião em que ele poderia demonstrar que foram compreendidos e respeitados?

Vinha surgindo o dia quando ele conseguiu conciliar o sono, depois de ter resolvido atender o chamado urgente de Maria Antonieta.

Ao acordar, sentia-se mais calmo e quase com curiosidade de saber o que desejava dele a ilustre dama.

Passou todo o dia trabalhando, porém sem esquecer, um só instante, do apelo que lhe fora feito e, à tarde, tomou um carro e deu o endereço do palacete de Maria Antonieta.

Recebido no luxuoso salão tão seu conhecido, ouviu atento o pedido que lhe era feito, juntamente com a carta de André.

Prometeu seguir imediatamente.

Nada revelou a Maria Antonieta e ela também nada lhe disse da confissão do irmão, feita numa carta confidencial.

O tempo se incumbiria de aproximá-los, já então tudo esclarecido...

Francisco Ignácio cumpriu a promessa, partindo logo para a fazenda e chegando ali ao cair daquela triste tarde.

***

Quando André deparou-se com Francisco Ignácio sentado ao seu lado, sorriu tristemente e procurou erguer-se para melhor fitá-lo; queria falar, mas não conseguia pronunciar uma só sílaba; o suor escorria pelo rosto e os cabelos estavam molhados; as mãos tremiam e uma intensa palidez cobria-lhe.

Os olhos quase sem brilho, circundados por roxas e profundas olheiras.

A respiração ofegante... dolorosa... difícil...

Foi o jovem que falou, depois de demorada observação:

– Aqui estou atendendo o seu apelo, e tudo farei para minorar seus sofrimentos.

André sacudiu a cabeça e num grande esforço disse:

– Não... Não quero e não preciso de remédios.

Pedi para que viesse porque sei que estou no fim e quero resolver o negócio da fazenda e, em seguida, fazer-lhe algumas perguntas para depois, então, poder morrer tranquilo.

Já lhe confiei o meu segredo, o meu crime, o meu drama.

Nesse instante, a preta entrou, avisando que o quarto estava preparado, assim como a refeição.

Francisco Ignácio levantou-se e devagar saiu do quarto.

Terminada a refeição, procurou repousar um pouco; a viagem longa, forçada, sem interrupção, deixara-o cansadíssimo.

O silêncio do casarão, o estado gravíssimo de André, tudo isso lhe deixava ainda mais extenuado.

Na mala, trouxera cuidadosamente o cofre com a carta que lhe entregara Ignácio há poucos meses passados.

Deitado, adormeceu depressa; e, quando despertou, um raio claro de luar penetrava no quarto.

A noite descera, e um manto prateado cobria a Terra.

O jovem veio para junto da janela e admirou a beleza da paisagem que se descortinava; aspirou o ar puro vindo da aragem fresca.

Tênue perfume das poucas flores que ainda desabrochavam no velho e abandonado jardim, outrora tão belo e bem cuidado.

Algumas estátuas estavam quebradas e esverdeadas pelo mofo.

– Que fazer com esta fazenda para que ela readquira o esplendor passado?

Farei sacrifícios, mas torná-la-ei admirada; mandarei vir colonos estrangeiros que, em pouco tempo, farão surgir, destas férteis terras, abundantes colheitas – meditou.

Ouviu bater na porta.

Abriu e era a preta; pedia que fosse ver André, que o chamava com insistência.

Francisco Ignácio saiu depressa rumo aos seus aposentos.

Já na porta, voltou ligeiro e da mala retirou o cofre, trazendo e colocando-o sobre um console no salão ao lado.

Entrou...

André, recostado na almofada, estava de olhos fechados.

O luar suave tinha invadido todo o quarto.

Francisco Ignácio sentou-se na mesma cadeira, ao lado do leito, e esperou pacientemente que ele falasse.

O silêncio durou muitos minutos. Finalmente, André abriu os olhos e, com voz cansada, disse:

– Ali, naquela gaveta, estão todos os documentos relativos à venda que lhe fiz desta fazenda.

O médico quis falar, mas André, colocando as mãos sobre seus lábios, impediu-o.

– Junto estão outros papéis importantes sobre os meus negócios; estão também as joias de minha mãe; dividi-as com minhas irmãs e peço que as entregue em meu nome. Tudo está organizado e pertence-lhe...

Novamente, Francisco Ignácio quis falar, mas foi outra vez impedido.

– Agora, quero lhe fazer uma pergunta, que só ela, talvez, seja suficiente para tudo elucidar, tirando-me da angústia que vivo engolfado há tão longos anos.

Responda-me com sinceridade, estou no fim e quero morrer mais tranquilo: como se chamava o preto que o criou? Como? – murmurou André, num gemido.

O jovem estremeceu, tinha chegado o momento terrível, precisava de todas as suas forças para enfrentar corajosamente aquele cruciante instante. Então, resoluto, respondeu fitando o rosto do moribundo:

– Ignácio.

André soltou um grito e deixou pender a cabeça...

Francisco Ignácio, imóvel, não o socorreu e, com os olhos muito abertos, fitava o enfermo e lutava desesperadamente para não acusá-lo, enquanto ouvia nitidamente a voz que lhe dizia:

– Perdoe! Para que Deus o perdoe!

Então, tomou as mãos frias de seu pai, afastou os cabelos úmidos e, mansamente, junto ao ouvido dele, falou:

– Eu lhe perdoo!

André, como se tocado por mãos misteriosas, ergueu-se, enquanto as lágrimas brotavam de seus olhos sem brilho. Murmurava com esforço:

– Ignácio... meu filho... Ignácio... Mariana...

O jovem levantou-se e foi até o salão.

Voltou apressado, trazendo o cofre, sentou-se e, devagar, retirou a carta que depositou nas mãos de André.

Em seguida, apanhou um candelabro que estava sobre a escrivaninha e aproximou-o do Visconde que, desdobrando o amarelado papel, leu com dificuldade a revelação que positivava ser Francisco Ignácio seu filho e de Mariana.

Momento terrível em que ele, reconhecendo, no jovem culto e bom, o filho que desejou matar e que, naquele momento supremo, estava ao seu lado para, como juiz, exigir dele a reparação justa.

André reconheceu o filho, mas ainda precisava pedir perdão.

Ao seu lado, apareceu a Sombra, que se aproximava... aproximava... implacável...

André retorcia-se, gemia, chorava...

Debalde tentava Francisco Ignácio acalmá-lo, não conseguia, ele não via a Sombra, só o Visconde é que podia vê-la.

Aquele homem, que se debatia nos estertores da morte, minado pelo remorso, jamais pronunciara na vida a palavra Perdão, e, mesmo naquele momento, seus lábios não se abriram para pronunciar a palavra que poderia redimi-lo junto de Deus e junto de seu filho.

André lutava...

Mais e mais, a Sombra unia-se a ele num amplexo sufocante...

O médico, horrorizado, assistia a agonia de André enquanto as pretas e os pretos velhos rezavam baixinho tentando auxiliar o moribundo.

Os minutos passavam, e o relógio do salão bateu onze badaladas, e André ainda arfava; gemia e chorava... Tentava, com as mãos, afastar a Sombra, que com ele também lutava...

Quando o relógio parou e o silêncio tornou-se mais profundo, André soltou um grito de dor e medo...

A Sombra colocara-se entre ele e Francisco Ignácio, ameaçando sufocá-lo. Então ele, André, Visconde de X, tomou as mãos do filho, beijando-as e umedecendo-as de lágrimas, e implorou:

– Perdão, meu filho!!! Perdão!!!

Desprendeu as mãos de Francisco Ignácio e deixou de gemer; seu rosto, congestionado, aos poucos foi adquirindo suave expressão; terno sorriso nos lábios e nos olhos um brilho diferente.

Quando tornou a fitar Francisco Ignácio, pôde vê-lo perfeitamente.

Viu as ex-escravas dedilhando os compridos rosários, viu a Lua parada pela janela aberta, procurou a Sombra, e ela havia desaparecido quando seus lábios pediram perdão...

Foi, então, que o jovem, passando as mãos pela cabeça branca de André, disse:

– Eu o perdoo, meu pai!!

André sorriu e, aos poucos, foi deixando de respirar...

As pretas aproximaram-se e Francisco Ignácio levantou-se, cobrindo o rosto de seu pai, que deixara de viver...

***

Francisco Ignácio voltou para a Corte e a primeira visita foi para Maria Antonieta, que o recebeu juntamente com Maria Leopoldina.

No luxuoso salão, conversaram demoradamente, recebendo as joias que ele fora incumbido de entregar.

Depois, chegaram os dois esposos das irmãs de André, e Maria Antonieta leu a carta que recebera e que dava ensejo para que Francisco Ignácio fosse incluído na fidalga família.

Francisco Ignácio manteve-se calado muito tempo para depois pedir que aquele segredo ficasse para sempre oculto, que o crime praticado por seu pai jamais fosse descoberto, que a sua memória fosse sempre respeitada e os seus brasões permanecessem sem mácula.

Ele nada queria, pretendia ficar somente com a fazenda e fazê-la voltar ao esplendor antigo; queria erguer uma nova família, que não teria brasões de nobreza, mas um nome digno na primeira vergôntea de uma grande e frondosa árvore.

Queria somente ser recebido naquela família como um leal amigo. Inutilmente tentaram convencê-lo, mas ele foi inabalável na decisão que tomara.

Nesse instante, entrou no salão graciosa adolescente que pôs termo à conversa, transformando o ambiente do austero salão com o seu sorriso e, em seguida, abriu o piano e, desembaraçada, começou a tocar uma linda melodia muito apreciada no momento.

***

A irreverente mocinha, que tão desembaraçada entrara de surpresa no salão, onde sério assunto de família tomava a atenção de todos, era neta de Maria Antonieta... e foi essa linda adolescente que, meses depois, casou-se com Francisco Ignácio.

Desse casal ergueu-se uma das mais ilustres famílias do planalto paulista.

A fazenda prosperou, voltou quase a ter o mesmo esplendor de outrora...

Francisco Ignácio a visitava sempre em companhia da esposa, que nunca soube do segredo avaramente guardado pelo esposo e por seus pais.

Quantas vezes ela ouviu do esposo os fatos históricos vividos pelo seu bisavô que tomara parte na caravana histórica, ao lado do jovem Príncipe, quando ele bradou nas margens do Ipiranga: "Independência ou morte!"

Tinha ela especial carinho pelo único irmão de sua avó, o tio André, e parada junto ao seu retrato, colocado no salão da fazenda, dizia enlevada e orgulhosa:

– Veja, Francisco Ignácio, que distinção tinha o irmão de minha avó! Mesmo pelo retrato pode-se aquilatar a nobreza dos seus sentimentos e a retidão de seu caráter.

Francisco Ignácio sorria feliz...

Ao nascer-lhe a primeira filhinha, fez questão de dar-lhe o nome de Mariana Josefa; homenagem singela que só ele podia compreender.

***

André, hoje reencarnado para resgate do crime que praticara, volveu à mesma fazenda que nascera, mas trazendo na pele o estigma da raça que desprezara e da qual fora também verdugo.

Preto pobre, trabalhando no plantio da rica propriedade, quando, ao entardecer, volve cansado, depois de um longo dia de trabalho, para muitas vezes olhando o antigo casarão, bem conservado, e as belas palmeiras que, impávidas, desafiam ainda o perpassar dos tempos.

E o humilde preto sente, no recôndito de sua alma, estranha nostalgia.

Olha para as mãos negras calosas e, num dolorido suspiro, pergunta:

– Por que, bondoso Deus, fizeste-me preto? Por quê? Como eu gostaria de ser branco, mas seja feita, Senhor, a Vossa santa vontade... – e, quase feliz, encaminha-se para a sua modesta casinha, que fica na curva da estrada perto da velha porteira.

***

Aqui termina a história que prometi contar.

Ignácio

Jacarepaguá, Rio de Janeiro, 22-8-1954.

IDEEDITORA.COM.BR

Acesse e cadastre-se para receber informações sobre nossos lançamentos.

TWITTER.COM/IDEEDITORA
FACEBOOK.COM/IDE.EDITORA
EDITORIAL@IDEEDITORA.COM.BR

IDE Editora é apenas um nome fantasia utilizado pelo INSTITUTO DE DIFUSÃO ESPÍRITA, entidade sem fins lucrativos, que promove extenso programa de assistência social, e que detém os direitos autorais desta obra.